Kom naar huis

Wilt u op de hoogte worden gehouden van de boeken van uitgeverij Artemis & co? Meldt u zich dan aan voor de nieuwsbrief via onze website www.uitgeverijartemis.nl.

Julie Kibler

Kom naar huis

Vertaald door
Inge de Heer

Artemis & co

ISBN 978 90 472 0284 4
© 2013 Julie Kibler
© 2013 Nederlandse vertaling Artemis & co,
Amsterdam en Inge de Heer
Oorspronkelijke titel *Calling me Home*
Oorspronkelijke uitgever St. Martin's Press
Omslagontwerp b'IJ Barbara
Omslagillustratie © Zave Smith/Getty Images
Foto auteur © Dori Young

Verspreiding voor België:
Veen Bosch & Keuning uitgevers n.v., Antwerpen

Voor oma, voor gemiste kansen

Maar alles wat verloren is wordt door de engelen bewaard
liefste
Het verleden is niet dood voor ons maar slechts in slaap
liefste
Het kleine aards verdriet zal in de hemel
snel vergeten zijn
Want daar beginnen jij en ik opnieuw
in onze kindertijd.

– Uit het gedicht 'At Last' van Helen Hunt Jackson

1

Mevrouw Isabelle, heden

Toen ik Dorrie leerde kennen, een jaar of tien geleden, deed ik heel onaardig tegen haar. Een mens wordt ouder, en dan vergeet je weleens je gedachten voor je te houden. Of je hebt allang overal maling aan. Dorrie dacht dat haar huidskleur me niet zinde. Beslist niet waar. Ja, ik was boos, maar alleen omdat mijn kapster – haarverzorgster worden ze tegenwoordig genoemd, of haarstyliste, wat zó aanstellerig klinkt – van de ene op de andere dag vertrokken was. Ik was helemaal komen lopen naar de kapperszaak, geen sinecure als je bejaard bent, en kreeg van het meisje achter de balie te horen dat mijn vertrouwde kapster er de brui aan had gegeven. Terwijl ik daar met mijn ogen stond te knipperen, kokend van woede, bestudeerde zij de agenda. Met een vreemd lachje zei ze: 'Dorrie heeft nog wel een plekje. Ze zou u vrijwel meteen kunnen helpen.'

Algauw werd ik door Dorrie geroepen, en inderdaad, haar uiterlijk verraste me: ze was de enige Afro-Amerikaanse in de hele zaak, voor zover ik wist. Maar het werkelijke probleem was: verandering. Daar heb ik een hekel aan. Mensen die niet weten hoe ik mijn haar wil hebben. Mensen die de kapmantel te strak om mijn hals binden. Mensen die onaangekondigd vertrekken. Ik moest het even verwerken, en dat zal wel aan me te zien zijn geweest. Ik hield op mijn tachtigste al van vaste regelmaat, en hoe ouder ik word, hoe meer ik eraan hecht. Kun je nagaan, ik ben nu bijna negentig.

Negentig. Ik ben oud genoeg om de witharige oma van Dorrie te zijn. Minstens. Dat is zonneklaar. Maar Dorrie? Die weet waarschijnlijk niet dat ze de dochter is geworden die ik nooit heb gehad. Heel lang ben ik haar achternagegaan, van de ene salon naar de andere, toen ze haar draai maar niet kon vinden en nergens wilde blijven. Nu is ze gelukkiger. Ze heeft tegenwoordig een eigen zaak, maar mij bezoekt ze thuis. Zoals een dochter dat zou doen.

Als Dorrie komt, praten we wat af. Aanvankelijk, toen ik haar net had leren kennen, over de gebruikelijke onderwerpen. Het weer. Krantenartikelen. Mijn soaps en spelprogramma's, haar reality-tv en sitcoms, wat dan ook, zolang we maar gezellig de tijd doorkwamen terwijl ze mijn haar waste en stylede. Maar als je iemand week in week uit, jaar in jaar uit een uur of langer ziet, krijgen de gesprekken in de loop der tijd wat meer diepgang. Dorrie begon over haar kinderen te praten, haar gekke ex-man, haar droom om ooit een eigen zaak te beginnen, en toen ze die zaak eenmaal had over al het werk dat dit met zich meebracht. Ik kan goed luisteren.

Ze vroeg me ook weleens wat. Toen ze me eenmaal thuis kwam kappen en we allebei gewend waren geraakt aan de nieuwe routine, begon ze vragen te stellen over de schilderijen bij mij aan de muur en de aandenkens die ik hier en daar heb uitgestald. Dáárover vertellen was makkelijk genoeg.

Het kan raar lopen. Soms vind je een vriendin – daar waar je de meeste kans hebt die te vinden – en kun je vrijwel meteen over van alles praten, maar merk je na de eerste gloed dat je eigenlijk niets gemeen hebt. Bij anderen heb je juist het idee dat ze nooit meer dan kennissen zullen worden: je verschilt immers te veel van elkaar. Maar zoiets kan je opeens verrassen, en langer aanblijven dan je ooit had gedacht, en dan ga je erop vertrouwen, en dan breekt die relatie stukje bij beetje je muren af, tot je beseft dat je die persoon beter kent dan wie ook, en jullie echte vriendinnen zijn.

Dat is met Dorrie en mij het geval. Niemand zou ooit hebben gedacht dat we tien jaar later nog steeds zaken met elkaar deden, maar ook zoveel meer. Dat we niet alleen over onze tv-programma's praatten, maar er soms ook samen naar keken. Dat zij smoesjes verzon om verscheidene dagen per week langs te komen, en dan vroeg of ze soms boodschappen voor me kon doen, wilde weten of ik nog wel genoeg melk of eieren had, of naar de bank moest. Dat ik zelf, als ik door de supermarkt loop, na daar afgezet te zijn door het taxibusje, er altijd aan denk een sixpack van haar favoriete frisdrank in mijn kar te leggen, zodat ze haar keel kan smeren voordat ze aan mijn haar begint.

Op een keer, een paar jaar geleden, wilde ze me met een verlegen gezicht een vraag stellen, maar bleef ze halverwege de zin steken.

'Wat is er?' vroeg ik. 'Heb je je tong verloren? Dat mag wel in de krant.'

'O, mevrouw Isabelle, ik weet dat het u toch niet interesseert. Laat maar.'

'Oké,' zei ik. Ik ben er de persoon niet naar om te vissen naar iets wat iemand liever verzwijgt.

'Nou ja, omdat u zo aandringt...' zei ze grijnzend. 'Stevie heeft donderdagavond een schoolconcert. Hij speelt een solo – op de trompet. U weet toch dat hij trompet speelt?'

'Hoe kon me dat zijn ontgaan, Dorrie? Je hebt het er al drie jaar over, sinds hij auditie heeft gedaan.'

'Ik weet het, mevrouw Isabelle. Ik ben zo trots op de kinderen dat ik soms een beetje doorschiet. Hoe dan ook, zou u met me mee willen? Om hem te zien spelen?'

Ik dacht er even over na. Niet omdat ik ook maar even twijfelde of ik ernaartoe wilde, maar omdat ik een beetje overweldigd was. Het duurde te lang voordat ik mijn stem terug had.

'Het geeft niet, mevrouw Isabelle. U moet zich niet gedwongen voelen. U beledigt me er niet mee, hoor, en...'

'Nee! Ik zou het enig vinden. Sterker nog: ik doe op donderdag niets liever.'

Ze barstte in lachen uit. Alsof ik ooit ergens naartoe ging, en dat seizoen was donderdag een saaie tv-avond.

Het komt sindsdien wel vaker voor dat ze me meeneemt naar bijzondere gelegenheden van de kinderen. God weet dat hun vader meestal vergeet te komen. Dorries moeder is er gewoonlijk ook bij, en dan babbelen we gezellig, maar ik vraag me altijd wel af hoe ze over mijn aanwezigheid denkt. Ze bekijkt me een tikje verwonderd, alsof ze volstrekt niet kan doorgronden waarom Dorrie en ik bevriend zijn.

Maar er is nog steeds veel wat Dorrie niet weet. Dingen die niemand weet. Áls ik er al iemand over zou vertellen, dan zou zij het waarschijnlijk zijn. Dan zou zij het beslist zijn. En ik vind dat het tijd is. Meer dan bij wie ook heb ik er bij haar vertrouwen in dat ze me niet zal veroordelen, en er niet aan zal twijfelen of het allemaal wel zo is gelopen en of het allemaal wel zo is geëindigd.

Vandaar dat ik haar heb gevraagd me met de auto helemaal van Texas naar Cincinnati te brengen, het halve land door, om me te helpen het een en ander af te wikkelen. Ik ben niet te trots om toe te geven dat ik dit niet alleen kan. Ik heb meer dan genoeg zelfstandig gedaan, zolang ik me kan heugen.

Maar dit? Dit kan ik niet alleen. Bovendien wil ik het niet. Ik wil mijn dochter; ik wil Dorrie.

2

Dorrie, heden

Toen ik mevrouw Isabelle leerde kennen, gedroeg ze zich eerder als mevrouw Miserabelle, echt waar. Maar ik had niet het idee dat ze een racist was. Het kwam niet eens bij me op, ik zweer het. Ik mag er dan misschien jong uitzien, maar ik draai al een tijdje mee in dit vak. O, het is allemaal zo veelzeggend: de lijntjes rond de dichte ogen van mijn klant, de spanning in haar hoofdhuid als ik die met shampoo masseer, de conditie van het haar dat ik om een krulspeld wikkel. Ik wist vrijwel meteen dat mevrouw Isabelle belangrijker zorgen aan haar hoofd had dan mijn huidskleur. Hoe aantrekkelijk ze ook was voor een tachtigjarige vrouw, ze had iets duisters, en dat stond een zachte uitstraling in de weg. Maar het is niets voor mij om te vissen naar alle bijzonderheden – misschien heeft dat ertoe bijgedragen dat we zoiets moois kregen. Ik weet uit ervaring dat mensen praten als ze daar klaar voor zijn. Ze is door de jaren heen veel meer dan een klant geworden. Ze was goed voor me. Ik heb het nooit hardop gezegd, maar in sommige opzichten was ze een betere moeder voor me dan de moeder die God me heeft gegeven. Toen ik dat dacht dook ik in-een, in de verwachting door de bliksem getroffen te zullen worden.

Maar de gunst die mevrouw Isabelle me vroeg kwam toch als een verrassing. O, ik hielp haar af en toe wel: ik deed boodschappen of kleine reparatieklusjes bij haar thuis, eenvoudige dingetjes waar je geen monteur bij hoefde te halen, vooral niet omdat ik er toevallig tóch was. Ik heb er nooit een cent voor willen hebben. Ik deed het omdat ik het wilde, maar zolang ze een betalende klant was – ook al was ze mijn lievelingsklant – kon er misschien altijd enigszins het idee bestaan dat het allemaal een uitbreiding was van mijn werk.

Maar dit, dit was niet gering. En heel anders. Ze had niet aangeboden me ervoor te betalen. Dat zou ze ongetwijfeld hebben gedaan als ik erom had gevraagd, maar ik had totaal niet het gevoel dat haar verzoek een klus betrof – gewoon iemand om haar van punt A naar punt B te brengen – en dat ik toevallig de enige was die ze kon bedenken. Nee. Ze wilde mij. Om wie ik ben. Dat wist ik net zo zeker als dat de maan aan de hemel stond, of ik die nu kon zien of niet.

Toen ze het me vroeg, legde ik mijn handen op haar schouders. 'Dat vind ik nogal wat, mevrouw Isabelle. Weet u het zeker? Waarom ik?' Ik kapte haar inmiddels al vijf jaar bij haar thuis, sinds ze een lelijke val had gemaakt en de huisarts had gezegd dat ze autorijden voortaan wel kon vergeten; ik zou haar nooit in de steek hebben gelaten omdat ze niet naar mij toe kon komen. Ik was een beetje aan haar gehecht geraakt.

Ze bestudeerde me in de spiegel boven haar ouderwetse kaptafel, waar we elke maandag een provisorische werkplek inrichtten. De zilverblauwe ogen van mevrouw Isabelle, die zilverder werden naarmate samen met haar jeugdigheid het blauw verbleekte, deden toen iets wat ik al die tijd dat ik haar haar had geknipt, gekruld en gestyled nog nooit had gezien. Eerst begonnen ze te glanzen. Toen schoten ze vol tranen. Mijn handen voelden aan als klompen klei die door die tranen doorweekt waren geraakt, en ik kon ze niet bewegen of mezelf ertoe zetten haar schouders wat steviger vast te pakken. Niet dat ze zou hebben gewild dat ik op haar emotie reageerde, hoor. Ze was altijd heel sterk geweest.

Ze richtte haar aandacht op iets anders, en pakte het zilveren vingerhoedje dat ik al zolang ik haar thuis bezocht op haar kaptafel had zien liggen. Ik had nooit het idee gehad dat het nou zo belangrijk was – in elk geval niet zo belangrijk als de andere aandenkens die ze overal in huis had. Het was een vingerhoedje. 'Zo zeker als ik maar kan zijn,' zei ze ten slotte, terwijl ze het vingerhoedje met haar handpalm omsloot. Op het waarom ging ze niet in. Toen begreep ik: hoe klein dat vingerhoedje ook was, er zat een verhaal aan vast. 'Kom. We verspillen onze tijd. Maak mijn haar af, dan kunnen we plannen maken, Dorrie.'

Een ander zou haar misschien bazig hebben gevonden, maar ze bedoelde het niet zo. Haar stem bevrijdde mijn handen, en ik schoof ze omhoog om een haarlok rond mijn vinger te wikkelen. Haar haar paste bij haar ogen. Het lag op mijn huid als water op aarde.

Later, in mijn zaak, bladerde ik door de agenda om mijn komende week te overzien. Ik trof nogal wat open plekken aan. Bladzijden die zo blank waren dat ik hoofdpijn kreeg van de schittering. Tussen de vakantieperioden in was het nooit zo druk. Geen chique kapsels voor de feestdagen. Opgestoken haar voor het schoolbal of extensions voor familiebijeenkomsten kwamen pas over een paar maanden weer. Alleen zo nu en dan wat doorsneedingen, meer niet. Mannen voor stekeltjes of een opgeschoren coupe, een paar kleine meisjes voor een schattige bob voor Pasen. Vrouwen die langskwamen voor gratis pony bijknippen – het zou mijn leven er makkelijker op maken als ze die rotdingen gewoon lieten voor wat ze waren.

Ik kon mijn mannen verzetten. Die zouden ongeacht wanneer ik aan hen toekwam hun briefjes van twintig vers uit de pinautomaat op de toonbank neerleggen, blij dat ze niet aan vreemden hoefden uit te leggen hoe ze hun haar wilden hebben. Ik zou er zelfs een paar kunnen bellen om te zien of ze die middag nog langs konden komen – ik was meestal op maandag gesloten. Het fijne van de afgelopen paar jaar een eigen zaakje pachten was dat ik alles zelf kon bepalen, en op mijn vrije dagen openging als ik dat wilde. En wat nog fijner was: niemand stond me op de vingers te kijken, klaar om me uit te kafferen, of erger nog: me te ontslaan omdat ik er zomaar vandoor was gegaan.

Mama zou het vast wel aankunnen om op de kinderen te passen als ik met mevrouw Isabelle meeging. Ze was me een wederdienst schuldig – ik bood haar onderdak – en bovendien waren Stevie Junior en Bebe oud genoeg. Ze hoefde eigenlijk alleen maar toezicht te houden op hun constante komen en gaan, het alarmnummer te bellen als er brand uitbrak op het fornuis, of de loodgieter te laten komen als de badkamer blank stond. God verhoede het.

Ik raakte door mijn uitvluchten heen. Daar kwam nog bij dat ik er eerlijk gezegd wel behoefte aan had om er even tussenuit te zijn. Ik had nogal wat aan mijn hoofd. Nogal wat om over na te denken.

Bovendien... had mevrouw Isabelle me blijkbaar echt nodig.

Ik pleegde wat telefoontjes.

Drie uur later waren mijn klanten weggewerkt en had mama toegezegd op de kinderen te passen. Wat mij betreft had ik nog één telefoontje te gaan. Ik wilde mijn mobiel pakken, maar mijn hand bleef halverwege in de lucht hangen. Wat ik met Teague had was zo pril – zo bróós – dat ik het met mevrouw Isabelle nog niet over hem had gehad. Ik durfde het met mezélf bijna niet eens over hem te hebben. Want hoe haalde ik het in mijn hoofd om nóg een man een kans te geven? Had ik mijn verstand verloren? Ik probeerde het bijeen te rapen en weer in mijn koppige schedel te stoppen.

Het lukte niet.

Het gerinkel van de balietelefoon maakte abrupt een eind aan mijn gepeins.

'Dorrie? Ben je aan het pakken?' bulderde mevrouw Isabelle, en ik rukte de telefoon zo snel bij mijn oor weg dat ik hem bijna dwars door mijn kleine zaakje liet vliegen. Waarom tetterden bejaarden toch altijd door de telefoon alsof de ander ook slechthorend was?

'Hoe gaat het, mevrouw Izzy-belle?' Ik kon het soms niet laten met haar naam te spelen. Dat deed ik bij iedereen. Iedereen die ik aardig vond, tenminste.

'Dórrie, ik heb je gewaarschuwd.'

Ik schoot in de lach. Ze hijgde, alsof ze op haar koffer duwde om hem dicht te ritsen. 'Ik kan mijn agenda misschien wel leegmaken,' zei ik, 'maar nee, ik ben nog niet aan het pakken. Trouwens, u belt me op de zaak. U weet dat ik niet thuis ben.' Ze belde hardnekkig de vaste telefoon van de zaak als ze dacht dat ik daar zou zijn, hoewel ik haar talloze keren had gezegd dat ik het niet erg vond als ze mijn mobiel belde.

'We hebben niet veel tijd, Dorrie.'

'Goed, goed. Hoe ver is het eigenlijk naar Cincinnati? En wat moet ik meenemen?'

'Van Arlington naar Cincy is zo'n vijftienhonderd kilometer.

Twee volle dagen rijden, heen en terug. Ik hoop dat het je niet afschrikt, maar ik heb een hekel aan vliegen.'

'Nee hoor, geen punt. Ik heb zelfs nog nooit in een vliegtuig gezeten, mevrouw Isabelle.' En ik was niet van plan daar gauw verandering in te brengen, ook al woonden we minder dan vijftien kilometer van vliegveld Dallas-Fort Worth.

'En alles wat je normaal ook zou dragen volstaat, grotendeels. Alleen: heb je eigenlijk wel een jurk?'

Ik schudde grinnikend mijn hoofd. 'U denkt dat u me kent, hè?'

Ze had me inderdaad zelden in iets anders gezien dan wat ik droeg voor mijn werk: effen tricot shirts gecombineerd met een mooie spijkerbroek, schoenen waar ik acht uur per dag op kon staan zonder dat ik gek werd van de pijn in mijn voeten, en een zwart schort om mijn kleren droog te houden en te voorkomen dat ze onder de plukken haar kwamen te zitten. Het enige verschil tussen mijn werkkleren en mijn niet-werkkleren was dat schort. Het was een terechte vraag.

'Het zal u verrassen, maar ik heb wel degelijk een paar jurken,' zei ik. 'Waarschijnlijk in een mottenballenzak achter in mijn kast gepropt, en misschien wel twee maten te klein, maar ik heb er een paar. Waarom heb ik een jurk nodig? Waar gaan we naartoe? Een bruiloft?'

Er waren tegenwoordig weinig gelegenheden waarbij een nette broek en een chique blouse niet volstonden. Ik kon er maar twee bedenken. De stilte van mevrouw Isabelle maakte duidelijk dat ik een blunder had begaan. Ik kromp ineen. 'O, gut, het spijt me. Ik had geen idee. Dat had u niet gezegd...'

'Ja. Het gaat om een begrafenis. Als je niets geschikts hebt, kunnen we onderweg wel even ergens stoppen. Ik wil je met alle liefde...'

'O, nee, mevrouw Isabelle. Ik vind wel iets. Dat over die mottenballen en zo was maar een grapje.' Terwijl ik haar op de achtergrond onafgebroken hoorde pakken, probeerde ik te bedenken wat ik nu eigenlijk bezat dat geschikt was voor een begrafenis. Helemaal niets. Maar ik had net genoeg tijd om op weg naar huis langs JCPenney's te gaan. Mevrouw Isabelle had al meer dan genoeg voor me gedaan: ze gaf dikke fooien telkens wanneer ik haar haar had gedaan, ze greep elk voorwendsel aan om me een extraatje te geven, ze begroette me met een lekker broodje als ik vóór haar afspraak geen tijd had gehad om te eten, ze fungeerde als klankbord als ik hoorndol werd van mijn kinderen – maar ook al hadden we nog zo'n hechte band, ik zou haar nooit voor zo'n jurk laten betalen. Dat ging me om de een of andere reden te ver. Waarom had ze eigenlijk niet gezegd dat we naar een begráfenis gingen? Dat was een belangrijk detail. Of liever gezegd: een essentieel detail. Toen ze zei dat ze het een en ander moest afwikkelen, had ik aangenomen dat ze het over papieren had gehad die ze persoonlijk moest tekenen, of misschien onroerend goed dat verkocht moest worden. Iets zakelijks. Niet zoiets belangrijks als een begrafenis. En ze wilde er door mij naartoe gebracht worden. Door míj. Ik had mezelf wijsgemaakt dat ik haar beter kende dan al mijn andere klanten – ze was tenslotte mijn lievelingsklant. Maar opeens was mevrouw Isabelle weer een vrouw met geheimen – de vrouw die zich jaren geleden in mijn kappersstoel had laten neerzakken en zorgen had meegedragen die zo diep weggestopt waren dat ik er niet eens naar kon gissen.

Mevrouw Isabelle en ik hadden in de loop der jaren heel wat uurtjes pratend doorgebracht – zoveel uurtjes dat ik de tel kwijt was. Maar het drong nu tot me door dat ik niets wist van haar jeugd of haar afkomst, hoewel ik zoveel om haar gaf en hoewel ze me zo vertrouwde dat ik haar tijdens deze reis mocht begeleiden. Hoe had dat me kunnen ontgaan? Ik moest toegeven dat ik wel nieuwsgierig was, al liet ik het oplossen van mysteries meestal aan televisiesterren over; uitknobbelen hoe ik mijn rekeningen moest betalen vond ik al ingewikkeld genoeg.

Mevrouw Isabelle had de boel blijkbaar dichtgeritst, want ze liet me zo schrikken dat ik meteen James Bond af was. 'Kunnen we morgenochtend dan weg? Klokslag tien uur?'

'Maar natuurlijk, jongedame. Tien uur. Afgesproken.' Het zou krap worden, maar ik haalde het wel, ook al bleek alles wat ik eerst als kleinigheid had beschouwd nu opeens veel belangrijker te zijn.

'We gaan met mijn auto. Ik snap niet hoe jullie jongelui het uithouden om in die blikken dingen van tegenwoordig te rijden. Er zit niets tussen jou en de weg. Alsof je een prop aluminiumfolie bestuurt.'

'Ho eens even. Aluminiumfolie veert. Min of meer. Maar natuurlijk, ik zal die slee van u met genoegen besturen.' Jammer genoeg behoorden cd-spelers in 1993, toen ze haar fraaie Buick had gekocht, over het algemeen niet tot de standaarduitrusting. En al mijn cassettes had ik weggegooid. 'En, mevrouw Isabelle? Het spijt me van...'

'Tot morgen dan.' Ze hing doodleuk op, zonder me te laten uitpraten. Ze was er blijkbaar nog niet aan toe om meer details te geven over deze begrafenis. En omdat ik nu eenmaal ben wie ik ben, drong ik niet verder aan.

'Benzine?' vroeg mevrouw Isabelle de volgende ochtend toen we ons opmaakten om weg te rijden.

'In orde.'

'Olie? Riemen? Filters?'

'In orde.'

'Versnaperingen?'

Ik floot. 'Dík in orde.'

Ik was een uur eerder gekomen dan we van plan waren te vertrekken, zodat ik nog met de auto bij de garage langs kon. Nadat ze hem vluchtig hadden nagelopen ging ik tanken en sloeg ik nog wat andere benodigdheden in. Mevrouw Isabelle had me een ellenlange lijst snoep voor onderweg meegegeven.

'Potjandorie,' zei ze nu, knippend met haar vingers. 'Ik ben één ding vergeten. Maar even verderop heb je een drogist.'

Wat kon ze in 's hemelsnaam zo snel nodig hebben dat we er een omweg voor moesten maken voordat we zelfs maar de stad uit waren? Ik zette de Buick in z'n achteruit en reed langzaam via de oprit van mevrouw Isabelle de straat op. Ik bleef op de hoek extra lang wachten en liet geduldig alle auto's passeren tot er meer dan genoeg ruimte was om in te voegen.

'Als je de hele tijd zo rijdt komen we er nooit,' zei mevrouw Isabelle. Ze nam me aandachtig op. 'Denk je soms dat nu je een bejaarde vrouw vergezelt naar een begrafenis, je je zelf ook als een bejaarde moet gedragen?'

'Ik wilde niet al te vroeg uw bloeddruk omhoogjagen, mevrouw Isabelle,' zei ik snuivend.

'Mijn bloeddruk is mijn zorg. Zorg jij nou maar dat we voor de kerst in Cincy komen.'

'Jazeker, dame.' Ik raakte met mijn vingertoppen mijn voorhoofd aan en trapte het gaspedaal in. Ik was blij dat ze net zo knorrig als altijd bleek te zijn – de dood was tenslotte geen vrolijke zaak. Ze had me nog steeds niet precies verteld hoe het zat, alleen dat ze een telefoontje had gehad, en dat haar was verzocht een begrafenis bij te wonen in de buurt van Cincinnati, Ohio. En ze kon natuurlijk niet alleen reizen.

Bij de drogist haalde ze een splinternieuw briefje van tien uit haar portefeuille. 'Dit moet voldoende zijn voor twee kruiswoordpuzzelbladen.'

'Meent u dat nou?' vroeg ik stomverbaasd. 'Kruiswoordpuzzels?'

'Ja. Trek niet zo'n gezicht. Die houden me geestelijk gezond.'

'En u wilt ze tijdens het rijden gaan oplossen? Hebt u soms ook een middeltje tegen wagenziekte nodig?'

'Nee, dank je.'

Toen ik binnen de tijdschriftrekken bekeek, had ik er spijt van dat ik niet wat meer bijzonderheden had gevraagd. Voor alle zekerheid koos ik één puzzelblad in groteletterdruk – 'vriendelijk voor de ogen' – en één gewoon. Het leek me dat ik zo altijd goed zat, en niet nóg een tochtje naar de winkel hoefde te maken. Wie kocht er nou in 's hemelsnaam kruiswoordpuzzelbladen, tenzij je je in een ziekenhuis zat te vervelen? Hoewel, nu ik erover nadacht: mijn oma deed ook kruiswoordpuzzels toen ik klein was. Het was waarschijnlijk een bezigheid voor bejaarden.

Ik moffelde de bladen een beetje weg tegen mijn heup, alsof ik in de supermarkt een voordeelverpakking van een vrouwenproduct meetroonde naar de enige man achter de kassa. Maar de drogisterijmedewerkster keek niet eens naar de bladen die ze over de scanner schoof. Ook niet naar míj overigens. Ik wimpelde haar monotone aanbod om de bladen in te pakken af. Dat vond ik zonde, ondanks mijn schaamte.

Terug in de auto bekeek mevrouw Isabelle mijn aankopen op armlengte afstand. 'Dat is prima. Nu hebben we onderweg iets om over te praten.'

Ik stelde me de onderwerpen voor die een kruiswoordpuzzel zou opleveren: vier horizontaal: 'een roze vogel'. *Flamingo*.

De rit over snelweg 30 zou heel, heel lang duren.

Maar het eerste uur of zo waren we stil: ik probeerde ons zonder al te veel te vloeken door het lateochtendverkeer rond Dallas te loodsen, en we waren allebei een beetje onwennig in deze vreemde omgeving, werden allebei nog steeds in beslag genomen door gedachten aan andere dingen, andere plekken.

Ik was met mijn gedachten bij de vorige avond, en wel het moment dat alles tot rust was gekomen. Mijn nieuwe jurk, ontdaan van de prijskaartjes, hing in een doorzichtige hoes aan de deur van mijn kledingkast. Bebe had zich met een boek in bed geïnstalleerd. Stevie Junior hield zich zoals gewoonlijk bezig met een videospelletje, behalve wanneer hij zijn vingers nodig had om razendsnel zijn vriendinnetje te sms'en.

Ik was ook met mijn gedachten bij Teague – bij waarom ik er zo huiverig voor was geweest hem te bellen. Misschien, heel misschien lag het aan dat jengelende stemmetje in mijn achterhoofd: Teague, Teague, voor jou te chic...

Maar mijn telefoon was gegaan, de ringtone die ik een paar weken na ons eerste echte afspraakje aan Teague had toegekend. *Let's get it on...*

Heel afgezaagd, ja.

'Hoe gaat het met mijn speciale dametje?'

Ik weet het, ik weet het: bij ieder ander zou ik ineenkrimpen en maken dat ik wegkwam. Wat een slijmtekst. Maar bij Teague? Ik kon bijna niet uitleggen wat voor een gevoel dat me gaf.

Oké, ik zal het proberen.

Speciaal. Het gaf me het gevoel speciaal te zijn.

'Prima, prima. En met jou? De kinderen al onder de wol?' vroeg ik. Ik probeerde heel koeltjes te doen als hij me belde, om hem vooral niet het idee te geven dat hij me met een paar woorden kon laten smelten, uit het plasje kon opslorpen wat hij wilde, en dan de restjes kon overlaten voor iemand anders. Ik hield mannen nu al jaren op een afstand, nadat het talloze keren was misgelopen, door hun én mijn toedoen. Maar terwijl andere mannen mijn houding opvatten als een afwijzing en mijn weerzin tegen lichamelijk contact als een of ander kinky spelletje, zodat ze me ten slotte maar voor preuts uitmaakten en de benen namen, hield Teague vol. Ik had hem een paar keer de kans gegeven om door mijn koelheid heen te kijken. Hem heel even een blik gegund op de vrouw die verlangde naar een echte man in haar leven. Om de een of andere reden had ik het gevoel dat hij bereid was te wachten tot die vrouw een besluit had genomen.

Toen ik tien minuten later had opgehangen, moest ik mezelf in mijn armen knijpen en een tik op mijn wangen geven. Was ik wakker of slaapwandelde ik? 'Ik begrijp het,' had Teague gezegd. 'Je doet er goed aan die Isabelle van je zo te helpen. Ik zal je missen, maar we zien elkaar wel weer als je terug bent.' En: 'Geef je moeder mijn telefoonnummer maar. Ik heb de nodige ervaring met kinderzaken.' Dat was zo! Hij was een alleenstaande vader van drie! 'Als ze zolang jij weg bent hulp nodig heeft met Stevie of Bebe of wat dan ook, hoeft ze me maar te bellen.'

Ik probeerde te geloven dat hij er inderdaad voor haar zou zijn als ze hem zou bellen. Het lukte me bijna. Bijna.

Toen ik hem zomaar opeens vertelde dat ik de stad uit ging had ik geen idee gehad hoe hij dat zou opvatten. Ik wist wel precies hoe Steve, mijn ex, zou reageren, nog voordat ik zijn nummer had ingetoetst. Ik moest hem wel inlichten, voor het geval de kinderen iets nodig hadden – zo ja, dan wenste ik hun sterkte. Steve jammerde. Steve schold me de huid vol. Hij vroeg hoe ik mijn kinderen zomaar dagenlang in de steek kon laten. Toch eigenaardig dat hij nooit eens goed in de spiegel keek, hè?

En andere mannen in het verleden? Telkens wanneer ik met de kinderen even uit logeren ging was het: 'O, schatje, ik red het niet zonder je. Laat me niet alleen.' Maar ik zweer het: zodra ik de stadsgrens was overgegaan, gaf iemand het startschot: *Heren* (in de ruimste zin van het woord), *start uw motoren!* En dan scheurden ze naar de dichtstbijzijnde wat-dan-ook, om een vervangende vriendin aan de haak te slaan. Als ik terugkwam bespeurde ik de lippenstift op hun kraag en rook ik het nepparfum in hun auto, en kwamen ze aan met: 'Sorry, meid, maar wat moet ik dan als jij me in de steek laat? Je weet dat ik eigenlijk liever jou heb, maar ik wist het gewoon niet zeker.'

Juist, ja.

Maar Teague verraste me. Alweer.

Het was ánders, een man die je na een eerste afspraakje belde om te vragen hoe het me je ging en of je je wel had geamuseerd. Niet overdreven wanhopig, hoor. Niet dat hij vijf minuten nadat ik de deur op het nachtslot had gedaan al belde, vol zelfmedelijden omdat ik hem niet binnen had gevraagd, en me bestookte met signalen dat ik Alweer Een Foute Keus had gemaakt. Nee, Teague wachtte een respectabele vierentwintig uur, en zelfs toen had hij er niet op aangedrongen onmiddellijk een nieuwe afspraak te maken, al zei hij wel dat hij me weer wilde zien. En nu, ruim een maand en een aantal afspraakjes later, kwam er telkens wanneer ik aan hem dacht één woord in me op: gentleman. Van het zuiverste soort.

Oké, ik geef toe: nóg twee woorden: Wayne Brady. Teague deed me namelijk denken aan de presentator van de spelshow *Let's Make a Deal*, met zijn maffe lachje, gevoel voor humor en sexy – sexy in een nerdy jasje gestoken – uiterlijk.

Ook andere mannen hadden bij het eerste afspraakje de deur voor me opengehouden. Ze hadden zelfs aangeboden te betalen, hoewel ik er altijd op stond samsam te doen – ik en mijn onafhankelijkheid: onafscheidelijk met elkaar verbonden. Maar ditmaal hield het niet op bij dit soort basale zaken. We waren inmiddels al veel verder dan de kennismakingsfase, ongetwijfeld tot ons beider verbazing, en het nieuwe was er een beetje af. Toch hield hij nog steeds de deur voor me open en betaalde hij nog steeds de rekening, tenzij ik die voor hem weg wist te grissen en niet meer afstond. Hij behandelde me nog steeds in alle opzichten als een dame.

Ik vermoedde dat Teague werkelijk door en door lief was.

Maar ik vertrouwde mezelf niet helemaal. Was ik wel in staat om een echte man te herkennen? Een betrouwbare man? Immers: een ezel stoot zich in 't algemeen niet twee keer aan dezelfde steen...

Op de brug over het Ray Hubbard-meer kropen we nog steeds door het drukke verkeer, maar mevrouw Isabelle deed eindelijk haar mond open. 'Je hebt Stevie Senior in je geboorteplaats leren kennen, hè?'

Hij was gewoon Steve, en meer niet, maar ik nam nooit de moeite om haar te verbeteren. Ik probeerde me nu te herinneren wat ik haar kon hebben verteld. Steve belde me om de haverklap op mijn werk, stoorde me terwijl ik met mijn klanten bezig was, en als ik dan niet meteen alles in de steek liet, kwam hij voor ik het wist persoonlijk langs. Hoe dat dan verliep hing af van zijn stemming en drankkeus van de vorige avond, dus ik probeerde hem aan de lijn en buiten mijn zaak te houden. In mijn ogen kwam een klant niet alleen om gekapt te worden, maar ook om er eens lekker ontspannen uit te zijn, al was het maar voor een uurtje. Ik deed alle mogelijke moeite om mijn eigen verleden en problemen zo veel mogelijk buiten de radar te houden, maar dat lukte niet altijd. En omdat het met mevrouw Isabelle anders lag – ze had jarenlang mijn geklaag over de vader van mijn kinderen aangehoord – had ze in elk geval een fragmentarisch beeld van hem. Je zou zeggen dat ze gaandeweg wel alle details zou hebben opgepikt, maar misschien ook niet. Ik bleek tenslotte zelf verbazingwekkend weinig te weten over haar jeugd, of niet soms? Maar ik had eigenlijk helemaal geen zin om weer bij het begin te beginnen.

'Ja. We gingen met elkaar op de middelbare school,' zei ik, in de hoop dat mijn eenvoudige antwoord haar geheugen zou opfrissen.

'En jullie zijn meteen na school getrouwd.' Ze zweeg afwachtend, alsof ze de hele mikmak opnieuw wilde horen. Ik schraapte met een vingernagel over een piepklein ruw plekje op de verder heerlijk zachte armleuning.

'Wat is drie verticaal, mevrouw Isabelle?'

Ze tastte naar haar leesbril om die weer op haar neus te zetten, en tuurde naar de puzzel waaraan ze begonnen was. Met een triomfantelijk lachje las ze de omschrijving voor: 'Een bijvoeglijk naamwoord van zes letters voor "geliefde; favoriet".'

'Ik geef het op.'

'Je kunt het niet opgeven. Je hebt het niet eens geprobeerd.'

'Ik probeer te rijden.'

'Bemínde.'

'Beminde?'

'Ja. Dat is het antwoord. In zinsverband: Stevie Senior was jouw beminde op de middelbare school.'

Dat het kruiswoordpuzzelblad ons van onaangename onderwerpen weg zou loodsen kon ik dus wel vergeten.

'Misschien was Steve ooit mijn be-minde. Maar tegenwoordig is hij ronduit bi-rritant.'

'Wat vervelend nou.'

'Vertel mij wat!' verzuchtte ik, en mijn voornemen om het simpel te houden wankelde. 'Ik heb altijd gedacht dat hij de standvastige zou zijn. Een goede man en vader. Hij was de beste sporter van ons schooldistrict – maakte touchdowns in de herfst en driepunters in de winter. En haalde kampioenschappen binnen. Iedereen ging ervan uit dat hij met een beurs zou gaan studeren en het ver zou schoppen. En ik dacht dat we na zijn afstuderen zouden trouwen en een gouden toekomst tegemoet zouden gaan. Huisje, kindjes, een tuin met een houten hekje erom.' Mijn stem stierf weg, en ik luisterde naar de echo van mijn teleurstelling.

'Het leven loopt niet altijd zoals we hadden verwacht, hè?'

'Verdikkie, mevrouw Isabelle. U weet hoe het is gelopen. Ik heb de kindjes. Ik heb het huis. Maar ik zat verkeerd wat de tuin met het houten hekje betreft. En wat Steve betreft.'

Even later zei ik: 'En hoe zit het met u, mevrouw Isabelle? Had u een liefje op de middelbare school? Was uw man dat?' Ik wist dat er in haar tijd meestal jong werd getrouwd en het huwelijk tientallen jaren standhield. Ik vroeg me af of de mannen toen anders waren, of dat de vrouwen meer geduld met hen hadden als ze zich belachelijk gedroegen.

Haar antwoord bestond op dat moment uit een zucht – een zucht vol verdriet, zo leek het. Zulk extreem verdriet dat het je borstkas uit puilde en je ribben kraakte. Ik had het gevoel dat ik iets verkeerds had gezegd, maar ik kon het niet terugnemen.

Ze bladerde door naar een nieuwe kruiswoordpuzzel en begon die op te lossen alsof haar leven ervan afhing. Opeens zei ze: 'Mijn liefje op de middelbare school... Dat is een heel verhaal.'

Het begon en eindigde allemaal met een begrafenisjurk.

3

Isabelle, 1939

Nell bevrijdde een knetterende haarlok uit de tang en streek hem uit tot hij voor mijn oor bungelde. 'Je bent vast het mooiste meisje op het feest,' zei ze, net toen ik aandachtig mijn effen zwarte jurk in me opnam. Afgeleid keek ik op om haar handwerk te bestuderen, en schudde mijn hoofd, voorzichtig, om mijn haar, dat ze al ruim een uur onberispelijk probeerde op te maken, niet in de war te brengen. Mijn donkere haar was stug en weerbarstig, en krulde vanzelf alle kanten op. Maar voorlopig hingen de gefriseerde lokken rond mijn gezicht als een nette franje van kraaltjes aan een lampenkap, al zouden ze binnen de kortste keren op een kroezige zigzagzoom lijken. Ik zou een lint in mijn zak moeten stoppen, zodat ik ze straks kon opbinden.

Ik zei snuivend: 'Nell Prewitt, ik zal op geen enkel feest ooit het mooiste meisje zijn, maar het is lief van je dat je zo je best doet.' Men had mijn gezicht weleens intelligent genoemd, en mijn gelaatstrekken opvallend, maar nooit mooi, zelfs niet toen ik een peuter was met een kort jurkje en lakschoentjes aan. Toen mijn zeventiende verjaardag naderde, had ik inmiddels geaccepteerd dat de jongens op de feesten waar ik van mijn ouders naartoe moest me altijd negeerden en alleen keken naar de zachtere meisjes, de door pastelkleuren en ruches omgeven meisjes. Ikzelf zou het vreselijk hebben gevonden als het woord 'pastel' ooit met mij in verband zou worden gebracht, of het nu mijn uiterlijk of mijn persoonlijkheid betrof. Ik was er zelfs wel een beetje trots op dat ik als serieus werd bestempeld, want dat bijvoeglijk naamwoord gebruikten de andere meisjes nog het vaakst als ze het over mij hadden. 'O, Isabelle, waarom zo serieus?' vroegen ze dan, terwijl ze turend naar hun spiegelbeeld op hun lippen beten en in hun wangen knepen, en de toefjes poeder en rouge bijwerkten die ze van hun moeder mochten gebruiken, of met een blik over hun schouder controleerden of de naad van hun kousen nog wel kaarsrecht over hun kuiten liep.

'Trouwens,' zei ik tegen Nell, 'het wordt tijd dat ik zelf mijn haar ga doen. Vrouwen zijn tegenwoordig onafhankelijk. Ze doen van alles zelf.'

Nell kromp ineen alsof ik haar geslagen had. Ik realiseerde me te laat dat mijn opmerking onverschillig en kwetsend was geweest. Ze hielp me al jaren me mooi te maken voor feesten en bijzondere gelegenheden – niet alleen als dienstmeisje, maar ook als vriendin. We zouden natuurlijk nooit samen een feest bezoeken, dus de voorbereidingen werden onze geheime overgangsrite. Maar ook al hadden we nog zo'n hechte band – we waren eerder hartsvriendinnen dan een bevoorrecht meisje en het dienstmeisje van haar moeder – ze zou er nooit openlijk voor durven uitkomen dat ik haar kwetste door haar zo achteloos terzijde te schuiven.

'O, Nell, het spijt me. Het ligt niet aan jou,' verzuchtte ik, en ik pakte haar mouw beet, maar Nell zei nog steeds niets. Ze ging iets verder van me vandaan staan en hervatte haar taak. Ik had het gevoel alsof er een breuklijntje was ontstaan, dat een verwijdering tussen ons veroorzaakte die er nooit was geweest.

Maar ook al waren we nog zo goed bevriend, en ook al had ik Nell deelgenoot gemaakt van bijna alles wat er in mijn leven was voorgevallen, ik kon haar niet vertellen wat ik die avond van plan was. Ik zou uiteraard acte de présence geven op het feest van Earline. Maar ik zou tegen mijn gastvrouw zeggen dat moeder me thuis nodig had. En dan zou ik ontsnappen.

Ik had schoon genoeg van de tamme spelletjesavonden die de ouders organiseerden om de kinderen uit ons beschermde kliekje op het rechte pad te houden, weg van de verlokkingen van de betoverende nachtclubs in het vlakbij gelegen Newport, die zelfs al oprukten naar de buitenwijken van ons dorp. Toen ik klein was, had ik toegekeken hoe mijn tante zich klaarmaakte om 's avonds uit te gaan, gehuld in een gedurfde, knielange jurk, die, als het gewaad van een Griekse godin, losjes om haar heupen en schouders viel en gegarneerd was met fonkelende gitten of lovertjesborduursel dat glom als pauwenveren. Haar begeleiders kwamen haar ophalen in een donker, nauwsluitend pak dat hun brede schouders goed deed uitkomen. Mijn moeder stond er dan met opeengeperste lippen en fronsende wenkbrauwen bij. Ze klaagde dat de bandeloosheid van haar zus ons allemaal te gronde zou richten. We hadden tenslotte een reputatie hoog te houden, als gezin van de enige arts van Shalerville. Maar tante Bertie had een eigen inkomen, en wees mijn moeder erop dat ze niet afhankelijk was van het gezin. Er zat dus voor moeder niets anders op dan haar haar gang te laten gaan.

Als ze 's avonds laat thuiskwam, sloop ik soms stiekem haar kamer in en bedelde ik om verhalen over de gelegenheden die ze had bezocht. Tante Bertie, haar kleding geurend naar rook en haar adem naar iets zoets, scherps en vaag gevaarlijks, deed dan verslag – een ingekorte versie, vermoed ik nu. Ze vertelde fluisterend over de jurken van de andere vrouwen, hun begeleiders, de muziek, het dansen, de spelletjes, het overvloedige eten en drinken. Deze glimpen waren voldoende om de verschillen te benadrukken tussen haar avonturen en de saaie avondjes waar mijn ouders naartoe gingen. Als zij thuiskwamen, in hun sombere kleding, waren ze minder enthousiast over het leven dan toen ze weggingen, wat in tegenspraak leek te zijn met het doel van uitgaan. Tante Bertie ging uiteindelijk toch bij ons weg, omdat mijn moeder niet langer bereid was te accepteren dat ze onze huisregels met de voeten trad. Enkele weken later nam haar benevelde begeleider een verkeerde bocht, waardoor hij het klif af reed en hen beiden een wisse dood in stortte. Ik stond er geschokt bij toen moeder beweerde dat tante haar verdiende loon had gekregen vanwege haar levenswijze – ook al kwam moeder dagenlang haar bed niet uit van verdriet. Wij kinderen werden weggehouden van de begrafenis. Ik zat in mijn eentje op mijn kamer te huilen terwijl zij en mijn vader de dienst bijwoonden, en we hebben nooit meer over haar zus gesproken.

Ik miste tante Bertie nog steeds vreselijk. En vanavond hoopte ik een glimp op te vangen van de dingen waarover ze me fluisterend had verteld. In het begin van de week had ik op school de opdracht gekregen naast een nieuw meisje te gaan zitten. Trudie was vanuit Newport bij haar oma in Shalerville komen wonen. De andere meisjes beledigden of negeerden haar – alle nieuwkomers in ons dorp waren verdacht, maar iemand uit Newport al helemaal. Ze leek het zich niet aan te trekken. Ze wierp trots haar hoofd in haar nek als de meisjes minachtende opmerkingen maakten, met z'n allen probeerden haar af te zonderen van de lunchrij, of zich zo breed maakten dat er geen plaats voor haar was aan hun tafel, al had ze toch niet bij hen willen zitten. Trudie vertelde me dat haar moeder haar had laten verhuizen om haar aan de verderfelijke invloed van Newport te onttrekken – ze sprak het uit als 'Newpert', pakte haar klinkers en medeklinkers nog meer opeen dan wij deden, zonder duidelijke lettergrepen – en ze was niet gelukkig met de verandering van omgeving. Ik vroeg haar hoe het was om in de stad te wonen, en mijn belangstelling leek haar te amuseren maar ook te verbazen, gezien het feit dat de andere meisjes haar meden. De volgende dag nam ze me na de les apart en vertelde dat ze het weekend naar huis ging. Ze stelde voor om zaterdagavond in de stad af te spreken. Dan zou ze me rondleiden. Misschien zouden we zelfs even de nieuwe nachtclub kunnen binnenglippen waar haar vriendinnen van thuis maar niet over uitgepraat raakten – een keurig tentje waar je prima muziek had en lekker kon dansen.

Terwijl ik haar voorstel overwoog deed een ondefinieerbaar gevoel mijn gezicht tintelen. Hoe vervelend ik het ook vond dat mijn eigen leven beperkt was, ik wist dat ik 's avonds niet in Newport thuishoorde, maar ik kwam wel in de verleiding. Mijn ouders zouden er natuurlijk nooit mee instemmen, dus ik moest zien weg te glippen. Maar als ik er eenmaal was zou ik niet alleen zijn, en zou ik bovendien de kans krijgen om met eigen ogen iets te zien waarover ik alleen maar had gehoord. Niemand die ik kende zou het lef hebben gehad om ernaartoe te gaan.

Later hoorde ik mijn oudere broers met een vriend over de Rendezvous kletsen, de nieuwste club aan Monmouth Street – chic, zeiden ze, een geschikte tent om hun vriendinnen mee naartoe te nemen, maar ze mopperden erover dat dit zaterdag niet zou lukken, omdat ze beloofd hadden met hen naar de bioscoop te gaan. Pech voor hen, een kans voor mij. Het stelde me gerust dat ze de Rendezvous netjes genoeg vonden om een vriendin mee naartoe te nemen. Een beetje gerust, in elk geval. De volgende dag zei ik op school tegen Trudie dat ik mee zou gaan, ook al trok mijn maag zich waarschuwend samen. We spraken af elkaar zaterdag om halfacht op de stoep bij Dixie Chili te treffen.

Nell gaf een laatste rukje aan mijn haar toen er buiten werd geclaxonneerd. 'Ik heb mijn best gedaan. Ga nu maar gauw. Veel plezier op het feest.'

In een opwelling omhelsde ik haar. 'O, dat zal wel lukken, Nell. Wacht maar af. Ik heb je morgen heel wat te vertellen.' Ze drukte zich ruggelings tegen de deur aan. Ik wist niet wat haar meer verbijsterde: mijn plotselinge genegenheid of mijn enthousiasme over een klassenfeestje van de zondagsschool, waar ik immers al na twee keer, toen ik besefte dat ze allemaal hetzelfde zouden zijn, een hekel aan had gekregen. Altijd dezelfde jongens en meisjes. Altijd dezelfde saaie spelletjes. Altijd even waardeloos.

'Juffrouw Isabelle?'

Ik keek over mijn schouder.

'Wees voorzichtig.'

'O, Nell. Wat kan me nou overkomen?'

Ze sloeg met opeengeperste lippen haar armen over elkaar en leunde weer tegen de deur aan. Haar hele houding drukte bezorgdheid uit, en ze leek zo op haar moeder dat ik ervan schrok. Maar ik wuifde haar achter mijn rug vluchtig gedag en kloste de trap af. Op de overloop ging ik langzamer lopen. Ik wist dat mijn moeder bij de voordeur stond te wachten om mijn jurk, mijn haar en mijn algehele gedrag goed te keuren.

'Ik heb je wel gehoord,' zei moeder. 'Een dame rent niet. Al helemaal niet de trap af.' Ze tikte met haar bril op mijn schouder.

'Ja, moeder.' Ik dook weg en liep snel langs haar.

'Waarom draag je díé jurk? Die is totaal niet geschikt voor een feest.' Ze fronste haar wenkbrauwen.

'Zomaar,' zei ik.

Papa kwam de hoek om. Met zijn bril op het puntje van zijn neus bestudeerde hij de krant die hij bij zich had. Hij schoof de bril omhoog en nam me op. 'Hallo, meiske. Je ziet er prachtig uit. Veel plezier op het feest.'

Moeder snoof. 'Je wordt vanavond toch gebracht én gehaald door de familie Jones, hè? Niet later dan halftwaalf thuis.'

'Natuurlijk, moeder. Als ik niet voor middernacht thuis ben, verander ik misschien wel in een bedelaresje.'

'Isabelle, gedraag je.' Ze keek me na terwijl ik de oprijlaan af liep. Ik vermoedde dat ze lang nadat de auto uit zicht was nóg zou kijken, en dan pas de deur dicht zou doen.

Ik had haar vraag over mijn jurk ontweken, maar ik kon er niet helemaal omheen. Sissy Jones stak op de achterbank van de auto van haar vader haar hoofd uit het raampje. 'Isabelle. Liefje. Wat heb je nou in vredesnaam aan? In dat vod zie je eruit alsof je naar een begrafenis moet.'

Ze had gelijk. Ik had deze effen, donkere jurk een paar maanden eerder bij de begrafenis van mijn opa aangehad, maar het was het enige kledingstuk in mijn hele kast waarin ik niet onmiskenbaar een schoolmeisje was. Ik had door de goedkope sieraden gerommeld die ik lang geleden van tante Bertie had gekregen voor verkleedpartijtjes, tot ik een kralen broche vond die niet al te gehavend was geraakt door mijn spelletjes, en ook die verstopte ik in mijn tas. Ik zou mijn saaie effen jurk feestelijker maken door de broche op de kraag vast te spelden, en zo moest hij er maar mee door. De vrouwen die de clubs in Newport bezochten zouden vast niet allemaal zo betoverend zijn als mijn tante was geweest. Trouwens, het was eigenlijk wel goed dat mijn eenvoudige jurk niet zou opvallen. Ik had de afspraak met Trudie immers alleen gemaakt om eens te kunnen zien hoe het eraan toeging achter die onzichtbare omheining die de moeders van Shalerville hadden opgericht om ons, de jeugd, aan banden te leggen.

'Die domme Cora ook,' zei ik tegen Sissy. 'Ze heeft dagen geleden al mijn mooie jurken meegenomen om ze op te frissen en te persen, en ze heeft ze nog niet teruggebracht. Wat moest ik anders?' Toen ik dat leugentje opdiste kruiste ik achter mijn rug twee vingers. Wat zou Nells moeder verbijsterd hebben gekeken om deze uitspraak, nog meer dan Nell daarnet toen ik haar had gekwetst. Cora was vaak een betere moeder voor me dan mijn eigen moeder, en bijna altijd degene die me oplapte als ik gevallen was en mijn knie had geschaafd, of die me tegen haar zachte, naar groene zeep en stijfsel ruikende boezem drukte als ik verdrietig was omdat mijn onvoorspelbare moeder me weer eens had afgewezen. Maar ik had nu eenmaal een smoes nodig om mijn ongebruikelijke kleding te verklaren, en wat Cora niet wist, kon haar ook niet deren.

'Dank u wel voor het afhalen, meneer Jones.' Ik ging naast Sissy zitten. 'Ik hoef geen lift terug. Ik ga vroeg weg.'

Sissy stak haar kin in de lucht en keek me met opgetrokken wenkbrauwen onderzoekend aan. 'En hoe denk je dan weer thuis te komen?' vroeg ze. Iedereen wist dat ik van moeder 's avonds niet alleen naar huis mocht lopen.

'O, eh... Nell en haar broer komen me halen.'

'Dus je gaat voor donker weg? Waarom neem je de moeite om naar het feest te gaan als je toch zo vroeg weer vertrekt?'

Zwarten mochten in ons dorp na zonsondergang niet meer over straat, maar ik had er niet op gerekend dat Sissy daar meteen bovenop zou springen. Ze was nu eenmaal bijdehand, slimmer dan goed voor haar was, en nooit mijn lievelingsvriendin geweest, hoewel we van onze moeders sinds onze peutertijd met elkaar hadden moeten omgaan. Zij was een van de meisjes die zo onbeschoft waren geweest tegen Trudie, en ik stelde me glimlachend voor hoe ze zou reageren als ze wist wat ik werkelijk van plan was.

'Ik kan maar een uurtje blijven, maar je denkt toch niet dat ik Earlines feest zou overslaan?' Mijn ogen daagden haar uit. Ze wist heel goed dat ik een bloedhekel had aan die feestjes, maar ze wist ook dat ik de kans om op zaterdagavond mijn huis te kunnen ontvluchten nooit zou laten lopen. 'Ik zal ruim voor donker vertrekken.'

Eigenlijk bofte ik hiermee. Nu had ik de ideale smoes om niet te lang op het feest van Earline te hoeven blijven. Ik zou Nell en Robert immers geen moeilijkheden – of erger – willen bezorgen door hen na zonsondergang nog op straat te houden. Ze zouden ruim voordat de zon zijn laatste stralen op onze saaie vesting wierp op weg naar huis moeten zijn.

Meneer Jones zette ons bij Earlines huis af, en ik liet de gebruikelijke stortvloed van omhelzingen, gilletjes en wangzoentjes van de andere meisjes gelaten over me heen komen. Een aantal van hen nam mijn jurk al net zo achterdochtig op als mijn moeder en Sissy hadden gedaan, maar ik legde hun opmerkingen naast me neer. De volgende keer zou ik het jaden sigarettenpijpje tevoorschijn halen dat tante Bertie had achtergelaten – het pijpje dat vanavond samen met mijn clandestiene make-up in mijn tas verborgen zat. Ik zou in een onbewaakt ogenblik een sigaret van mijn broers pikken, en een van de puisterige jongens op het feest vragen mijn Camel aan te steken. Daar zouden de meisjes vast niet van terug hebben.

Ik telde de minuten seconde voor seconde af tot ik mijn plicht had vervuld. Na exact een uur bedankte ik Earline en zocht ik haar moeder op in de keuken. 'Dank u wel voor de uitnodiging, mevrouw Curry. Het was een fantastisch feest, en ik moest u de groeten doen van moeder.'

'Ga je nu al weg, snoes?' vroeg ze.

'Ja, mevrouw. Moeder heeft hulp nodig bij de organisatie van een speciaal familiediner dat we morgen geven.' Dat was de halve waarheid. Moeder had de liefjes van mijn broers zondag te eten gevraagd. Ze was van plan de kerkdienst over te slaan om haar voorbereidingen af te maken, en behalve in de kerk spraken mevrouw Curry en moeder elkaar zelden. Tegen de tijd dat ze elkaar weer zouden zien, zou Earlines moeder mijn voortijdige vertrek allang vergeten zijn.

'Ik heb geen auto gehoord,' zei ze.

'Ons dienstmeisje en haar broer brengen me lopend naar huis. Ik zal hen buiten opwachten.' Mevrouw Curry gaf me verstrooid een kneepje in mijn schouder en ging door met het snijden van de piepkleine, flauwe sandwiches die verplichte kost leken te zijn bij dit soort gelegenheden. Volgens mij vonden sommige van mijn vriendinnen ze nog lekker ook.

'Wees voorzichtig, liefje. We zien je morgen wel weer.'

'Goedenavond, mevrouw Curry.'

Ik liep op mijn tenen terug door de gang, en bleef even staan om een blik in de voorkamer te werpen, waar mijn leeftijdgenoten Freddy almaar ronddraaiden, om hem daarna de staart aan de ezel te laten prikken. We waren veel te oud voor dat spelletje, maar de meisjes werden nog steeds licht in het hoofd en hoopvol als jongens op wie ze verkikkerd waren de ezelstaart aan hun jurk probeerden te prikken; vandaar dat ze ermee doorgingen. De arme Freddy, die zonder bril zo blind was dat ik nooit begreep waarom hij nog de moeite nam een blinddoek voor te doen, stuntelde in het rond. Nu iedereen afgeleid was en om hem lachte, glipte ik naar buiten en trok de voordeur net niet helemaal achter me dicht, om te voorkomen dat de klik iemands aandacht zou trekken, die dan uit het raam zou kijken en zou ontdekken dat ik in mijn eentje vertrok. Een ongechaperonneerde jonge vrouw op straat in Shalerville, Kentucky, vijftienhonderd inwoners – plus of min drie – was niet bepaald ongewoon, maar het hele dorp wist hoe mijn moeder was. Gelukkig zou ik al na vijfhonderd meter op de bus stappen, voor het korte ritje naar Monmouth Street.

Maar nu kreeg ik last van zenuwen. Zelfs bij daglicht was er een hemelsbreed verschil tussen Newport en de schonere, voornamere straten van Shalerville. De trottoirs van Newport werden dag en nacht bevolkt door losbandige mensen, en onze predikant ging geregeld tekeer over de gokhuizen en holen van prostitutie.

Maar ik bracht me de woorden van mijn broers te binnen. Die zouden zich misschien wel in louche gelegenheden wagen als ze met andere jongens op stap waren, maar toch zeker niet met hun vriendinnen – leuke meisjes die geen idee hadden dat Jack en Patrick af en toe regelrechte idioten waren.

Ik zou dicht bij Trudie blijven, en mocht de moed me uiteindelijk toch in de schoenen zinken, dan zou ik rechtsomkeert maken.

Trudie kwam laat aan bij het eethuisje, een kwartier later dan we hadden afgesproken. Mijn mond viel open toen ze over het trottoir op me af klakte. Ze leek nauwelijks meer op het onopvallende meisje dat op school naast me zat. Ze droeg een laag uitgesneden jurk met een patroon van smaragdgroene ruiten op een witte ondergrond. Door de nauwsluitende jurk, haar lippenstift – vier keer zo fel als de lippenstift die ik in de bus had opgebracht – en haar glanzende, tweekleurige pumps zag ze er veel ouder uit dan ze in werkelijkheid was, ook al had ze me op school bekend dat ze een jaar ouder was dan het merendeel van onze klasgenotes, omdat ze op Newport High achter was geraakt.

'Je bent gekomen,' gilde ze, en ze omhelsde me zo onstuimig dat ik moeite had om mijn evenwicht te bewaren. 'Mijn moeder zou me nóóit toestemming hebben gegeven om uit te gaan als ik haar niet had verteld dat ik met een keurig meisje uit Shalerville had afgesproken. Dat is nou precies waarop ze had gehoopt toen ze me uit Newport wegstuurde.'

'Kom,' zei ze, en ze sleepte me mee naar de Rendezvous. Het verbaasde me dat ze zo'n haast had om daar te komen. Ik was ervan uitgegaan dat ze toch minstens een paar minuten met me over Monmouth Street zou slenteren en haar belofte om me de uitgaansplekken te laten zien zou nakomen. Maar ik liet me meesleuren. Binnen moest ik me haasten om haar grote passen bij te houden – ze was zo'n vijftien centimeter langer dan ik – terwijl ze zigzaggend door de menigte op de bar afstevende. Nauwelijks hadden we ons in de buurt daarvan geposteerd, of een jongeman trakteerde haar op een drankje. Ze sloeg het snel achterover, en hij trok haar meteen de dansvloer op. Ze verontschuldigde zich halfslachtig – 'Isabelle, je vindt het toch niet erg als ik ga dansen, hè?' – en wervelde weg in de armen van de man.

Ik maakte me aanvankelijk klein tegen de muur, buiten adem en met slappe kaken. Trudie was wereldser dan ik had gedacht – ook al wist ik dat haar moeder haar had laten verhuizen om haar weer in het gareel te krijgen. Maar ik had niet verwacht dat ik zo in de steek gelaten zou worden. Wat moest ik nu? Het scheelde niet veel of ik was opgestapt.

Maar toch bleef ik bijna een halfuur in mijn eentje tegen een muur staan, terwijl Trudie op de dansvloer rondtolde. Ik keek tersluiks naar het publiek en tikte met mijn voet, alsof ik opging in de swingmuziek die door een trio werd gespeeld op een piepklein podium dat zo'n vijftien centimeter hoger was dan de zaal zelf. Overal stonden mannen en vrouwen met elkaar te praten, of te dansen op een ovale parketvloer die was afgebakend met een koperen reling.

Anderen zaten te eten aan kleine tafeltjes bij de reling of langs de rand van de zaal. Iedereen rookte en dronk cocktails, en het gelach, de muziek en het getinkel van steelglazen vormden samen een wijsje dat ik alleen in bioscopen had gehoord.

Ik had me nog nooit zo misplaatst gevoeld. Op de feesten van mijn klasgenoten voelde ik me tenminste min of meer thuis, ook al was ik naar mijn idee een beetje een buitenbeentje. Daar kwam nog bij dat ik met de zwarte jurk de plank volkomen missloeg. Ik had er spijt van dat ik geen gedessineerde jurk had aangetrokken, hoe kinderlijk ik mijn bloemetjesjurken ook had gevonden. Ik was maar een treurig duifje, te midden van deze zwerm mooie vogels. Ik grabbelde in mijn handtas naar het sigarettenpijpje van tante Bertie. Als ik deed alsof ik rookte, kwam ik misschien wat vrouwelijker en minder meisjesachtig over. Op het moment dat ik het pijpje tevoorschijn haalde, stevende er een knappe jongeman in een donkerblauw pak door het rokerige vertrek op me af.

'Wil je een vuurtje, snoes?'

Ik keek even naar Trudie op de dansvloer. Ze leek zich kostelijk te vermaken. In een fractie van een seconde nam ik een besluit. 'Ik wil wel meer dan een vuurtje,' zei ik. 'Heb je toevallig een sigaret bij je?' Ik zette een lage stem op en slikte mijn klinkers in om te spreken met een zelfverzekerdheid die ik niet bezat, in de hoop ervaren over te komen.

Hij viste een pakje uit zijn zak en stak een sigaret in het pijpje van tante Bertie. Ik boog me naar hem toe met het jaden mondstuk tussen mijn lippen en imiteerde wat ik had gezien. Ik inhaleerde terwijl de man een lucifer bij het uiteinde van de sigaret hield. De warmte schoot naar mijn keel, krachtiger dan ik had verwacht. Ik hield mijn adem in tot de drang om te hoesten voorbij was.

'Wat drink je?' zei de man.

'Nog niets.'

'Wat kan ik je aanbieden?'

Ik bracht me koortsachtig de films te binnen die ik samen met mijn vriendinnen had gezien. De mannelijke hoofdrolspelers en de glamoursterretjes hadden altijd een cocktail in hun hand. 'Sidecar?'

'Komt eraan.' Hij knipte met zijn vingers naar een voorbijlopende ober. In een mum van tijd had ik een glas in mijn hand met het zoetste, zuurste en heerlijkste brouwsel dat ik ooit had geproefd – toen ik eenmaal de schok van mijn eerste slokje te boven was gekomen. Het verliep nu allemaal gladjes. Heel gladjes. Ik dronk het glas snel leeg. Te snel? Ik had geen idee. Er verscheen nog een glas in de hand van mijn weldoener, en als bij toverslag nam ik ook dat aan.

'Ben je hier voor het eerst?' vroeg hij.

'Is dat zo goed te zien dan?' Ik ratelde door, om zijn antwoord voor te blijven. 'Ik had gehoord dat dit een chique tent was.' De as aan het uiteinde van mijn sigaret krulde om en werd steeds langer, als een verkoolde slang, die zo kronkelde dat hij elk moment op de grond kon vallen. Ik hield hem ontzet een eindje van me af. Mijn metgezel haalde vliegensvlug een kristallen asbak uit een nis. Ik tikte de as af.

'Bedankt. U hebt misschien wel mijn leven gered, meneer...'

'Louie is de naam. Voluit Louis, maar al mijn vrienden noemen me Louie.' Hij knipoogde. 'Zin om te dansen?'

'Natuurlijk, eh... Louie.' Hij kwam over als een gentleman. Zijn pak was gesteven en smetteloos, en hij was beslist een reddende engel geweest toen hij me die sigaret en cocktails had aangeboden, en al helemaal toen hij mijn op hol geslagen as had opgevangen. Ik drukte het gloeiende puntje van mijn sigaret uit in de asbak en deed het pijpje terug in mijn tas, terwijl Louie snel mijn tweede glas weghaalde, samen met een stuk of wat glazen die hij had zelf geleegd.

Hij voerde me mee naar de dansvloer, waar hij me dicht tegen zich aan trok – dichter dan me lief was. Ik hield mijn armen stijf om wat ademruimte af te dwingen tussen onze schouders en heupen. Ik was draaierig, en het patroon van de parketvloer leek nu ingewikkelder dan mijn hoofd kon bevatten. Ik richtte mijn blik op de kin van Louie. Na afloop van het nummer deinsde ik achteruit, en zag tot mijn opluchting dat Trudie de dansvloer had verlaten en met haar partner weer op weg was naar de bar. Bovendien moest ik naar de wc. Maar Louie pakte mijn arm beet en voerde me mee naar een deur achter in de zaal. 'Kom, snoes, we gaan even een frisse neus halen. Het is hier benauwd.'

Zijn vingers drongen in mijn arm, en ik probeerde zijn hand af te schudden. Hij grijnsde, maar liet niet los. 'Knijp ik? Sorry – het is hier bloedheet. Ik wil zo snel mogelijk naar buiten, waar ik tenminste kan ademhalen.' Hij hield me wat minder stevig vast, maar duwde me gestaag naar de deur toe. Ik strekte mijn hals uit om te zien of Trudie ons zag weggaan en wuifde als een bezetene naar haar, maar ze stond bij de bar en was zich niet bewust van mij of mijn dilemma. Ze schaterde het uit om een opmerking van haar metgezel en had een nieuw drankje in haar hand. Louis duwde me de deur door. Ik hoopte dat ik gewoon even met hem kon kletsen en dan de club weer in kon vluchten om de wc op te zoeken, zonder onbeleefd te zijn.

We leunden tegen een bakstenen muur in het steegje. Het was donker geworden in de korte tijd dat ik in de club was geweest, en vanwege de zure vuilnislucht hield ik mijn tenen goed in de gaten, voor het geval zich aaseters in de schaduwen ophielden. Een eindje verderop stonden een paar mannen en een jonge vrouw te gieren van het lachen om een verhaal van een van de mannen. Toen hun gelach bedaarde, maakten ze aanstalten om weer naar binnen te gaan.

Louie tikte met zijn sigarettenpakje op mijn arm. 'Wil je nog een sigaretje, snoes? Wacht eens even. Jij weet mijn naam, maar ik niet de jouwe. Dat is niet eerlijk.'

'Isabelle. Het spijt me, maar ik moet gaan. Ik moet naar de wc.' Ik draaide me om en wilde de anderen achternagaan.

'Daar komt niets van in.' Louie pakte mijn arm weer beet. Zijn grijns werd breder. Maar hij merkte waarschijnlijk dat ik me ongemakkelijk voelde, want zijn gezicht veranderde. Ik vond hem volstrekt niet knap meer. Nu leek zijn gezicht hard en strak in plaats van fijnbesneden, en zijn lach dreigend. 'Niet zo haastig weggaan, hoor. Ik wil even met je babbelen. Isabelle, hmm? Een lieve naam voor een lief meissie.'

Ik tuurde over mijn schouder naar de deur, hopend dat er meer bezoekers van de club naar buiten zouden komen. Maar de zware deur negeerde vastberaden mijn stille smeekbedes om open te gaan.

'Ik moet echt naar binnen, Louie. Mijn vriendin is vast naar me op zoek. En... ik geloof dat ik moet overgeven.' Ik drukte mijn hand tegen mijn mond. Het was geen smoes. Mijn maag ging tekeer, en ik dacht echt dat de drankjes omhoog zouden komen. Voor die tijd had ik er niet veel van gemerkt, afgezien van het bruisende, half aangename gevoel in mijn hoofd. Nu was ik werkelijk straalmisselijk, en de aftershave van Louie, samen met de stank van rottend vuilnis, werden me te machtig.

'Je mankeert niets. Kom op. Ik wil maar een kleinigheidje. Je weet wel, in ruil voor de sigaretten en drankjes. Een zoentje...' Hij trok me naar zich toe en drukte zijn mond op de mijne. Als ik daarvoor al had vermoed dat ik zou moeten overgeven, dan wist ik het nu vrijwel zeker. Zijn vlezige, klamme lippen stonken naar alcohol en tabak, en zijn tanden knarsten tegen de mijne toen hij zijn tong mijn mond in wrong.

Ik kokhalsde en probeerde hem weg te duwen. 'Hé! Hou op! Zo'n type ben ik niet. Ik ben nog niet eens oud genoeg om hier te mogen zijn. Laat me los!'

'Het enige type meisje dat hier zonder man naartoe komt, is zo'n type, poppie. Leeftijd is onbelangrijk. Je moet geen geintjes met me uithalen. Dan verlies ik mijn geduld.'

Hij greep me nog steviger vast, drukte één hand tegen mijn achterste en liet zijn vingers over de dunne zijde van mijn jurk naar plekken glijden waarvan ik wist dat hij ze niet hoorde aan te raken. Met zijn andere hand omvatte hij mijn borst en hij kneep, en hard ook. Ik slaakte een gil en nu vocht ik terug, krabde hem waar ik hem maar kon raken. 'Laat me met rust! Dat mág je niet...' Hij ging lachend door. Ik verzette me heviger, maar de alcohol maakte me log en traag, als in een nare droom waarin ik me niet snel genoeg uit de voeten kon maken.

De club was het laatste gebouw van het blok, en opeens zag ik een gestalte in de schaduwen, die aan het einde van het steegje de hoek om was gekomen. 'U hebt de dame gehoord, meneer. Laat haar los.' De stem – vertrouwd, zacht, en karaktervol – maakte me aan het schrikken. Ik probeerde hem thuis te brengen. Ik rekte me uit om het gezicht van de man te kunnen zien, terwijl hij dichterbij kwam. Louie draaide zijn hoofd, en zijn greep verslapte net lang genoeg om mij de kans te geven weg te glippen. Ik maakte dat ik wegkwam, nog steeds met ingehouden adem en vechtend tegen de drang om over te geven. Bij de deur aarzelde ik, en bedacht dat ik de club misschien maar beter zo ver mogelijk achter me kon laten. Ik was Trudie op dat moment niets verschuldigd, niet nadat ze me zo in de steek had gelaten vanaf het moment dat we de club waren binnengegaan.

'Zeg, kereltje, wie denk je wel niet dat je bent? Ze is met mij uit. Nikkers horen zich trouwens met hun eigen zaken te bemoeien.' Louie dook op de andere man af, en toen ik herkende ik hem: niet zozeer een man, eigenlijk. Eerder van mijn leeftijd.

'Robert?' zei ik, en Nells broer keek over zijn schouder naar mij, waardoor Louie zijn kans schoon zag om hem een kaakslag te verkopen. Robert wankelde achteruit en kwam bijna op mijn schoot terecht, want we vielen allebei om. Hij sprong weer overeind en hief zijn handen op.

'Alstublieft, meneer, ik wil geen moeilijkheden. Ik wil alleen juffrouw Isabelle naar huis brengen. Haar vader staat hier in hoog aanzien – ook u wilt geen moeilijkheden.'

'Ach, hoepel op. Ze vroeg erom. Trouwens, waarom zou ik naar een nikker luisteren?' Louie bracht zijn vuist weer naar achteren en wierp een blik op mij.

Robert kromp ineen bij de belediging die Louie hem zo achteloos naar het hoofd had geslingerd, maar hij rechtte zijn schouders. 'Ze is nog maar een kind, meneer. Ze doet maar wat. Bovendien zou dokter McAllister niet blij zijn als hij hoorde dat iemand met zijn handen aan zijn dochter zat. En haar broers...' Robert schudde zijn hoofd. Ik wist zeker dat Louie geen idee had wie mijn vader was, maar Robert kwam overtuigend over. Mijn broers zouden inderdaad geen genade kennen met iemand die hen beledigde. Zíj hadden waarschijnlijk wél een slechte reputatie in Newport.

Louie liet zijn dreigende houding uiteindelijk varen. 'Dokter McAllister... en de broers... moeten dan wel wat beter op de kleine Isabelle passen en haar niet laten rondzwerven op plekken waar ze niet thuishoort. Meisjes uit Newport hebben een bepaalde reputatie: overdag openbare school, 's avonds openbare dienstverlening. Ze doen kroegen aan voor de kost.' Hij spuugde een glanzende fluim op de neus van Roberts schoen en strompelde terug naar de club. Het drong nu tot me door dat hij waarschijnlijk dronken was. Ik was te naïef geweest – of zelf te beneveld – om dat te hebben gemerkt. 'Ik hou je in de gaten,' riep hij achterom naar Robert. 'Als ik je nog een keer tegenkom, zul je het berouwen dat je ooit mijn pad hebt gekruist.' Hij ging met slaande deur naar binnen.

Ik begroef mijn gezicht tussen mijn knieën en snikte het uit nu ik wist dat mijn kuisheid – of mijn leven – niet meer in gevaar was. 'Wat ben ik toch een stommeling,' riep ik huilend uit. 'Hoe haalde ik het in mijn hoofd om hier te komen... hier te blijven... Ik had rechtsomkeert moeten maken toen Trudie me die club in sleurde.'

Robert trok zijn pet van zijn hoofd en vlocht die met zijn ene hand door de vingers van zijn andere. Hij was het blijkbaar eens met mijn zelfbeoordeling, maar zou dat natuurlijk nooit hardop zeggen. Ik stak mijn hand naar hem uit. 'Help me alsjeblieft even overeind, Robert.'

Hij was er waarschijnlijk huiverig voor om mijn hand aan te raken. Nu verdraaide hij zijn pet alsof hij er water uit zou kunnen wringen.

'O, kom op. Er is verder niemand. Help me even!'

Hij trok me overeind, en liet mijn hand toen vallen alsof het een gloeiend stuk steenkool was. Ik sloeg met mijn handpalmen op mijn rok om het vuil van de talloze gevechten en dronken aanrandingen die op deze plek waarschijnlijk hadden plaatsgevonden af te kloppen. Ik schaamde me meer en meer naarmate ik beter besefte hoe dom ik was geweest. Ik had mezelf zo volwassen gevonden. Louie had ongetwijfeld doorgehad dat ik maar een onervaren meisje was, en in mijn mooiste verkleedkleren deed alsof ik wist wat ik met een sigaret, een cocktail en een man aan moest. En zo was ik spelenderwijs in zijn val gelopen.

'Juffrouw Isabelle, wat doe je ook hier? En wie is die Trudie met wie je had afgesproken?' Robert wisselde de manier van praten die ik mijn hele leven van zijn moeder en Nell had gehoord verlegen af met de meer beschaafde taal die hij aan de overkant van de rivier op de middelbare school in Covington leerde, als enige uit zijn familie die het op school zo ver had geschopt. Nell was na de lagere school fulltime voor mijn familie gaan werken, en Cora, even wijs als ieder ander, was zelfs nooit naar school gegaan.

'Dat zei ik toch? Ik ben stom geweest. Ik dacht slim te zijn en iets spannenders op te zoeken dan die suffe feestjes waar mijn ouders me elke zaterdag naartoe sturen. Als ik zo hoorde wat mijn broers over die

club zeiden, leek het geen slecht plan. Trudie is een schoolvriendin.'
Ik stikte nu bijna in het woord 'vriendin', boos op mezelf omdat ik zo
naïef was geweest. 'Ze heeft me in de steek gelaten. En de rest kon ik
gewoon niet aan.' Robert snoof, en ik stelde me zo voor dat mijn
broers dat ook zouden hebben gedaan nu ik mezelf niet langer voor
de gek hield en inzag hoe dom ik was geweest. Jack en Patrick waren
lui, en ze konden ruw zijn. Ik zou er beter aan doen om negentig pro-
cent van wat ze zeiden aan me voorbij te laten gaan. Verder vroeg ik
me af hoe het zat met Trudie en de opmerkingen die Louie had gemaakt over meisjes uit Newport. Haar moeder had haar niet voor
niets weggestuurd – misschien wel om de reden die hij had genoemd.
Ik huiverde om mijn goedgelovigheid.

'Ik zal je thuisbrengen, juffrouw Isabelle. Ik kan je hier niet achterlaten. Je vader vilt me levend als ik dat zou doen.'

Ik keek hem met grote ogen aan. Het was al riskant geweest dat
Robert in dit steegje voor me was opgekomen, maar het was regelrecht gevaarlijk als hij in het donker door Shalerville zou lopen. 'O,
nee. Dat mag je niet doen. Als iemand je ziet...'

'Het zal wel loslopen,' zei hij. 'Tegen de tijd dat we daar aankomen
heb ik er wel iets op bedacht. Maar we kunnen hier maar beter weggaan, voordat die dwaas je komt zoeken. Of mij.' Hij schudde zijn
hoofd en gebaarde naar het einde van het steegje. 'Kom, juffrouw Isabelle. We gaan.'

Ik sloot me bij hem aan, maar merkte meteen dat hij iets achter
me ging lopen toen we aan het einde van het steegje op open terrein
kwamen. Ik vertraagde mijn tempo om me aan te passen aan het zijne, maar ook hij hield in, tot ik me zuchtend neerlegde bij de leiden-
de positie. We waren het allebei ons hele leven al zo gewend.

Weer werd ik me bewust van de ironie van mijn situatie: dat de
leugen die ik mijn vriendinnen eerder op de avond had verteld gedeeltelijk werkelijkheid was geworden. Robert bracht me immers
naar huis, al lag Nell nu waarschijnlijk al lekker knus in bed. 'Hoe
heb je me gevonden?' vroeg ik.

'Ik was door je moeder naar de familie Lemke gestuurd om extra
eieren te halen voor jullie zondagsmaal.' Ik stelde me voor hoe neer-
buigend Robert behandeld zou zijn door Danny Lemke. De familie

van Danny was nog maar een paar generaties lang in de Verenigde Staten, maar Danny deed alsof hij meer dan wie ook het recht had om zich zo te gedragen. 'Toen ik jullie huis uit kwam om terug te gaan naar het mijne, zag ik jou het dorp uit lopen alsof je wist waar je naartoe ging. Ik dacht bij mezelf: dit is foute boel, en ging dus achter je aan. Ik was bang dat je in de nesten zou raken.'

'Nou en of,' verzuchtte ik.

'Ik bleef hier op de hoek staan wachten, en hoopte maar dat je samen met je vriendin weer naar buiten zou komen en naar huis zou gaan, maar opeens hoorde ik je kiften met die smeerlap, en toen ik om de hoek keek, zag ik je worstelen.'

'O, Robert, wat ben ik blij dat je me bent gevolgd. Ik moet er niet aan denken wat er anders misschien was gebeurd.' Ik schudde zuchtend mijn hoofd omdat ik ons beiden in zo'n lastig parket had gebracht.

'Je bent nu veilig, juffrouw Isabelle. Maar wat zal je moeder zeggen als ik met jou kom aanzetten? 's Avonds nog wel? Dan zijn we allebei nog niet jarig. En laten we maar hopen dat meneer Jack en meneer Patrick er niet zijn. Die Louie zou er bij die twee beter afkomen dan ik.'

'Ik sta beslist niet toe dat je me helemaal naar huis brengt.' Hij had gelijk: als Jack en Patrick me samen met Robert zouden zien, zou de hel losbreken. Ze zeurden altijd over eergevoel, over de blanke vrouw beschermen, ook al behandelden ze hun eigen vriendinnen als een stuk speelgoed, dat ze afdankten als ze er genoeg van hadden.

'We zien wel.'

Ik wist dat hij niet tegen me in zou gaan, niet hardop, maar hij leek zich vast te hebben voorgenomen me tot aan de voordeur te begeleiden.

We gingen bij de bushalte staan wachten. Het grootste deel van de tijd zwegen we, maar af en toe begonnen we een gesprek en braken het dan opgelaten weer af als er iemand voorbijkwam. De meeste mensen gingen de stad niet uit, maar in; het was nog vroeg voor een zaterdagavond in Newport. We hadden de bushalte voor onszelf.

Robert was een vaste achtergrondfiguur in mijn leven geweest, als zoon van de vrouw die altijd voor me had gezorgd en broer van mijn jeugdvriendinnetje, tot ook zij voor mijn familie ging werken. Toen we de kindertijd eenmaal waren ontgroeid, deed Robert af en toe boodschappen voor mijn moeder, hielp hij mijn vader bij klusjes in huis, en kwam hij bij Cora of Nell in de keuken eten als hij niet naar school hoefde. In mijn ogen was hij maar een jongen – en nog een min of meer onbelangrijke ook.

Ik wist dat hij geduldig en aardig was, als kind al: wanneer we achter het huis speelden en Nell kattig tegen hem zei dat hij niet mee mocht doen, haalde hij gemoedelijk zijn schouders op en ging hij gewoon weer verder met zijn eigen rustige spelletjes, waarbij hij hele werelden schiep, grenzen trok in de aarde, en zijn landen bevolkte met kiezels en twijgjes. Ik wist dat hij betrouwbaar en respectvol was: hij volgde zonder klagen de aanwijzingen van zijn moeder op en hoefde bij het uitvoeren van haar opdrachten nauwelijks bijgestuurd te worden. Ik wist dat hij intelligent was: papa gaf hem aan zijn bureau in de dokterspraktijk in de hoofdstraat van Shalerville vaak wis- of natuurkundeles, soms samen met mij, terwijl hij om mijn broers, die geen aandacht besteedden aan hun schoolwerk en blijkbaar niet meer dan matige cijfers konden halen, vaak vertwijfeld zijn armen had geheven.

En ook al liet Robert me onverschillig, ik wist ergens wel dat hij bijzonder was. Hij straalde iets uit wat hem anders maakte – niet alleen anders dan de paar zwarte jongens die ik hier en daar was tegengekomen, maar ook dan de blanke jongens. Er smeulde iets hartstochtelijks in zijn ogen dat in tegenspraak was met zijn evenwichtigheid, die bij ieder ander misschien op een zekere oppervlakkigheid had kunnen duiden.

Toch had ik me nooit bewust verdiept in zijn dromen en ambities.

Die avond deed ik dat wel. Ik wilde er alles over weten. Maar voordat ik ernaar kon vragen, kwam de trolleybus en onderbraken de piepende remmen daarvan ons gesprek.

Ik zat in mijn eentje voorin en boende met een zakdoek die nat was van de tranen de rouge en kohl eraf, die nu eerder kinderachtig dan volwassen leken, terwijl Robert achterin zat en me in de gaten hield als een havik die van een afstand zijn nest bewaakt. We stapten apart uit, een halte te vroeg, nog net niet in Shalerville, en sloten ons buiten weer bij elkaar aan. De chauffeur aarzelde en nam me bezorgd op toen alleen Robert en ik uit de trolleybus stapten, maar nadat ik hem geruststellend had toegelachen, liet hij de rem los. Ik had natuurlijk helemaal tot in Shalerville kunnen meerijden, maar het feit dat ik met Robert samen was veranderde alles. De chauffeur zou hem daar niet laten uitstappen.

We liepen door het dal tussen de rivier de Licking en de rotswand naar het dorp en kwamen langs de staalfabriek van South Newport, die dag en nacht in bedrijf was. Vanaf deze hoogte leken de felle lampen, de uitgebraakte rook en het ritmische kabaal van de machines onafhankelijk te zijn van menselijk ingrijpen. Ik had de spookachtige, bijna bizarre nachtelijke voorgevel al in jaren niet meer van zo dichtbij gezien. Ik aarzelde. Terwijl ik even daarvoor nog niets liever had gewild dan zo snel mogelijk naar huis gaan, wilde ik nu het moment rekken. Robert leek er net zo over te denken, en we staarden samen naar die verre, vreemde wereld. Een gesprek beginnen was nu volkomen onbelangrijk geworden.

Aan de rand van het dorp ging ik nog langzamer lopen. Dit had ik mijn hele leven gezien telkens wanneer we Shalerville in of uit gingen. Het was in zekere zin behang, niet anders dan de bomen langs de kant van de weg. Maar vanavond bezorgde het me zo'n pijnlijk schaamtegevoel dat mijn borst verkrampte. Robert had me gered van iets waar ik me niet eens een voorstelling van kon maken, maar toch mocht hij me niet thuisbrengen, op grond van een regel die ik nooit in twijfel had getrokken. Ik las het bord alsof ik het voor het eerst zag: NIKKER, ZORG DAT JE BIJ ZONSONDERGANG SHALERVILLE VERLATEN HEBT.

4

Dorrie, heden

We waren de drukte rond Dallas nu uit, en algauw was de weg aan weerszijden omzoomd met dennenbomen, die met de kilometer hoger en dikker werden en dichter op elkaar kwamen te staan. Ik voelde me steeds meer verdrongen, gevangen in mijn eigen lichaam, zoals ik me hier in Oost-Texas, waar ik ben opgegroeid, altijd had gevoeld.

Maar het onvermijdelijke verdriet van mevrouw Isabelle – ik had het voorzien, erop zitten wachten – leek merkwaardig genoeg te zijn gesust door haar herinneringen aan haar avontuur in Newport. En ik moet eerlijk zeggen dat het verhaal van Robert, haar onwaarschijnlijke redder, me had verrast, en dat de gedachte aan dit geïsoleerde plaatsje me zowel kwaad maakte als intrigeerde. Ik wilde er meer over weten. Maar verhip, daar rees de afslag naar míjn geboorteplaats op uit het wegdek, en je kon er donder op zeggen dat mevrouw Isabelle uitgerekend hier besloot dat het tijd was om te stoppen voor de lunch.

'Hier?' vroeg ik met open mond.

'Wat is daar mis mee? Het is je geboorteplaats. En kijk, aan de overkant van het viaduct zit een Pitt Grill. Ik heb altijd al eens in een Pitt Grill willen eten.'

Ik kreunde, en had zo'n vaag vermoeden dat ze de hele tijd al van plan was geweest hier te stoppen. Ik had mijn hele leven in dit gat met drie stoplichten en een supermarkt gewoond, tot Steve en ik naar Arlington verhuisden voor een nieuw begin – dat wil zeggen, om mij in de gelegenheid te stellen ergens te gaan werken waar ik meer betaald kreeg dan het minimumloon en een klantenkring op te bouwen tot ik een eigen zaak kon beginnen, terwijl Steve zijn glanzende carrière als klaploper voortzette. Maar ik had nooit overwogen in de Pitt te gaan eten, zelfs niet toen ik er in de buurt woonde. En ook al was ik er nu zo lang niet meer geweest, ik vermoedde dat er in Oost-Texas niet veel was veranderd. Ik had al jaren geen reden meer gehad om het te bezoeken en ik wist niet of ik dat deel van mijn leven wel wilde herbeleven. Helaas was de Pitt het enige restaurant dicht bij de snelweg.

'O, kom op. Het is een avontuurtje,' zei mevrouw Isabelle. Ze leek nu zo mogelijk nog enthousiaster te zijn over de Pitt, terwijl ik me juist heel ongemakkelijk voelde. Maar ik haalde mijn schouders op, blij dat ze weer de oude was – en wetend dat het toch zinloos was om ertegen in te gaan.

'U zegt het maar, mevrouw Isabelle.' Ik sloeg af van de snelweg en reed via de brug naar het petieterige parkeerplaatsje. In een open ruimte tussen het restaurant en een goedkoop motel stonden houtvrachtwagens met stationair draaiende motor op het gravel. 'Zo te zien eet Paul Bunyan hier ook,' merkte ik op. Mevrouw Isabelle rolde met haar ogen en hobbelde de ranzige eettent in – de enige omschrijving die ik er zo op het eerste gezicht van kon geven. Ik liep geduldig achter haar aan, hield mijn adem in en hoopte maar dat ze niet zou struikelen. Ik wist dat ze me een klap zou geven als ik haar mijn arm zou aanbieden. Een serveerster in een roze polyester uniformjurk met een rits van boven tot onder propte een bestelblocnote in haar zak en een pen achter haar oor en kwam ons haastig tegemoet. Ze griste een menu van een stapel op de toonbank en begroette mevrouw Isabelle.

'Een eenpersoonstafeltje, liefje? Niet-roken?'

De kaken van mevrouw Isabelle verslapten, met als gevolg dat haar kin op onaantrekkelijke manier naar haar hals toe zakte. Ze keek de serveerster woest aan. Dat de vrouw aannam dat we niet bij elkaar hoorden – ook al stonden we zo dicht bij elkaar dat we hadden kunnen zoenen! – was voor mij geen verrassing.

De serveerster had mij al die tijd nauwelijks een blik waardig gekeurd, maar ik had haar inmiddels herkend. Allemachtig, als dat Susan Willis niet was, koningin van het feest ter verwelkoming van de leerlingen aan het begin van het schooljaar dat Steve en ik eindexamen deden. Steve was koning geweest en had haar over het schoolterrein begeleid, tot ontzetting van haar oerconservatieve vader en bijna het hele dorp. Maar ik zag dat ze mij niet herkende. Ik had bijna last van plaatsvervangende schaamte, dus ik hoopte maar dat haar geheugenverlies zou aanhouden. Ik kon me niet voorstellen hoe het was om als het populairste meisje van de school twee decennia later te eindigen als serveerster in de Pitt Grill. Ik had op de middelbare school haar haar altijd bewonderd, maar mijn hemel, wat moest die jarentachtigpony nu nodig worden afgezwakt om haar de nieuwe eeuw in te voeren, en een paar lowlights om dat pisgeel wat te temperen konden ook geen kwaad.

Mevrouw Isabelle maakte een afkeurend geluidje en zei: 'Een tafel voor twee. Als dat een probleem is, gaan we wel aan de toonbank zitten.'

'Twee?' Susan schudde zo subtiel haar hoofd dat het voor mij nog net waarneembaar was, maar ze vermande zich. 'Ja hoor, mevrouw, we hebben een tafel voor u. Natuurlijk. Deze kant op.'

Terwijl we achter haar aan liepen, vroeg ik me af wat ze van míjn leven zou vinden. Natuurlijk, ik had een eigen zaak, maar ik leefde van maand tot maand en was voortdurend bezorgd dat het me niet zou lukken de rekeningen te betalen en mijn kinderen te eten te geven en te kleden. Was dat ook maar iets beter dan in de Pitt lopen zwoegen om tips te krijgen en waarschijnlijk een stel kinderen proberen te onderhouden omdat je nietsnut van een man de benen had genomen? Misschien hadden we meer gemeen dan ik op de middelbare school ooit zou hebben gedacht.

Of misschien ook niet. Misschien was haar man wel de eigenaar van de Pitt Grill.

Terwijl we zaten te eten wierp Susan voortdurend nieuwsgierig – en niet bepaald heimelijk – een blik op ons. Ik kon niet uitmaken of ze dat deed omdat ze bemoeizuchtig was en erachter probeerde te komen wat nu precies de relatie was tussen mevrouw Isabelle en mij, of dat ze me probeerde te plaatsen. Ik gaf eerlijk gezegd de voorkeur aan het eerste. Maar ik wist dat mijn geluk op was en Susan haar geheugen weer terug had toen ik op hetzelfde moment dat mevrouw Isabelle en ik de Pitt wilden verlaten hoorde: 'Nou moe, Dorrie Mae Curtis, ben jíj het?'

Ik kromp ineen en draaide me een kwartslag, nog steeds hopend op genade. Maar Susan was stokstijf blijven staan, met de fooi van vijf dollar die mevrouw Isabelle op onze tafel had achtergelaten nog maar half in haar polyester uniformzak. De blik op haar gezicht bevestigde dat onze hereniging onvermijdelijk was.

'Hoi, Susan. Je hebt het goed gezien. Ik ben het, Dorrie. Hoe gaat het met je?' Ik kruiste mijn vingers, hopend dat ze een makkelijk antwoord zou geven, iets gebruikelijks in de trant van: 'Je ziet er fantastisch uit! Ongelooflijk, hè, dat het bijna twintig jaar geleden is?', en me niet langer zou ophouden.

Maar het zat me beslist niet mee.

'O, Dorrie, je gelooft het niet half. Big Jim en ik hebben deze tent in '98 gekocht' – dus mijn reservevoorspelling was juist geweest: manlief was eigenaar van de Pitt! – 'en toen ging meneer naast zijn schoenen lopen, alsof dat een verrassing was. Een regelrechte oerconservatieve vastgoedmagnaat. Hij is ervandoor gegaan met een jong grietje dat hij had leren kennen bij de nieuwe skatebaan die we hebben laten aanleggen. Hij kreeg de voogdij over de skatebaan en ik kreeg de Pitt, en het is flink ploeteren om die draaiende te houden en ook nog onze zoons achter hun broek te zitten. Vier stuks maar liefst, en ze treden in de voetsporen van hun vader, voor zover ik kan nagaan als ik hen heel even aan handen en voeten kan vastbinden.'

Dus voorspelling nummer één was ook juist geweest. Ik wist niet wat ik daarvan moest denken. 'Hmm, tja, vervelend om te horen... Goh, maar fijn om te zien dat je op je pootjes terecht bent gekomen.' Ik haalde mijn schouders op. Geen enkel antwoord kon dat verhaal recht doen.

'En jij, Dorrie Mae? Hoe is het jou al die jaren vergaan? Ik durf te wedden dat Steve en jij inmiddels een heel footballteam bij elkaar hebben. Jullie zijn hier weggegaan, hè?'

Alsof ze ons over het hoofd had kunnen zien als we nog steeds in dat gat hadden gewoond. Ik wilde dat ze me niet telkens Dorrie Mae noemde. Ik had ruim driehonderd kilometer moeten verhuizen om die naam, die ik mijn hele schooltijd had gehaat, kwijt te raken. Ik wierp een blik op mevrouw Isabelle. Ze klemde haar handtas tegen haar middel en haar lippen trilden. Als ze me straks bij de auto Dorrie Mae zou noemen, ging ik gillen.

'Zo te horen heb jíj het footballteam gekregen. Ik heb er maar twee: een jongen en een meisje. We wonen een eind verderop, in Arlington, in Dallas-Fort Worth. Steve en ik zijn ook gescheiden.'

'Ach, wat jammer,' zei Susan, en ze verwrong haar gezicht om iets van medeleven uit te drukken – alsof ze me daarnet niet haar eigen, even zielige, zo niet zieliger verhaal had verteld! 'Jij en Steve. Ik en Big Jim.' Ze slaakte een luide zucht. 'Weet je nog dat Steve en ik koning en koningin van het welkomstfeest waren? Zo zie je maar weer, hè: al die voorspellingen in het jaarboek zeggen helemaal niets. Ik heb altijd gedacht dat wij vieren degenen zouden zijn voor wie het leven als een sprookje zou eindigen.'

'Ik evengoed als jij, Susan. Zeg, mijn vriendin en ik moeten nodig verder. We hebben een lange reis voor de boeg.'

'O ja? Waar gaan jullie heen? Wie is deze aardige dame?'

Susan snakte kennelijk naar een gesprek met wie dan ook die boven de achttien was en geen truckerspetje droeg of stroopvlekken op zijn ellebogen had. Ik had medelijden met haar, echt, maar niet genoeg om deze bizarre hereniging nog langer te rekken. Ik keek even naar mevrouw Isabelle.

'Dorrie en ik zijn op weg naar Cincinnati om de begrafenis van een familielid bij te wonen,' zei ze. Haar beleefd ijzige toon was bedoeld om Susan de mond te snoeren. Ze had het Susan blijkbaar nog niet helemaal vergeven dat die ervan uit was gegaan dat we niet bij elkaar hoorden.

'O, wat naar nou.' De ogen van Susan schoten heen en weer tussen mij en mevrouw Isabelle. Ze leek nu al helemaal niet meer te begrijpen hoe onze relatie in elkaar stak. 'Nou,' zei ze, 'dan zal ik je niet langer ophouden, Dorrie Mae. De volgende keer dat je hier langskomt, moet je wel even binnenwippen, hoor. Als ik je eerder had herkend, zou je je maaltijd van de zaak hebben gekregen. Jullie alle twee, natuurlijk. Mag ik jullie dan ten minste iets te drinken meegeven voor onderweg? Koffie? Cola?'

'Nee, hoor, we hoeven niets. Maar bedankt voor het aanbod. Hou je taai, Susan.'

Ik draaide me om en liep vastberaden naar de deur. Ditmaal liet ik mevrouw Isabelle volgen.

'Hoe verval je eigenlijk van koning van het welkomstfeest tot iemand die op de zak van zijn ex-vrouw teert?'

Au. Mevrouw Isabelle nam nooit een blad voor de mond, maar dit kwam aan. Ik had wel verwacht dat ze me allerlei nieuwsgierige vragen zou stellen nadat Susan uit de school had geklapt, maar we waren amper terug op de snelweg richting staatsgrens. 'O, mevrouw Isabelle, het is zo'n lang verhaal. Dat wilt u allemaal niet horen. Zeg, wat is drieëntwintig horizontaal?'

Mevrouw Isabelle snoof en pakte haar kruiswoordpuzzelblad van het dashboard. Het blad was omgevouwen bij een half voltooide puzzel. 'Drieëntwintig horizontaal: een knaagdier dat last heeft van plankenkoorts.'

'Dat is een fluitje van een cent: possum.'

'Ópossum.' Ze vulde de letters in terwijl ik mijn best deed om de hobbels in de weg te vermijden. Dat kostte niet al te veel moeite. We waren nog niet in Arkansas. Na het oversteken van Stateline Avenue in Texarkana zou het niet mijn schuld zijn als de letters de verkeerde hokjes in kropen. 'Mm-mm,' zei ze. '*Opossum.*'

Het woord bleef als een uitdaging in de lucht hangen. Ik had zin om op mijn rug te gaan liggen en me dood te houden.

'Weet u, mevrouw Isabelle,' zei ik, 'ik ben heel anders dan mijn moeder.'

'Hadden we het over je moeder?' Ze nam me peinzend op.

'Nou ja, we kunnen het niet hebben over Steve en waarom ik me door hem heb laten uitbuiten, zonder het eerst over mijn moeder te hebben gehad.'

'Ga door.' Ze zei het kalm, alsof ze een psychiater was en ik languit op haar bank lag. *Vertel eens hoe je werkelijk over je moeder denkt.*

'Mama had altijd iemand nodig die haar redde. Eerst een man en daarna haar eigen kind. Ik heb bij hoog en bij laag gezworen dat ik nooit zo zou worden. Ik heb me al heel vroeg voorgenomen onafhankelijk te zijn. Ik zou mijn stinkende best doen om mijn kinderen op een fatsoenlijke manier te kunnen onderhouden, met of zonder man aan mijn zij.

Ik hoopte natuurlijk wel dat Steve en ik zouden trouwen en een gezin zouden stichten, maar in het laatste jaar van de middelbare school heb ik toch maar een cursus haar- en huidverzorging gevolgd, zodat ik iets had om op terug te vallen. En dat was maar goed ook, want twee weken voordat we ons einddiploma haalden werd ik zwanger, en Steve hield het na één semester op de universiteit al voor gezien. Hij zei dat hij thuis moest zijn als zijn kindje er eenmaal was, om te zorgen dat alles goed liep.' Ik snoof. 'Dat betekende in zijn geval dat hij letterlijk de godganse dag in huis rondhing om op Stevie Junior te passen, terwijl ik me het apelazarus werkte – excusez le mot – bij de Stop'n Chop-kapperszaak, en dat hij daarna uitging met zijn mislukte vrienden en de hele nacht bier zat te hijsen.'

Mevrouw Isabelle klakte met haar tong.

'Ik bedoel, de kinderopvang was mooi meegenomen, maar kom nou, zeg. Ik was ook bang dat Stevie Junior de hele dag in dat babystoeltje vastgesnoerd had gezeten, want zo trof ik hem meestal aan als ik thuiskwam. Steve beweerde altijd dat hij hem daar alleen even in had gezet om ervoor te zorgen dat hem niets overkwam, terwijl hij zelf een douche nam of het avondeten ging klaarmaken – dat wil zeggen, de hamburgers uit de vriezer haalde en op het aanrecht liet ontdooien, zodat ik die kon bakken.

En u hebt gelijk. Ik liet hem inderdaad ongestraft zijn gang gaan. Maar ik heb me gehouden aan de belofte die ik mezelf had gedaan. Mijn kinderen zijn gezond en gelukkig... Min of meer dan. Meestal.' Ik zette de radio aan en zocht de zenders af. Er werd alleen countrymuziek gedraaid en ik betwijfelde of daar tussen nu en Memphis verandering in zou komen. Ik draaide de volumeknop weer omlaag en besloot nóg een nieuwsgierige vraag te wagen, die ons hopelijk weer op het onderwerp 'Robert' zou brengen. 'Vertel me nog eens iets over uw moeder, mevrouw Isabelle.'

Mevrouw Isabelle draaide haar gezicht naar het raam. 'Waarom noem je me na al die jaren nog steeds zo? Je moet me gewoon Isabelle noemen. Maar goed, het is tenminste minder erg dan die andere rare namen die je weleens verzint.'

'Hoho, rare namen zijn mijn handelsmerk, hoor. Maar weet u wat het is? "Mevrouw Isabelle" bekt gewoon lekker. En het heeft iets liefs. Bovendien heeft mijn moeder me in elk geval wél geleerd respect te hebben voor mensen die ouder zijn dan ik.' Ik wachtte. Ze stelde me niet teleur. Ze draaide zich om en gaf me met het kruiswoordpuzzelblad een tik op mijn elleboog. Ik deed alsof ik wegdook – niet eenvoudig als je achter het stuur zit. 'Ik noem al mijn oude dametjes mevrouw zus of zo. Denk maar niet dat ik u een voorkeursbehandeling geef, hoor.' Mevrouw Isabelle rolde met haar ogen. 'Maar u bent van onderwerp veranderd.'

'Het is zo'n lang verhaal,' zei ze, mijn eigen woorden herhalend.

'Nou, hoeveel kilometer zal het zijn? Zo'n zestienhonderd van thuis tot Cincinnati? En we hebben er nog geen driehonderdvijftig op zitten. Ik zou nog wel wat meer willen horen.'

'Volgens mij...' Mevrouw Isabelle weifelde en staarde weer uit het raam.

We waren bekropen door een wolkendek toen we mijn geboorteplaats hadden verlaten en op weg waren gegaan naar de grens van Arkansas, en het begon nu te motregenen, waardoor de hoge bermdennenbomen waar we langs raasden een blauwgroen-en-chocoladebruin waas werden, als op een schilderij – bijvoorbeeld van je-weet-wel, die Monet. In de verte rommelde het.

'Volgens mij was mijn moeder doodsbang.'

5

Isabelle, 1939

Nadat we die avond langs het bord bij de grens van Shalerville waren geslopen, doken we de paar keer dat we iemand zagen de schaduwen in. Robert liep tot het eind van mijn straat met me mee, en keek van die afstand toe tot ik bij mijn huis was aangekomen. Toen ik me omdraaide zag ik hem nog net wegglippen uit de beschutting van een reusachtige oude eik, waarachter hij zich had verscholen tot ik het trapje naar mijn voordeur had bereikt.

Ik deed een schietgebedje, ook om zijn veiligheid. Ik hoopte dat het een God zou bereiken die zowel de blanken als de zwarten beschermde. Ik vermoedde dat ons dorp er een aanbad die zo'n verzoek niet zou inwilligen. Ik bleef in de paarse schemering naast de veranda staan wachten tot er ergens in de buurt een auto zijn motor liet ronken, en stommelde toen de voordeur door. Ik riep dat ik thuis was, en haalde opgelucht adem toen moeder niet kwam om me welterusten te wensen of me uit te horen over het feest van Earline. Terwijl ik in slaap sukkelde, besefte ik dat ik nogal wat verkeerd had beoordeeld – niet in de laatste plaats mijn vermogen om me in een volwassen wereld staande te houden. Maar ik had ook verkeerd gezeten wat Robert betrof: dat zijn bestaan losstond van het mijne.

Dit intrigeerde me. Ik was niet alleen diep dankbaar dat hij op het juiste tijdstip op de juiste plek was geweest en tussenbeide was gekomen bij iets wat rampzalig had kunnen aflopen, maar ik begon ook te denken dat het misschien meer dan toeval was geweest. Hoewel het wat mal leek, kon ik me niet losmaken van het idee dat iets wat machtiger was dan wij de situatie had gestuurd en ons naar een plek had gebracht waar we niet aan elkaar konden ontkomen.

Ik zag dat mijn gebeden de juiste God hadden bereikt toen Robert de volgende week gezond en wel naar ons huis terugkeerde. Zijn kaak was geheeld en vertoonde geen sporen meer van de vuist van Louie. Ik was in de keuken, waar ik door mijn moeder naartoe was gestuurd om te vragen of Cora klaar was om de lunch op te dienen, en schrok van een roffel op de deur. Ik draaide me om. Het raam omlijstte Roberts gezicht en kortgeknipte hoofd. Het bloed steeg naar mijn wangen. Ik trok snel mijn hoofd in, terwijl Cora haastig naar de deur liep.

'Sorry, juffrouw Isabelle, ik moet even mijn zoon binnenlaten. Zeg maar tegen je moeder dat de lunch om klokslag twaalf uur zal worden opgediend, zoals ik haar vanochtend heb gezegd.' Ze grijnsde. We hadden een stilzwijgende afspraak: we waren het er allebei over eens dat moeder pietluttig was, en Cora vertrouwde erop dat haar snaaksheid onder ons bleef. Toen ze Robert gebaarde binnen te komen, begreep ik dat hij mij niet door het raam had gezien. Zijn hals leek nog dieper bruin te kleuren, en zijn geprononceerde jukbeenderen werden nog donkerder. Ik bleef roerloos staan, als een wachtend schaakstuk op de geblokte tegelvloer van onze keuken. Cora nam ons allebei verwonderd op, en toen wist ik dat Robert mijn ongelukkige uitstapje en zijn reddingsactie geheim had gehouden. Haar stem, rustig en gezagvol, bracht me met een schok weer in beweging. 'Ga nu maar snel, juffrouw Isabelle. Je moeder windt zich maar op als je haar niet vertelt wat ik heb gezegd.'

'Dank je, Cora. Ik zal het tegen moeder zeggen,' zei ik, en daarna wendde ik me tot Robert. 'Hallo, Robert,' zei ik hakkelend, hoe eenvoudig de lettergrepen ook waren. Hij knikte en keek overal naar, behalve naar mij. Ik draaide me om en vluchtte, me plotseling bewust van mijn manier van lopen; aan mijn schutterige loopje was vast te zien dat ik op was van de zenuwen.

'Wat moest dat voorstellen?' hoorde ik Cora mompelen terwijl ik via de gang naar de woonkamer sloop.

Ik ging langzamer lopen, op mijn tenen, en hoorde niet meer dan een zacht gemompel, maar ik vermoedde dat Robert 'Niets, mama,' zei. Cora schraapte haar keel, bestek kletterde op porselein en de ovendeur knarste. Ik stelde me haar verbijstering voor, terwijl ze de warme gerechten op een dienblad overbracht.

Toen zij later aan het afruimen was, vroeg ik of ik van tafel mocht. Ik dook de keuken weer in en wist dat ik moest opschieten, omdat ze elk moment met het blad kon terugkeren. Mijn hart ging tekeer toen Robert nog aan tafel bleek te zitten, verdiept in een schoolboek. Het lag opengeslagen naast het bord dat Cora waarschijnlijk tussen de loopjes naar de eetkamer door had volgeschept. Hij keek op, en zijn uitdrukking veranderde toen hij mij ontwaarde in de deuropening, in plaats van zijn moeder. Hoewel hij een vragende blik in zijn ogen had, zei hij niets.

'Ben je veilig thuisgekomen?' Daar zat hij, in blakende gezondheid, maar ik wist niet wat ik anders moest zeggen, en we konden elkaar niet eeuwig blijven aanstaren.

'Het ging prima. Niemand had zelfs maar in de gaten dat ik te laat was...' begon hij.

'Ik bofte. Moeder kwam me niet eens controleren...'

Onze woorden kruisten elkaar en we lachten zenuwachtig.

'Ik heb je al bedankt, maar Robert, je weet niet half... Ik heb me talloze keren voorgesteld wat er gebeurd had kunnen zijn...' Ik haalde diep adem en waagde de sprong. 'Dat jij er die avond was, me het dorp uit zag gaan en me bent gevolgd – volgens mij was dat kismet.'

Nadat ik dat woord had gezegd, voelde ik dat ik een kleur kreeg. Het was een woord dat ik bij de zondagse kruiswoordpuzzel was tegengekomen, na de nacht daarvoor heel lang wakker te hebben gelegen. Het leek erop te wijzen dat mijn gedachten niet zo heel raar waren. Maar ik had het nog nooit iemand horen gebruiken, en ik wist opeens zeker dat Robert me dwaas en aanstellerig zou vinden – als hij zelfs maar wist wat het woord betekende. Voorál als hij wist wat het betekende.

Zijn geamuseerde blik bevestigde twee dingen: hij wist wat het betekende of kon het uit de context opmaken, en ik deed aanstellerig. Maar hij weersprak mijn bewering niet, en zijn geamuseerdheid grensde aan een andere emotie – een die ik niet kon benoemen, hoewel ik dat wel wilde.

Die lente hield ik vanuit ons huis het komen en gaan van Robert in de gaten, eerst onbewust, daarna bewust. Ik realiseerde me algauw dat het meer was geworden dan alleen belangstelling, en dat begreep ik niet helemaal. Ik betrapte mezelf erop dat ik me voor de spiegel optutte als ik dacht dat hij weleens langs zou kunnen komen, en dan foeterde ik op mezelf omdat het me iets kon schelen. Ik kon toch geen enkele reden hebben om me mooi te maken voor een kleurling?

Enerzijds schaamde ik me.

Anderzijds was ik doodsbang.

Als mijn moeder er ooit achter zou komen dat Robert me die avond thuis had gebracht of me zou betrappen als ik precies op het moment dat hij de steile oprijlaan naar ons huis op kwam mijn haar gladstreek of op mijn lippen beet om ze roder te maken, zou ze woest worden.

Op een middag hoorde ik haar met een buurvrouw van gedachten wisselen over de zonsondergangborden. Ik zat op de trap een paar door elkaar geraakte pakken spelkaarten te sorteren, toen hun stemmen vanuit de zitkamer aan de voorkant van het huis op me afzweefden.

'Het kan toch geen kwaad om die borden weg te halen, Marg?' zei de buurvrouw. 'We hebben allemaal al jaren kleurlingen in dienst. Het zou toch veel makkelijker zijn als ze niet voor zonsondergang hoefden te maken dat ze wegkwamen? Of als wij ze niet de dorpsgrens over hoefden te brengen alsof we een illegaal transportbedrijf runnen, alleen maar omdat we ze te lang hebben laten doorwerken?'

Mijn moeder schraapte haar keel. 'Stel je dit dorp eens voor als het kleurlingen zou worden toegestaan hier na het donker te blijven, Harriet, of – God verhoede – hier weer te wonen. Lieve hemel, ze zouden waarschijnlijk nog naar onze school willen gaan ook. Voor je het weet zouden hun kinderen zich mengen onder onze kinderen, en zouden hun zoons onze dochters proberen te bezoedelen.' Ik hoorde de huivering in haar stem. Ze was wat aarzelend begonnen, maar feller geworden naarmate ze het einde van haar betoog naderde.

Nell verscheen. Ze was naar de keuken gestuurd om ijsthee te halen en torste nu een dienblad met een kristallen kan en glazen met ijs. Op hetzelfde moment dat zij op de zitkamer af stevende, liep mijn broer Patrick de gang door. Hij botste tegen haar op, met als gevolg dat haar dienblad hachelijk overhelde, de ijsthee begon te klotsen en de glazen tinkelend tegen elkaar kwamen. Patrick stak zijn hand uit om het blad in evenwicht te houden, en toen hij het weer losliet, streek hij over haar met een schort bedekte borst en liet zijn hand daar even liggen. Ze keek hem met grote ogen aan. De zijne daagden haar uit te reageren, terwijl hij langzaam kneep. Ze kromp ineen, maar gaf geen kik.

'Nell, ben jij daar?' riep mijn moeder. 'We zouden nu graag onze thee willen.'

'Ja, mevrouw,' zei Nell, 'Ik kom eraan, mevrouw.' Ze drong zich met afgewende ogen langs Patrick. Hij kreeg in de gaten dat ik op de trap zat, met de azen uit drie verschillende pakken kaarten in mijn verstarde handen, en hij grijnsde, alsof ik geamuseerd zou zijn door wat ik had gezien. Ik werd er beroerd van. Moeder was bezorgd dat hun zoons onze dochters zouden bezoedelen? Dan had ze de combinatie van doodsangst en berusting op het gezicht van Nell nog niet gezien. Nu ik had gehoord wat moeder tegen de buurvrouw had gezegd, vermoedde ik dat ze hier heel anders tegenaan zou kijken, misschien zelfs Nell ervan zou beschuldigen dat ze Patrick ertoe had verleid.

Mijn vader zou hem een stevige uitbrander hebben gegeven, ware het niet dat hij alle pogingen om mijn broers nog te beïnvloeden leek te hebben opgegeven nu ze eigenlijk volwassen hadden moeten zijn. Zolang ik me kon herinneren hadden Jack en Patrick, om redenen die me nooit helemaal duidelijk waren, niet geprobeerd papa te evenaren, maar de andere jongens en mannen die ze in ons dorp om zich heen hadden. Het was bovendien niet bevorderlijk geweest dat moeder zich altijd afzijdig had gehouden. Ik was degene die het gedrag van mijn vader had nagebootst, al vanaf mijn vroegste jeugd. Hij had bij wijze van voorbeeld altijd respect getoond voor onze huisbedienden en alle andere kleurlingen met wie hij omging – al had dat bij mijn broers niet gebaat.

Patrick sjokte langs me de trap op, gaf me in het voorbijgaan een tik op mijn voorhoofd en schopte tegen de pakken speelkaarten die ik inmiddels had gesorteerd, zodat ze opnieuw door elkaar raakten.

Maar mij werd op dat moment duidelijk waar de overdreven belangstelling vandaan kwam die ik koesterde sinds de avond dat Robert me naar huis had gebracht – een belangstelling die zelfs mijn vader zou hebben verbijsterd. Als mijn moeder mijn gedachten had kunnen lezen, zou ze hebben geloofd dat zich een boze geest in mijn hart had gevestigd – in de trant van haar visioenen over de vestiging van negers in ons dorp, met alle gevolgen van dien.

Ikzelf kreeg de rillingen van mijn niet zuiver platonische gedachten.

Op een middag zat ik in de achtertuin tegen een boom geleund te lezen toen Robert de oprijlaan op slenterde. Hij hief zijn hand toen hij me zag, maar liep door naar de achterdeur. Terwijl mijn ogen telkens heen en weer gleden over dezelfde regels tekst, vroeg ik me af wat hem die dag naar ons huis had gebracht. Even later kwam hij naar buiten en ging de garage in, waar mijn vader zijn geliefde Buick Special uit 1936 had staan. Robert reed de karmozijnrode auto achteruit de oprijlaan op. Hij zette de motor uit, liep de garage weer in en kwam uiteindelijk weer tevoorschijn met een emmer en poetslappen.

Hij had de auto van mijn vader al talloze malen gewassen. Papa was trots op zijn auto en had graag dat die er tot in de puntjes verzorgd uitzag. Hij vertrouwde het Jack of Patrick niet langer toe – de paar keer dat hij dat wel had gedaan, hadden ze slordig werk afgeleverd en het onberispelijke oppervlak beschadigd door er zeepresten op te laten zitten in hun haast om zich weer aan minder huishoudelijke bezigheden te wijden. Moeder beweerde dat ze alleen maar onverschillig waren omdat papa hen niet in zijn kostbare Buick wilden laten rijden, en dat terwijl hij er zelf zelden in reed. Shalerville was zo klein dat hij het merendeel van zijn patiënten te voet bezocht, tenzij dat niet kon vanwege het weer of omdat ze buiten het dorp woonden. Het kwam maar zelden voor dat hij patiënten ontving in zijn praktijk, een paar straten van ons huis vandaan. Hij trad bij toerbeurt op als chauffeur om mijn vriendinnen en mij naar feestjes te brengen, en af en toe reden we de Ohio over om in Cincy een restaurant te bezoeken of gingen we met de auto op vakantie, maar meestal bleef de Buick gewoon in de garage, glanzend en wachtend op een van zijn spaarzame avontuurtjes. De jongens behielpen zich met papa's oude Ford Model T, zijn allereerste auto, die de helft van de tijd kuren vertoonde – de reden dat papa hem had afgedankt.

Maar ik had mijn vader gesmeekt me te leren de Buick te besturen, en daar had hij nog in toegestemd ook. Hij beloofde dat hij het me in de zomer zou leren, omdat ik hem dan weleens vergezelde op visites buiten het dorp. Moeder stak er een stokje voor. 'Je moet Isabelle niet op verkeerde gedachten brengen, John,' zei ze. Zijzelf piekerde er niet over om achter het stuur te gaan, en wilde ook beslist niet hebben dat ik het deed. Het was niet gepast voor een dame. Papa wapperde met zijn handen – een stilzwijgende verontschuldiging – en ik liep stampend weg om te gaan mokken. Maar ook al had ik het opwindend gevonden dat papa me het bijna had geleerd, het had me ook een beetje dwarsgezeten. Hij wilde niet dat mijn broers in zijn auto reden, maar mij wilde hij er wel in leren rijden, terwijl moeder mij beslist nooit zou laten rijden, maar niet begreep waarom mijn vader zo halsstarrig de jongens bij zijn auto weghield. Het leek soms wel alsof we pionnen waren in een onderhuidse strijd tussen onze ouders. Was de toegeeflijkheid van mijn moeder tegenover de jongens bedoeld om zich op de een of andere manier op mijn vader te wreken voor een tekortkoming die ik niet kon zien? Ik begon hem onwillekeurig te observeren en probeerde erachter te komen wat hij kon hebben gedaan om mijn moeder teleur te stellen. In mijn ogen was hij volmaakt.

Nu keek ik jaloers toe terwijl Robert naar de buitenkraan liep en de autosleutels liet rinkelen in zijn zak. Ik wierp een blik op de ramen aan de achterkant van het huis, hoewel ik wist dat mijn moeder elke middag rond die tijd rustte. Toen ik ervan overtuigd was dat niemand keek, liep ik met mijn boek naar een ligstoel dichter bij de auto en deed daar alsof ik me weer in mijn verhaal verdiepte. 'Te veel schaduw daar,' zei ik. 'Ik kreeg het koud.'

'Ja, juffrouw, het is mooi weer, maar het kan inderdaad wat frisjes zijn in de schaduw.' Robert vulde de emmer met sop en droeg die naar de auto, maar bleef opeens staan. Vrijwel meteen toen hij de emmer op de grond zette, begreep ik zijn dilemma. Ik had hem in het verleden weleens vluchtig gezien vanuit het huis; hij had in de regel alleen zijn mouwloze hemd aan als hij de auto waste.

Maar in de regel was ik er niet bij.

Ik had kunnen opspringen om naar binnen te gaan, zodat hij zijn gebruikelijke ceremonieel kon volgen, maar iets in me kwam in opstand. Ik begroef mijn neus dieper in mijn boek en wendde me een beetje af om hem niet direct in mijn gezichtsveld te hebben. Maar in plaats van zijn overhemd uit te trekken rolde Robert zijn lange mouwen zo hoog mogelijk op en stak zijn armen in het sop. Toch kon hij daarbij niet voorkomen dat de verschoten stof nat werd. Hij wrong de spons uit, liet hem over de motorkap glijden en trok een gezicht toen hij de watervlekken op zijn mouwen zag.

Ik moest onwillekeurig giechelen en sloeg mijn hand voor mijn mond.

'Als je mij was, zou je niet lachen,' zei Robert kalm, met zijn rug naar me toe.

'Het spijt me,' zei ik, maar mijn gegiechel ging over in geschater. 'Hopelijk hoef je straks niet nog ergens heen in dat overhemd.'

Robert wierp een blik op het huis, en voor ik het wist doopte hij de spons in de emmer en gooide hij een straal water naar me toe. Ik hapte naar adem toen het water doel trof en mijn boek en rok doorweekte, en mijn gelach zwol aan tot gegil.

'O, het spijt me, juffrouw Isabelle. Ik had niet in de gaten dat je zo dicht achter me zat. Heb ik je natgemaakt?' Hij keek me recht in de ogen. Op zijn gezicht brak een grijns door, als een zonsopgang, en even waren we gewoon jonge mensen die met elkaar aan het dollen waren, rijk noch arm, blank noch zwart.

Totdat de hordeur dichtklapte. Ik draaide me om. Mijn moeder stond op de achterveranda. Ze kneep fronsend haar ogen samen en hield haar hand boven haar ogen tegen de felle middagzon. 'Isabelle? Ben jij daar? Ik meende wat rumoer te horen. Je bent te lang in de zon geweest, liefje. Je huid is onaantrekkelijk bruin geworden. Kom nu maar binnen.'

'Ik kom eraan, moeder,' riep ik braaf, maar mijn zangerige stem verried mijn brutaliteit.

Ze wachtte terwijl ik mijn rok uitschudde en mijn boek van de stoel pakte. Ik veegde de kaft af en hoopte dat ze niet de donkere plekjes erop zou zien, of de veelzeggende geur van sop vermengd met straatstof aan mijn kleren zou ruiken. Toen ze zich ervan had overtuigd dat ik haar gehoorzaamde, draaide ze zich om en ging naar binnen. Ik keek even naar Robert, en hoewel ik wist dat het kinderachtig was, stak ik mijn tong uit naar het langzaam verdwijnende achterwerk van mijn moeder, drukte ik mijn duimen in mijn oren en bewoog ik mijn vingers heen en weer. Nu was hij degene die zijn hand voor zijn mond sloeg. Hij slaagde er beter in dan ik om het gegrinnik te bedwingen dat dreigde te ontsnappen. Hij stak vermanend zijn vinger op en hervatte zijn taak.

Ik nam er de tijd voor om naar binnen te gaan, maar moeder stond vlak achter de deur, met een uitdrukking op haar gezicht die verdacht veel weg had van pure angst. Toch perste ze haar lippen op elkaar zoals ze dat vroeger ook had gedaan naar tante Bertie. 'Isabelle, je gaat te vriendschappelijk om met de Prewitts,' zei ze. 'Je moet je plaats kennen. En zij de hunne.'

'Moeder...' protesteerde ik, maar ze had zich al afgewend.

De school werd gesloten voor de duur van de zomer, en mijn dagen gingen afwisselend op aan loom nietsdoen en taken die mijn moeder me had toebedeeld om me bezig te houden: pioenrozen of daglelies uit de tuin leren schikken, rijpe komkommers of stekelige okra's uitzoeken die Cora dan kon inmaken, en talloze andere klusjes die in mijn ogen zinloos waren, alsof we nog steeds in de negentiende eeuw leefden. Ik had veel liever willen lezen of ronddwalen, maar ik werd niet meer zo vrijgelaten als vroeger. Toch kwam het heel af en toe nog voor dat moeders waakzaamheid verslapte.

Op een middag in juli, toen de warmte zijn tot dan toe indrukwekkendste prestatie van het seizoen had geleverd en als een stomend strijkijzer op ons drukte, trok ze zich met hoofdpijnklachten eerder dan gewoonlijk terug voor haar middagdutje. Ze vroeg Cora of ze Nell naar mijn vader wilde sturen om een poeder te halen ter verlichting van de pijn, maar Nell was druk bezig met linnengoed strijken. Hoewel ik vermoedde dat Nell het best prettig zou hebben gevonden om haar taak, die dubbel zo zwaar was in de klamme hitte, even te onderbreken, greep ik de kans met beide handen aan.

'O, nee, juffrouw Isabelle,' zei Cora. 'Nell maakt het straks wel af. De was loopt niet weg.'

'Ik vind het niet erg. Ik zou papa graag even gedag willen zeggen, en trouwens, ik hou het in dit benauwde huis geen minuut meer uit.' Ik legde mijn handen op mijn hart. 'Toe?'

Cora lachte. 'Jij wint.' Maar ze stak vermanend haar vinger op. 'Wel snel terugkomen met dat poeder, hoor. Anders krijgen we het met je moeder aan de stok.'

Ik beloofde dat ik me zowel op de heen- als op de terugweg zou haasten. Ik belde van tevoren de praktijk op. De doktersassistente verzekerde me dat het medicijn klaar zou staan, zelfs als papa weggeroepen was.

Mijn vader zat aan zijn bureau te lunchen. Hij nodigde me met een handgebaar zijn spreekkamer in. 'Ga zitten, snoes. Blijf even gezellig bij me, dan kun je mijn broodtrommel mee terug nemen.' Toen ik jonger was, had ik hem 's zomers vaak gezelschap gehouden tussen de middag. Ik denk dat we onze praatjes allebei misten. Ik vermoedde dat mijn moeders voornemen om een kant-en-klare bruid van me te maken hem minstens zo zwaar viel als mij.

'Ik kan maar beter opschieten. Moeder raakt vast van streek als ze haar medicijn niet onmiddellijk krijgt, en al helemaal omdat ze eigenlijk Nell verwacht.'

'O, nou ja, ga dan maar. We willen niet dat Cora of Nell problemen krijgt met de baas.'

'Nee, dat willen we zeker niet.' Ik stopte het medicijn in mijn zak. 'Papa?'

'Ik dacht dat je haast had,' zei hij grijnzend.

'Dat heb ik ook. Maar ik vroeg me af...' Ik liet mijn vingers over de dunne stof van mijn jurk glijden, langs de contouren van de envelop, en draaide met de neus van mijn sandaal rondjes om een donkere vlek in het linoleum. Ik schudde mijn hoofd. 'Laat maar.'

'Wat wou je zeggen, snoes?' Mijn vader legde de boterham neer die hij al half naar zijn mond had gebracht, leunde achterover in zijn stoel en vouwde zijn handen ineen op zijn vest.

Ik gaf niet meteen antwoord. Ik was opeens meegevoerd naar het verleden, doordat er een herinnering bij me was bovengekomen aan iets wat zes jaar daarvoor was gebeurd en waar ik tot op dat moment nooit meer aan had gedacht. Robert en ik zaten op twee rechte stoelen die aan weerszijden van het bureau van mijn vader stonden in plaats van ertegenover, zoals dat het geval was bij patiëntenbezoek. Mijn wiskundeboek lag midden op het bureau, zodat we er allemaal in konden kijken, en papa hielp me met mijn huiswerk – het eerste jaar was het me niet makkelijk afgegaan – terwijl Robert dezelfde opgaven uitschreef op vellen papier. Het was niet de eerste keer dat we een dergelijke bijeenkomst hadden, en ik had aanvankelijk niet begrepen waarom Robert dezelfde opgaven maakte als ik – hij was tenslotte een jaar ouder. Het had me ook verbaasd dat hij zelf geen boek had meegenomen. Waarom moest hij het mijne gebruiken? Op weg naar huis legde papa uit dat de school van Robert afgedankte lesboeken kreeg van de andere scholen uit de streek, en dat die boeken zo gehavend waren dat ze zelden de school verlieten – ze waren zo kostbaar en het waren er zo weinig dat de leraren niet het risico wilden lopen dat ze nog meer schade opliepen of zoekraakten. De school had altijd een lerarentekort, vandaar dat zelfs de slimste leerlingen algauw een achterstand opliepen. Het kwam vaak voor dat de klasgenoten van Robert bezig waren met lesstof die mijn klas al jaren beheerste, en papa hielp hem vooruit te werken om ervoor te zorgen dat hij klaar was voor de middelbare school. Ik dacht beschaamd terug aan de keren dat ik gefrustreerd mijn schoolboeken door mijn slaapkamer had gesmeten, omdat ik schoon genoeg had van al die bezighouderij die me zelden geestelijk uitdaagde. Ik stelde me de scholier voor die het boek na mij zou gebruiken, met geknakte rug en al, en ging voortaan zorgvuldiger met mijn boeken om nu ik begreep dat het een voorrecht was om ze elke dag bij me te hebben, van huis naar school en andersom. Ik wond me op over de jongens uit mijn klas die hun boeken na schooltijd achteloos in het zand lieten vallen als ze spontaan teams vormden voor een of ander balspel, maar dan rolden ze met hun ogen en trokken zich niets van me aan.

Die dag zat ik te wiebelen en te draaien terwijl papa met Robert een opgave doornam. Robert snapte alles meestal eerder dan ik, tot mijn ergernis, maar ik zag dat ook hij onrustig was. Papa had altijd veel geduld met ons allebei en hij zwoegde rustig door, totdat Robert hem met bange ogen aankeek. 'Meneer?' zei hij.

'Ja, Robert? Wat is er? Begrijp je het niet?'

'Ik begrijp het prima, meneer. Maar, eh...' Robert wierp een blik op het raam. 'Het is bijna donker, meneer.'

Mijn vader draaide zijn hoofd naar het raam en leek te schrikken, alsof hij niet had gemerkt hoe snel de late herfst na schooltijd het daglicht al opslorpte. Bij uitzondering kreeg hij heel even een korzelige uitdrukking op zijn gezicht – nee, sterker dan korzelig: een woedende uitdrukking – maar hij hervond zijn kalmte, verzamelde Roberts papieren en liet hem snel zien wat hij af moest hebben voordat we weer samenkwamen. 'Ga nu maar gauw, Robert; we willen niet dat je problemen krijgt met de baas.'

Ik wist niet precies wie hij bedoelde. Het leek mij waarschijnlijk dat hij het over Cora had, want bij ons thuis noemde hij mijn moeder vaak 'de baas', maar over Cora had ik hem nooit zo horen spreken. Robert propte de papieren in zijn versleten knapzak, een afdankertje van Patrick, en stoof papa's spreekkamer uit. Mijn vader richtte zijn aandacht weer op mij, al leek hij die dag tijdens de rest van de les niet meer zo gemotiveerd te zijn.

'Wat is er?' De stem van papa echode nu mijn herinnering. 'Snoes?'

Ik zei: 'Die borden...'

'Borden?'

'Die borden die je ziet als je het dorp in en uit gaat – niet die waarop "Shalerville" staat, en het aantal inwoners... maar die andere.'

Papa fronste zijn wenkbrauwen. 'Wat is daarmee?'

'Hebben die er altijd gestaan?'

'Altijd?' Hij bracht zijn vingers omhoog, bestudeerde een nagel, en krabde erover alsof er iets vastzat in de nagelriem. 'Nee, ik denk het niet.' Hij rechtte zijn rug. 'Ik zou nu maar snel vertrekken, Isabelle. Cora zal zich wel afvragen waar je blijft.'

'Ja, papa.' Ik draaide me om en wilde weglopen, maar werd opnieuw tegengehouden door zijn stem, die ongewoon luchtig klonk.

'Waarom geef je jezelf niet een middagje vrij, nadat je dat medicijn zo snel mogelijk thuis hebt gebracht? Je moeder heeft je deze zomer heel wat opgedragen, liefje, maar nu ze zich niet goed voelt, wordt het er vast niet beter op als jij haar ook nog voor de voeten loopt, of wel?' Hij knipoogde, en ik monterde helemaal op. Hij had mijn andere vraag eigenlijk niet beantwoord en ik wilde nog steeds weten hoe het zat – maar een middag lang alles kunnen doen wat ik wilde? Met instemming van mijn vader? Wat een heerlijk verzetje.

'Als je moeder er later haar beklag over doet, zal ik haar nadrukkelijk laten weten dat het mijn idee was, maar maak je uit de voeten zolang het kan. Dat poeder werkt misschien sneller als ze weet dat je toestemming hebt gekregen om de benen te nemen.'

'Nou en of!' Bijna sloeg ik de deur dicht, maar ik dwong mezelf me in te houden tot ik voorbij de doktersassistente was, die op dat moment de voorraadkast in de onderzoekskamer op orde bracht. Ze rook altijd ontzettend steriel, alsof ze de patiënten van papa eigenlijk nooit aanraakte. Ze vormde regelmatig één front met moeder wat betreft papa's neiging om medische zorg te bieden tegen een lagere vergoeding dan uit zakelijk oogpunt verstandig was, ook al hadden anderen het verhoudingsgewijs moeilijker dan wij, maar omdat ze een uitstekende assistente was, nam papa haar samenzweerderigheid voor lief. Ze zou al míjn overtredingen vast ook regelrecht aan moeder rapporteren.

'Goedemiddag, Isabelle,' riep ze. Ik bedankte haar, maar zodra ik de praktijk uit was en ze me niet meer door het raam kon zien, begon ik op een sukkeldrafje te lopen en vertraagde ik mijn pas alleen nog als ik heuvelopwaarts ging of iemand tegenkwam in de korte hoofdstraat van Shalerville, en dat was nauwelijks het geval, want door de warmte was iedereen loom geworden en geneigd te blijven hangen op elke plek waar maar een koel briesje opgevangen kon worden.

Thuis trof ik Nell aan bij de waslijn, waar ze het laatste logge tafelkleed ophing. Ik hield de hoek strak terwijl zij er een houten knijper overheen schoof. Ze streek over haar voorhoofd, dat glom van het zweet. 'Zou je je moeder willen vragen om mijn moeder dit te geven?' vroeg ik, terwijl ik de envelop met het medicijn uit mijn zak haalde.

Ze droogde haar hand aan haar schort en nam de envelop aan. 'Wat voer je nu weer in je schild?' vroeg ze. Ik deed mijn best om mijn gezicht neutraal te houden. Hoewel er sinds de avond dat ik haar had gekwetst een kloof tussen ons was blijven bestaan, kende ze me maar al te goed. Ik wist dat we het allebei jammer vonden dat we nu te oud waren om net als vroeger te vluchten naar de schuilplekken in de tuin en op de binnenplaats. Toen was de warmte ons nauwelijks opgevallen terwijl we met mijn rubber ballen speelden, of ons vermaakten met touwtjespringen, poppen of het theeserviesje, en giechelend en fluisterend belangrijke dingen bespraken, zoals hoe we onze eerstgeborene zouden noemen. Af en toe lieten we Robert toe tot ons exclusieve clubje, als we iemand nodig hadden om iets zwaars voor ons te tillen of de mannenrol te spelen in de fantastische scenario's die we verzonnen.

Moeder had het toen niet zo bezwaarlijk gevonden dat ik met Cora en haar familie omging. Jack was een jaar ouder dan Patrick, en beiden waren een stuk ouder dan ik. Die hadden elkaar om zich mee te vermaken of kattenkwaad mee uit te halen, en ik denk dat ze gewoon blij was dat ook ik een geschikt speelkameraadje had, hoewel Nell in mijn geval niet alleen een handig zoethoudertje was, maar me er ook van afhield door het dorp te gaan banjeren, terwijl mijn broers toen ze klein waren de vrije teugel hadden kregen. Moeder is altijd overdreven bang geweest dat ik met de verkeerde mensen zou omgaan, maar voor Nell maakte ze een uitzondering. Ze beschouwde Nell op een leeftijd van zes of acht jaar waarschijnlijk al als een soort bediende. En voor de juiste prijs: gratis.

'Ik heb van papa toestemming gekregen om erop uit te gaan,' zei ik tegen Nell. 'Ik denk dat ik mijn boek meeneem naar het beekje.' Er liep een kabbelend beekje langs ons erf, zo'n achthonderd meter van ons huis als je via de achtertuin ging. Dichtbij genoeg om als een veilige plek te gelden, en tegelijk ver genoeg om je even een gevoel van vrijheid te geven. We hadden er als kind ook gespeeld.

Er verscheen aarzeling in haar ogen, maar ze nam de envelop mee het huis in. Ik vroeg me af of het haar was opgevallen dat ik geen boek bij me had – en haar niet achterna was gegaan om er binnen een te halen.

Ik mocht geen lange broek dragen. Als ik overdag bij vriendinnen langsging, zaten ze de laatste tijd vaak te luieren in een modieuze lange broek die precies tot op de enkel viel en op mij totaal geen mannelijke indruk maakte, of in een broekrok, niet minder vrouwelijk dan welke jurk ook. Maar moeders streven om de tijd terug te draaien was veelomvattend. Deze ene keer was ik blij dat ik een wijde katoenen jurk droeg die ik aan de zijkanten kon opbinden. Ideaal voor pootjebaden.

De bedding van het beekje was bezaaid met kalksteen dat door de stroming gladgeslepen was, en ik vond het heerlijk om in het koele, stromende water van de ene steen op de andere te stappen en te zien hoe ver ik kon komen voordat ik een plek bereikte die zo diep was dat je hem alleen zwemmend kon oversteken. Mijn badpak zag helaas alleen het daglicht als ons gezin ging picknicken bij het meer of een ritje naar North Carolina maakte om in de oceaan te gaan zwemmen. Ik zou nooit toestemming hebben gekregen om het te dragen als ik in het beekje ging spelen. Ik was trouwens aardig gegroeid sinds ik het voor het laatst had gedragen, hoewel ik vermoedde dat mijn magere heupen en platte boezem er nog makkelijk in zouden passen. Ik had me erbij neergelegd dat ik met mijn jongensachtige figuur opgescheept zou zitten tot ik trouwde en kinderen kreeg.

Bij de beek haalde ik het lint uit mijn haar en schuurde het net zo lang over een kapotte boomtak tot het in tweeën brak. Ik zou het niet bepaald missen: ik had altijd meer dan genoeg linten om mijn woeste krullen in toom te houden. Ik bond mijn rok aan weerszijden op. Ik zag er ongetwijfeld belachelijk uit, maar dat kon me niet schelen. Ik was niet van plan om een vrije middag op te offeren aan ijdelheid.

Ik liet mijn sandalen aan de rand van het beekje achter, sprong op de eerste steen en bleef daar even staan om van mijn vrijheid te genieten, terwijl ik de lucht naar binnen zoog die door het stromende water koelte toegewuifd had gekregen en heerlijk fris was vergeleken met de verstikkende lucht die ik de hele ochtend had ingeademd.

Maar algauw sprong ik van de ene zichtbare steen naar de andere, en stak ik als een zwevende visarend mijn armen uit om mijn evenwicht te bewaren. Ik hield pas op toen ik op de laatste steen stond die ik kon bereiken voordat ik weer terug moest naar de oever. Het was een grote, platte steen, en ik ging op mijn hurken zitten, vlak bij het water, steunend op mijn hielen en met mijn rok over mijn knieën getrokken.

Ik staarde in het water van de vertrouwde beek en werd door melancholie overvallen. Ik verlangde terug naar de tijd dat ik meer ruimte had gehad, de zomers waarin ik had kunnen spelen zonder de druk om aan andermans verwachtingen te moeten voldoen – verwachtingen waar ik niets mee te maken wilde hebben. Ik was te slim, zei mijn moeder. Ze trok haar neus op als ik de kranten van papa opeiste nadat hij ze bij het ontbijt had gelezen. Ze klaagde als ik sjouwend met de zoveelste wankele stapel boeken terugkwam van het bibliotheekje van Shalerville, omdat ze vond dat ik meer belangstelling moest tonen voor vrouwelijke vaardigheden. Maar ik vond handwerken en leren hoe je een goede gastvrouw werd doodsaai. Ik was van plan geweest om naar de universiteit te gaan, en mijn vader leek dat te hebben aangemoedigd. Hij had het in elk geval nooit afgekeurd. Maar mijn moeder zei lachend: 'Jij? Naar de universiteit?' – niet onvriendelijk, maar haar spottende toon knaagde wel aan me. 'De enige opleiding die je nodig hebt om echtgenote en moeder te worden, vind je hier, in je eigen huis.' Ik had dus een toekomst in het vooruitzicht waarin ik niet naar de universiteit zou gaan – iets waarvan ik altijd had gedroomd, en dan het liefst zo ver mogelijk van deze godverlaten plek vandaan – maar zou horen te trouwen met de eerste de beste geschikte huwelijkskandidaat, waarschijnlijk zonder dat onze saaie verkeringstijd verlicht zou worden door liefde of gemeenschappelijke interesses – vast zo iemand als Jack of Patrick, iemand die zou werken en in zijn vrije tijd zou doen wat hij wilde, terwijl ik mijn eigen dromen terzijde schoof om het huishouden te doen en kinderen te baren. Er welde een enorme woede tegen mijn moeder in me op, die wat dit betrof ongetwijfeld haar zin zou krijgen. Ik kwam snel overeind en nam een grote sprong naar de oever van de beek, waar ik met mijn vuisten op het zand beukte en de geur van het dorre opwaaiende stof me zowel troostte als razend maakte. Ik was bevoorrecht, rijk zelfs, vergeleken met veel andere meisjes, maar ik raasde en tierde om mijn lot, in onverstaanbare kreten, alsof ik een hysterische peuter was. Toen ik mezelf had uitgeput, liet ik mijn hoofd op mijn armen vallen en draaide mijn ogen opzij. Ze stuitten op een paar versleten werkschoenen.

'Gaat het een beetje, juffrouw Isabelle?'

Ik krabbelde overeind. 'Waar kom jij vandaan?' Ik drukte mijn vingers op mijn wangen; die waren gloeiend heet van schaamte.

'Ik was hier de hele tijd al. Je hebt me zeker niet gezien, anders had je dat allemaal wel binnengehouden.' Hij grinnikte. 'Toen jij kwam, was ik verderop bij de beek. Gewoon... bezig met mijn eigen zaken.' Hij grijnsde, en zijn ogen begonnen te twinkelen.

Ik moest eerlijk zijn tegenover mezelf: het had er wel in gezeten dat hij hier zou zijn. Robert had bijna mijn hele leven lang 's zomers bij de beek rondgehangen, als hij tenminste geen klusjes voor papa deed. Maar vandaag had ik vastgesteld dat ik alleen was, na een inspectie die blijkbaar niet grondig genoeg was geweest. De gedachte dat hij getuige was geweest van mijn woedeaanval – inderdaad gedeeltelijk veroorzaakt door zijn afwezigheid – krenkte me in mijn trots.

Ik veranderde dus maar van onderwerp. 'Aan het vissen?'

'Aas aan het vangen. Op zoek naar elritsen. Als ik daar een zwik van te pakken heb gekregen, ga ik naar de rivier. Hier zwemt niet veel. Alleen klein grut dat niet de moeite waard is om te houden.'

'Laat zien,' zei ik impulsief. 'Laat zien hoe je elritsen vangt.' Ik had het weleens geprobeerd, maar de piepkleine visjes waren me te snel af geweest. Ik had geprobeerd ze met een emmer of mijn handen op te scheppen, maar zodra ik het water raakte, waren ze weggeschoten. Ik had er nooit meer dan een paar kunnen vangen.

Robert keek me aan met een blik waaruit zowel behoedzaamheid, verbazing als geamuseerdheid sprak. Maar hij draaide zich om en wenkte met een gebogen vinger dat ik mee moest komen. Het viel me op dat hij ditmaal niet zorgvuldig zijn pas inhield nadat ik het vuil van mijn jurk had geklopt en me bij hem had aangesloten. Sterker nog: op plekken waar de beekoever te smal werd voor ons beiden, ging hij voor. Af en toe bleef hij staan om galant biezen en laaghangende takken die de doorgang belemmerden voor me opzij te houden.

Hij voerde me mee naar een breed gedeelte van de beek waar de elritsen zich meestal verzamelden. Hier stroomde de beek traag en nam af en toe de tijd om rond te kolken op beschutte plekken, gevormd door grotere stenen en inhammen in de oever. Robert bromde wat en wees, gebaarde dat ik op de oever moest gaan zitten, en legde een vinger op zijn lippen om aan te geven dat ik me muisstil moest houden.

Hij zette zijn emmer naast me neer en haalde een limonadeflesje uit zijn wijde broekzak. Hij hield het flesje omhoog om me te laten zien dat hij er een samengekneed en tot een balletje gerold stuk brood in had gestopt. Het rolde als een knikker over de bodem van het flesje, hoewel hij er ook nog flinters brood in had gestopt. Hij had een lang touw rond de opening van het flesje gebonden, en trok nu zijn schoenen uit en stapte zo geruisloos als een indiaan de beek in, vrijwel zonder het wateroppervlak te verstoren. Hij bewoog zich behoedzaam voort, voorovergebogen, om de kleine poeltjes van dichtbij te bekijken. Opeens bleef hij staan. Hij dompelde de fles in het water, liet hem naast zich in de stroming zakken met de opening evenwijdig aan de stroomrichting, en drukte hem de beekbedding in totdat hij stevig bleef liggen. Hij haalde een steentje uit zijn zak, klemde daarmee het uiteinde van het touw vast op een kei, klauterde terug naar de oever en plofte naast me neer. Ik vond het een omslachtig gedoe enkel om een paar elritsen te vangen, maar ik was wel benieuwd hoe succesvol het zou zijn.

'En nu?' fluisterde ik.

'Afwachten,' zei hij op normale toon.

'Waarom moest ik mijn mond houden, terwijl je zelf wel praat?'

'Ik heb gezien hoe luidruchtig jij kunt zijn,' zei hij, en hij tuurde met opeengeperste lippen de beek af. Ik zag dat hij zijn lachen probeerde in te houden.

Ik blies hoofdschuddend mijn adem uit. 'Hoe lang moeten we wachten?'

'Lang genoeg. Niet te lang.'

Dat was heel verhelderend.

Onder het wachten deden we ons best om over koetjes en kalfjes te praten. Nu kón ik eindelijk weer een gesprek voeren met Robert alleen – waar ik de hele zomer naar had verlangd – en wist ik niet wat ik moest zeggen. Het was alsof de tijd zowel stilstond als omvloog, en ik verweet mezelf dat ik niet meer aandacht had geschonken aan de meisjes die ik had bespot en niet van hen de kunst had afgekeken om moeiteloos met jongens te praten. Maar Robert leek zich wel prettig te voelen bij de stilte en wachtte rustig af tot ik een onderwerp aansneed. Ten slotte vroeg ik: 'Hou je van vissen?'

'Het is een tijdverdrijf. En het zorgt ervoor dat mama geen vlees hoeft te kopen voor ons avondeten of het zonder moet stellen.'

Ik fronste mijn wenkbrauwen en had het gevoel dat ik op de vingers was getikt, maar niet door Robert zelf. Het was nooit in me opgekomen dat Cora weleens moeite zou kunnen hebben om aan vlees te komen voor haar gezin. Ons gezin had altijd meer dan genoeg te eten gehad, zelfs tijdens de meest barre crisisjaren. Mijn vader werd door zijn patiënten vaak in natura betaald: met verse of ingemaakte vruchten en groenten, en soms met vers of gerookt vlees. Ik wist dat moeder Cora ook wat gaf als we meer hadden dan we op konden krijgen voordat het bedierf, maar ik had altijd aangenomen dat dit eerder een extraatje dan een noodzaak was. Jack en Patrick schoten vaak klein wild in de bossen, louter en alleen voor hun plezier. Ik wist zeker dat ze het daar gewoon lieten wegrotten.

Na een minuut of tien, vijftien sloop Robert terug en trok de fles voorzichtig aan het touwtje omhoog. Hij hield hem voor me op om te laten zien dat er een stuk of tien kleine elritsen als bezetenen in rondwriemelden. Van de broodbal was maar een klein beetje af gehaald, maar de flinters brood waren weg. Hij gooide de elritsen en het water in zijn emmer en waadde de beek weer in. Hij stak zijn hand in een broekzak en vulde de fles bij met nieuwe flinters brood.

'Hoeveel elritsen heb je nodig?' vroeg ik.

'O, een stuk of vijftig is wel genoeg. Wat ik niet gebruik, bewaar ik voor morgen.'

Ik maakte een rekensommetje. We zouden hier nog minstens een uur zitten terwijl hij zijn aas vergaarde. Ik was nog geen uur geleden van huis weggegaan, dus ik hoefde me geen zorgen te maken. Niemand zou me komen halen, tenzij ik wegbleef tot het bijna etenstijd was.

'Begin je in de herfst aan je vervolgstudie?' Ik hoopte dat hij het niet raar vond dat ik van de hak op de tak sprong.

'Dat is wel de bedoeling, juffrouw Isabelle.'

'Ik wou dat ik dat ook kon zeggen, Robert,' zei ik impulsief, voordat ik de gedachte kon teruggrissen. 'Je hoeft me niet júffrouw Isabelle te noemen. Hier in elk geval niet. Dan voel ik me zo... Nou ja, ik weet niet precies hoe, maar eigenlijk niet zo prettig. Zou je me Isabelle willen noemen?'

'O, nee, geen sprake van. Mijn mama... jouw mama,' mompelde hij hoofdschuddend, en met neergeslagen oogleden van verlegenheid.

'Die hoeven er niets van te weten. Alsjeblieft?' smeekte ik. Hoe onbeduidend het misschien ook was, ik vond het minstens even belangrijk als alles waar ik verder ooit mijn zinnen op had gezet.

'Isabelle,' zei hij. 'Goed dan. Isabelle.' Hij liet de klanken door zijn mond rollen alsof hij een nieuw gerecht proefde dat zijn moeder had uitgeprobeerd. Hij keek me aarzelend aan en grinnikte. 'Je wilt me toch niet in moeilijkheden brengen, hè?'

'Nee! Hoe kom je erbij...' Mijn nek tintelde. Ik vermoedde dat sommige meisjes met wie ik omging – sommige jongens trouwens ook – misschien wel zo meedogenloos zouden zijn; dat ze er niet voor zouden terugdeinzen om een van de weinige zwarte jongens die we kenden met opzet in moeilijkheden te brengen. Ik vond dat zo weerzinwekkend dat ik ineenkromp als ik eraan dacht.

'O, ik weet dat je dat nooit zou doen, juffrouw – Isabelle.' Hij schudde zijn hoofd. 'Het zal niet meevallen om die gewoonte af te leren. Maar als jij het wilt, zal ik het proberen.'

We zaten er weer zwijgend bij. Hoe langer de stilte duurde, hoe ongemakkelijker ik me begon te voelen. Ik werd me bewust van mezelf: van mijn huid, mijn handen, mijn blote voeten, en het donshaar op mijn scheenbenen en kuiten. Mijn moeder schoor haar beenhaar af, maar ik had nooit de moeite genomen. Mijn benen waren op de momenten dat het ertoe deed in kousen gehuld. Nu zagen ze er kinderlijk uit, en ik had zin om ze weer onder mijn jurk te stoppen.

Even later werd ik me meer bewust van hém: van zijn huid, zijn handen, zijn blote voeten en het donshaar op zijn lippen en kaak. Ik merkte dat ik mijn adem te lang inhield en liet die langzaam ontsnappen, om niet als een blaasbalg een stroom lucht uit te stoten. 'Heb je een vriendin, Robert?' vroeg ik, in de hoop iets te weten te komen waardoor ik deze gedachten uit mijn hoofd zou kunnen zetten, omdat ze zinloos zouden blijken te zijn.

'Vroeger wel,' zei hij. 'Maar ze is inmiddels getrouwd met iemand die ouder is dan ik en bij de spoorwegen werkt, waar hij als kruier goed verdient. Ze had geen zin om te wachten tot ik mijn studie heb afgemaakt.' Hij haalde zijn schouders op. 'Dat kan ik haar niet kwalijk nemen.'

'Wil je wel trouwen? Ooit kinderen krijgen?' Mijn eerdere aanpak had niet het gewenste resultaat opgeleverd, maar ik vond het nog steeds fascinerend om me een beeld te vormen van een Robert die een leven had buiten mijn familie en zijn dienstbaarheid aan ons.

'Ooit misschien wel. Als de ware langskomt. Een geduldige vrouw, vermoedelijk.' Hij grijnsde naar me, en ik lachte gespannen, want ik wist dat hij me bij zichzelf ook uitlachte. Niet dat ik dacht dat het zelfs maar bij hem zou opkomen om mij te vergelijken met een meisje dat hem wel iets zou lijken. Dat zou immers heel verkeerd zijn.

En heel gevaarlijk.

Aan de hemel boven ons pakten zich plotseling zware wolken samen en er stak een briesje op. Ik huiverde en kreeg kippenvel op mijn armen. Toen een donderslag de aarde onder ons deed trillen, sprong Robert op van zijn plekje naast me.

'O jee, er komt een flinke onweersbui aan.' Hij plonste de beek in, trok de fles omhoog en jakkerde terug naar de oever. Hij liet de fles in de emmer zakken, bij de andere elritsen, en zette de emmer samen met zijn schoenen onder een boom, niet ver van ons vandaan. 'Denk je dat we nog op tijd weg kunnen komen?' Hij tuurde naar de lucht, en precies op dat moment ging die wijd open, als een gapende mond. Regendruppels ter grootte van lepeltjes kletterden op de grond. 'Je kunt maar beter schuilen, juffrouw – Isabelle. Kom hieronder staan!'

Ook ik keek omhoog, en vroeg me af of het wel zo verstandig was om tijdens een onweersbui onder een boom te gaan staan. Maar opeens begon het te hagelen. Toen ik me als een haas bij Robert voegde, waren sommige hagelstenen inmiddels zo groot geworden als het broodballetje dat Robert had gebruikt om de elritsen te lokken.

Hij drukte zich met zijn rug tegen de boomstam aan om ruimte voor me te maken. Toen het me niet lukte een goed plekje te vinden, wilde hij weggaan, maar ik pakte zijn mouw beet en trok hem terug. 'Doe niet zo idioot,' zei ik. 'Je kunt niet door dat noodweer heen.' Overigens bood de boom nauwelijks beschutting tegen de regen, die nu bijna zijwaarts werd geblazen, maar de hagel beukte tenminste niet op ons neer.

Ik bleef zijn mouw vasthouden, hoewel ik me afvraag of ik dat aanvankelijk wel merkte. Hij stond met zijn rug tegen me aan gedrukt, en mijn neus kwam maar net tot zijn schouder. Ik staarde naar de regen, die zo hard neergutste dat elk ander geluid erdoor werd overstemd. Ik had me nog nooit zo hecht verbonden gevoeld met een ander mens. Of zo eenzaam. Ik ontspande mijn vingers en hield Robert losjes bij zijn elleboog vast.

Aanvankelijk reageerde hij niet, in elk geval niet zichtbaar. Hij bleef er roerloos en kaarsrecht bij staan, als de boomstam achter ons, die zo oud en breed was dat hij nauwelijks deinde in de storm.

Maar toen een volgende donderklap de hemel openscheurde, schrok ik en greep Roberts elleboog steviger vast. Zonder een woord te zeggen draaide hij zich om en trok me stevig tegen zijn borst. Ik snoof zijn geur op – een niet onaangename, natuurlijke geur met een vleugje zweet, vermengd met de lucht van de regen die over de bladeren en de boomstam gutste.

De geur maakte herinneringen in me los. Ik was een jaar of zeven, acht, en zat tijdens een onweersbui dicht tegen Robert en Nell aan gedrukt onder een andere laaghangende boom bij de beek. Warme regen biggelde over onze armen en hals, ondanks Roberts pogingen om ons te beschermen met de deken die Nell en ik hadden gebruikt om op te picknicken. Nell zat tussen ons in, maar ik had mijn blote arm om haar middel geslagen en mijn vingers streken langs de gekruiste voeten van Robert. Hij gilde als een meisje toen ik de knobbel van zijn grote teen kietelde, maar hij liet de deken niet los en bleef zijn best doen om ons droog te houden. Was het een echte herinnering? Ik wist het niet zeker, maar het leek er wel op.

Robert en ik bleven zo staan tot de storm bedaarde, tot het ophield met hagelen en regenen, even snel als het begonnen was. Hij liet zijn handen langs zijn zij vallen en deinsde achteruit.

Ik voelde me naakt. Opnieuw eenzaam.

'Ik dacht er niet bij na. Het spijt me.' Hij stak met een verslagen gezicht zijn handen in zijn zakken en keek om zich heen alsof we misschien waren gezien.

'Mij niet,' zei ik. 'Mij spijt het helemaal niet.'

Ik draaide me om en rende terug naar de plek waar ik mijn sandalen had achtergelaten, maar ze stonden natuurlijk niet meer op de beekoever. Die zouden inmiddels wel ver afgedreven zijn. Ik vloog naar huis, zonder aandacht te schenken aan mijn bonkende hart, en stopte alleen even om mijn jurk aan weerszijden los te maken voordat ik bij het hek van de achtertuin aankwam. Ik viel de keuken binnen, waar Cora en Nell aan tafel zaten. De een schilde appels, de ander aardappelen. Cora schoof haar stoel naar achteren met een schrapend, krassend geluid dat me door merg en been ging.

'O, juffrouw Isabelle, wat zie je eruit,' siste ze. 'Je moeder wordt razend als ze je zo ziet! Trek snel die natte kleren uit. Ze is nu waarschijnlijk wel wakker, maar misschien kun je langs haar glippen.' Ik knikte alleen maar. Ik sloop naar boven en vroeg me af hoe ik, mocht ik moeder niet kunnen ontwijken, mijn blote voeten zou goedpraten, en hoe ik de volgende keer dat ze me zou aanraden mijn sandalen te dragen zou uitleggen waarom ze er niet meer waren. Ik had ze nog maar een maand, en ook al hadden wij het financieel beter dan de meeste andere gezinnen bij ons in de buurt, nieuwe schoenen waren duur. Maar ik wist ook dat ik mijn middag bij de beek niet zou willen inruilen om mijn sandalen terug te krijgen. Die middag zou ik voor geen geld willen inruilen – een gedachte die me tot aan mijn blote voetzolen schokte.

6

Dorrie, heden

De snelweg liep nu stijgend en dalend door heuvelachtig landschap. Ik keek strak voor me uit en probeerde het verhaal van mevrouw Isabelle te bevatten. Ze zat er zwijgend bij, alsof ze nog opging in haar herinneringen. Wie had ooit gedacht dat ze zo'n stroeve relatie met haar moeder had gehad? Voordat ik dit had gehoord zou ik haar hebben ingeschat als een beschermd opgegroeid blank meisje, dat met de paplepel ingegoten had gekregen dat ze kon doen wat ze wilde en er toen voor had gekozen om te trouwen en een gezin te stichten. Een lieve, gehoorzame dochter met een toegewijde moeder. Hoe meer ik over dat laatste nadacht, hoe meer ik me bewust werd van mijn vooringenomenheid. Juffrouw Isabelle mak en gedwee? Ammehoela. Geen katje om zonder handschoenen aan te pakken – dat was ze eerder.

Deze geestelijke versie van de jonge mevrouw Isabelle beviel me beter. Die maakte me minder benauwd om mijn eigen misstappen en ellende te onthullen, en gaf me er meer vertrouwen in dat ze me niet zou veroordelen.

Ongelooflijk dat ze als meisje verkikkerd was geweest op een zwarte jongen. Ik wist niet precies wat ik daarvan moest denken, maar als iemand het had ontdekt, zou je de poppen aan het dansen hebben gehad. In mijn gedachten begon Robert op Teague te lijken, zoals ik me voorstelde dat die eruit had gezien toen hij jonger was. Als het inderdaad klopte, van die gelijkenis, kon ik me goed indenken dat ze op hem gevallen was.

'Mijn moeder,' zei ik, mijn eigen gedachten onderbrekend, 'kon het weinig schelen of ik me in de nesten werkte, zolang zij er zelf maar niet al te veel last van had. Dat wil zeggen, zolang ze geen problemen voor me hoefde op te lossen of geld hoefde uit te geven om me uit de narigheid te helpen. O, en zolang ik me niet met haar vriendjes bemoeide.'

Ik denk dat mama hoopte dat een van die mannen haar toegang zou geven tot een beter leven. Helaas had ze wat mannen betreft niet zo'n gelukkige hand van kiezen.

De pot verwijt de ketel, natuurlijk.

Maar ik heb tenminste altijd zelf in mijn onderhoud kunnen voorzien, wat er ook gebeurde. Hoe lang of hoezeer ik me ook door een man heb laten uitzuigen, ik hield alles onder controle. Tenminste, alles wat ertoe deed. Mijn kinderen hebben altijd fatsoenlijke kleding en een volle maag gehad. Ze konden zich aanmelden voor de meeste buitenschoolse activiteiten die ze graag wilden doen. Ons huis was niet chic, maar heel aardig: schoon en netjes, zodat ze hun vrienden en vriendinnen wanneer ze maar wilden binnen konden vragen. Sterker nog: dat moedigde ik aan. Ik wilde weten met wat voor kinderen ze omgingen en hoe ze zich gedroegen in contact met leeftijdgenoten.

'Wat maakte je moeder dan blij?' vroeg mevrouw Isabelle.

'Mama? Die was blij als ze een man had – en dubbel zo blij als ik mijn heil elders zocht wanneer ze langskwamen. Ze hield wel van me, dat weet ik. Maar toen ging ze liever niet vaker met me om dan noodzakelijk was. Volgens mij heeft ze daar nu spijt van. Ze klaagt dat ik te veel werk. Moppert erover dat de kinderen zo weinig bij haar zijn.'

Er gleed een glimlach over mijn gezicht. Mama zou deze week dubbel en dwars aan haar trekken komen. Eindelijk betaalde mijn investering zich een beetje uit. Ze had geen andere bestemming meer gehad dan een van de gemeenteflats waarin arme bejaarden van staatswege werden opgeborgen tot ze stierven, en al kreeg ik nog zo'n punthoofd van mama, dat lot zou ik niemand toewensen. Ik sprong zo veel mogelijk bij, om ervoor te zorgen dat ze in een fatsoenlijk appartementje in een veilige wijk kon blijven wonen.

De moeder van mevrouw Isabelle daarentegen was zo te horen bedilleriger geweest dan verstandig was. Natuurlijk was het toen allemaal anders, maar volgens mij had mevrouw Isabelle zelfs geen ruimte gekregen om te ademhalen.

We hadden de regen in Oost-Texas achtergelaten. In de verte verrees een bord waarop een parkeerplaats stond aangegeven. De ijsthee die ik achterover had geslagen telkens wanneer Susan Willis langskwam om mijn glas bij te vullen, had me inmiddels hoge nood bezorgd. Als er iets was waar Arkansas in uitblonk, dan waren het wel de parkeerplaatsen; blijkbaar besteedde de staatsoverheid al zijn geld daaraan, in plaats van aan de wegen.

Toen mevrouw Isabelle en ik op het toiletgebouwtje af liepen, werd ik tot mijn verbazing overspoeld door nostalgie. Ja, het was een openbaar toiletgebouw. Maar het was gebouwd van dezelfde rustieke, naar dennenbomen geurende materialen als de gebouwen in het door de overheid gesubsidieerde zomerkamp dat ik als kind had bezocht. Ik had het altijd heerlijk gevonden om 's zomers voor die twee weken ons huis te kunnen ontvluchten. Op een slaapzaal vol gillende meisjes – zelfs als er pestkoppen bij zaten, en die zaten er altijd bij – kon ik meestal onbekommerd in slaap vallen. Als er een streek met me werd uitgehaald terwijl ik sliep, kon me dat niet zoveel schelen. Ik kon er meestal wel om lachen.

Thuis probeerde mijn moeder me verstandig genoeg bij haar vriendjes weg te houden. Telkens wanneer ze tot over haar oren verliefd was op een nieuwe man – en dat was vrij vaak, want het waren nooit blijvertjes – klemde ik een oude metalen klapstoel, die ik bij het vuilnis had weggehaald, onder mijn deurknop. Het hield niet altijd, maar ik werd in elk geval gewaarschuwd door de vallende stoel. Bovendien werd mijn moeder meestal wakker van het kabaal. 'Jimmmmy?' riep ze dan door de gang. Of Joe, of Jake, of wie het dan ook was. 'Ben jij dat, schat? Kom je weer in bed?' En dan trokken de voetstappen zich terug – als we allebei mazzel hadden en mama goed wakker was. Maar bij nogal wat mannen waren ingrijpender methoden nodig om hun bij te brengen dat ze mij met rust moesten laten. Ik was blij dat mama de akeligste mannen kennelijk meed – degenen die zich niet hadden laten intimideren door een vechtlustig meisje met een goed stel longen en een scherpe schaar in haar hand.

Ik ben met mijn eigen kinderen altijd voorzichtig geweest. Mijn dochter wist dat ze thuis veilig was. Mijn zoon wist dat hoeveel van zijn zogenaamde vrienden hem ook hadden willen aanpraten dat hij dom was, hij alleen maar thuis hoefde te komen om er weer van overtuigd te raken dat hij slim was. Desondanks maakte ik me dan wel ongerust over hem.

Mevrouw Isabelle en ik namen even de tijd om de benen te strekken nadat we gebruik hadden gemaakt van de faciliteiten, en gingen vervolgens buiten op een bankje zitten, om mij te laten bijkomen van de ongeveer vierhonderdvijftig kilometer die we al hadden afgelegd.

'Volgens mij ben je een goede moeder, Dorrie. Maar lukt het, denk je? Pak jij het inderdaad anders aan dan je moeder?'

Ik schrok van die rechtstreekse vraag van mevrouw Isabelle. Maar nadat ik er even over had nagedacht, begreep ik dat het niet haar bedoeling was me het vuur na aan de schenen te leggen, en dat ik haar dezelfde vraag had kunnen stellen. Ze had haar zoon overleefd. Ze praatte nooit over hem, maar ik had zijn foto op haar toilettafel zien staan, naast dat vingerhoedje, net als een familieportret van haar en haar man en de jongen op tienerleeftijd. Hij was gestorven toen ik haar nog niet kende. Misschien vond ze het te pijnlijk om erover te praten.

Toch nam ik de tijd om mijn antwoord te overdenken.

'Ik ben apetrots op mijn dochtertje,' zei ik ten slotte. 'De brugklas is een hel, maar ze haalt nog steeds goede cijfers en laat haar gedrag niet door de andere meisjes beïnvloeden. Nog niet.' Ik dacht glimlachend aan Bebe, met haar onhandige bril en haar vastbeslotenheid om geen hoerige kleren te dragen, zoals zoveel meisjes van haar leeftijd deden. Ik mocht nog steeds af en toe staartjes maken in haar haar of het heel licht opkammen, en zolang ze niet klaagde zou ik dat volhouden ook. Ze leek op mij, behalve dan dat ze slimmer was. Ik hoopte vurig dat ze ook standvastiger zou zijn. Dat was tegenwoordig verdomd moeilijk. 'Maar Stevie Junior lijkt te veel op zijn vader. Een charmeur. Het is een fijne knul, maar Steve heeft niet bepaald het goede voorbeeld gegeven.'

Mijn zoon was nu al zo'n eind op weg naar zijn einddiploma dat ik het bijna kon aanraken. Als het goed was zou hij over een half semester en een paar dagen met zijn baret op en toga aan met veel ceremonieel het podium betreden: een tweedegeneratiegediplomeerde.

Maar ik had de laatste tijd diverse geautomatiseerde telefoontjes gehad van zijn school met de mededeling dat hij les zus of zo had verzuimd. Ik werd er ook aan herinnerd dat er bijlessen werden gegeven aan kinderen van wie werd verwacht dat ze bij het eindexamen onvoldoende zouden presteren. Ook die telefoontjes waren afkomstig van een computer, maar ze werden wel speciaal afgestemd op degenen die ze nodig hadden. Dat heb ik gecontroleerd.

Zijn nieuwste vriendinnetje, Bailey, die voortdurend samen met hem bij ons thuis rondhing, maakte een lieve, beleefde indruk; het was mevrouw Curtis voor en mevrouw Curtis na, zelfs toen ik haar had gezegd dat ze me Dorrie mocht noemen. Maar de laatste tijd sjokte ze met een lang gezicht achter Stevie Junior aan naar binnen. Ik kende die uitdrukking. Ze waren van plan geweest samen naar het schoolfeest te gaan, maar ik had haar al weken niet horen dwepen met een jurk die ze had gezien of horen zeuren tegen Steve dat hij een smoking moest gaan passen.

'Ik vermoed dat het vriendinnetje van mijn zoon zwanger is,' flapte ik eruit tegen mevrouw Isabelle, met een diepe, akelige zucht, die me totaal van slag bracht. Zo, ik had het voor het eerst hardop gezegd. Nu werd het me ook duidelijk wat mijn belangrijkste reden was geweest om ervandoor te willen gaan.

'O, Dorrie, wat vervelend voor je.' Ze liet haar blik over de parkeerplaats glijden, waar een gezin tevoorschijn kwam uit een klein autotje, als een groep clowns. De kleintjes renden er zo snel vandoor dat ik ze niet eens kon tellen, en ze krijsten zo hard dat het leek alsof ze dagenlang in dat wagentje gevangen hadden gezeten. De vader en moeder leken bijna om te vallen van vermoeidheid, maar ze hielden stug vol. Ze deelden drankjes en zakken chips uit, en verzamelden degenen die moesten plassen, voordat ze konden gaan zitten om hun meegebrachte lunch op te eten. 'Soms komen baby's op een ongelukkig tijdstip, maar als ze met open armen worden ontvangen en er van ze gehouden wordt, kunnen ze toch een zegen zijn.'

'Dat weet ik maar al te goed, mevrouw Isabelle,' zei ik. Ik zou woedend zijn als mijn zoon mijn vermoeden zou bevestigen, maar wie was ik om hem verwijten te maken? Ik kon me mijn leven niet voorstellen zonder hem – een kind dat twee of drie jaar eerder was gekomen dan ik ooit had gedacht moeder te zullen worden. 'Als ik hem verloor, weet ik niet of ik dat zou overleven. U zult uw zoon vast vreselijk missen.'

Het duurde even voordat ze antwoordde. 'Je zou denken dat het verdriet om iemand die je verloren hebt na een tijdje wel slijt, maar dat is niet zo.'

We kwamen overeind van het bankje, liepen terug naar de auto, maakten het ons gemakkelijk en trokken onze veiligheidsriem strak om ons heen. Toen zei ze: 'Je houdt van je zoon, Dorrie. Dus zul je ook houden van ieder kind dat hij op de wereld zet, ongeacht hoe of wanneer dat gebeurt, begrepen?'

De gedachte om op mijn zesendertigste al oma te worden was bijna onverdraaglijk. Maar mevrouw Isabelle zei het alsof ik geen andere keus had dan van mijn eigen kleinkind te houden.

7

Isabelle, 1939

De dag na het onweer hielp ik moeder linnengoed sorteren en legde ik de versleten exemplaren apart voor de liefdadigheidsdoos in de kerk. Ik stelde voor om aan Cora te vragen of zij ze misschien kon gebruiken; de opmerking van Robert over het vlees zat me nog steeds dwars.

'O, nee, liefje. Cora heeft meer dan genoeg voor haar gezin. Ze krijgt hier goed betaald. Je moest eens zien hoe sommige andere mensen bij ons in de buurt leven. Het is eigenlijk een schande.' De stem van moeder stierf weg toen ze doorging met het tellen van de servetten. Het was waar. De bouwvallige hutjes aan de rand van Newport waren van het soort dat zo nu en dan op de omslag van tijdschriften verscheen; uitgeputte moeders die met ziekelijke, broodmagere baby's op doorgezakte veranda's zaten. Maar ik kon met de beste wil van de wereld niet begrijpen hoe een stel sneeuwwitte servetten of een met de hand geborduurd tafelkleed mensen kon helpen die misschien niet eens brood hadden om op tafel te zetten, om nog maar te zwijgen van vlees. Het leek mij dat Cora blij zou zijn met mooi linnengoed om haar tafel mee te dekken, vooral het goed dat zij of haar dochter jarenlang zorgzaam hadden gewassen en gestreken.

Maar misschien zou ze te trots zijn om het aan te nemen. Alles was verwarrend geworden sinds ik een middag met Robert had doorgebracht. Alles waar ik eerst zeker van was geweest trok ik nu in twijfel.

Moeder stuurde me naar de keuken om glazen melk met ijs te halen. Het was weer een benauwde dag, en het huis ontvluchten was er ditmaal niet bij. Ik was het niet van plan, maar als een meisje een deur nadert en een gedempt gesprek hoort, houdt ze van nature haar pas in en spitst ze haar oren. Vooral een meisje dat het soort gevoelens had als ik de laatste tijd. Vooral wanneer het gesprek weleens iets te maken kon hebben met het voorwerp van haar belangstelling.

'Heb je die stapel kletsnatte kleren gezien die je broer gisteravond buiten heeft laten liggen?' vroeg Cora.

'Bah. Nee. Wat voor smoes hing hij op?' vroeg Nell.

'Hij beweert dat hij overvallen werd door de regen. Bij de beek.'

De stilte zwol aan als rijzend brooddeeg. Het was alsof mijn voeten erin wegzakten. 'Ik heb die knul gezegd dat hij geen stommiteiten moet begaan. Ik heb gezegd dat hij op zijn tellen moet passen, anders zitten we straks allemaal wéér in de ellende. Ik ben blij dat hij zijn school heeft afgemaakt en ik vind het fantastisch dat hij gaat studeren, maar echt waar, soms ben ik bang dat hij naast zijn schoenen gaat lopen. Dat valt hier niet in goede aarde, net zomin als vroeger.'

Wat was er vroeger gebeurd, vroeg ik me af.

'O, mama, hij doet echt geen domme dingen. Hij kijkt wel uit.' Nell zei het met aarzelende stem, alsof ze niet helemaal zeker was van haar eigen bewering, alsof ook zij overtuigd moest worden.

'Laten we het hopen, Nell. Laten we het hopen. Ga er maar aan staan om in deze tijd nog baantjes als deze te vinden. We hebben tot nu toe geluk gehad.'

Wat kon Robert doen dat zo gevaarlijk was dat de positie van Cora binnen ons gezin in gevaar kwam? De korte ontmoetingen tussen ons beiden waren louter toeval geweest – tenzij mijn naïeve theorie dat we door iets machtigers waren samengebracht klopte. Natuurlijk, ik was brutaal geweest, en had me op een manier gedragen die mij zelfs verbaasde, maar het had allemaal heel onschuldig geleken...

Geflirt.

Dat was het. Ik flirtte met Robert, en daarmee zette ik de banen van zijn moeder en zijn zus op het spel. Het kon ons alle drie duurder komen te staan dan ik in mijn eigen beschermde coconnetje kon bevatten.

Ik zakte ineen tegen de muur, verscheurd door mijn tegenstrijdige gevoelens. De vloerplanken kraakten toen ik mijn gewicht verplaatste, en dat bracht een vlaag van bedrijvigheid teweeg in de keuken. Nell kwam haastig de deur uit, maar verstijfde toen ze mij in de gang zag staan.

'Nell. Ik...'

De woorden bestierven op mijn lippen. Ik wist niet wat ik moest zeggen. Ik wilde haar ervan verzekeren dat ik haar familie niet in problemen zou brengen. Maar dat doen zou gelijkstaan aan toegeven dat die mogelijkheid wel bestond. Al was ik nog zo'n praatjesmaakster, nu stond ik een keer met mijn mond vol tanden.

Nell wierp me eenvoudigweg een minachtende blik toe, sloeg haar ogen neer en liep door. Ik bleef stuurloos achter in haar kielzog, terwijl de afstand tussen ons almaar groter werd. Ik had zin om de woonkamer in te sluipen en de klok terug te draaien naar die laatste avond dat ze mijn haar had gedaan. Ik zou mijn mond houden tegen haar. Ik zou op het feestje blijven. Ik zou geen dwaze dingen doen. Ik zou niet egoïstisch zijn.

En Robert zou niet meer zijn dan een jongen die ik ooit in de regen had gekieteld.

Het hart is een veeleisende bewoner; het spreekt het gezond verstand geregeld krachtig tegen. Meteen de week daarop, toen mijn zenuwen de tijd hadden gehad om tot rust te komen en ik mijn bange vermoedens had weggestopt zoals alleen een zestienjarige dat kan, kwam mijn egoïsme weer boven. Ik zag Robert ons huis uit gaan. Ik rende naar boven, greep de bibliotheekboeken die ik net had uitgelezen, en denderde het huis uit, onderweg roepend: 'Ben naar de bibliotheek!'

De bibliotheek was de enige plek waar ik nog naartoe kon zonder dat moeder me talloze vragen stelde om van tevoren precies mijn gangen na te gaan, ook al vond ze dat ik te veel las. Ik was toch van plan geweest er die dag naartoe te gaan, dus mijn vertrek kwam niet als een verrassing, maar als iemand had gezien hoe ik vertrok én had opgemerkt wie er verder nog het huis uit was gegaan, dan zou die wel zijn wenkbrauwen hebben opgetrokken.

Ik haastte me de heuvel af. Aan het eind van onze straat hield ik mijn hand boven mijn ogen om door het felle zonlicht te turen; mijn pupillen hadden zich nog niet volledig aangepast nadat ik het huis uit was gerend. Dit werd nu dagelijks met dichtgeschoven gordijnen en neergelaten zonneschermen zo donker en koel mogelijk gehouden, tot de schemering als een afgematte hulpverlener binnensjokte.

De kleiner wordende gestalte van Robert was nog zichtbaar. Ik haalde opgelucht adem, sloeg af en volgde hem naar Main Street. Ik liep op een holletje om hem niet uit het oog te verliezen, maar bij de bibliotheek aangekomen, vloog ik toch naar binnen om mijn boeken op de retourbalie achter te laten. Ik draaide me om en wilde weer naar buiten stormen.

'Geen nieuwe boeken vandaag, Isabelle?'

'Ik vrees van niet. Ik kom straks wel terug. Of morgen. Het spijt me, juffrouw Pearce, maar ik moet weg.' Ik was bang dat ik tegen de tijd dat ik buiten kwam Robert kwijtgeraakt zou zijn, maar ik kon in deze hitte onmogelijk zeven zware boeken de heuvels op en af zeulen.

Juffrouw Pearce trok haar neus op en schraapte haar keel. 'Voor alles is een eerste keer, zullen we maar zeggen.'

'Ja, mevrouw,' riep ik, en terwijl ik de deur achter me dichtsloeg, verbeeldde ik me dat ze een vinger op haar getuite lippen zou drukken vanwege de herrie, hoewel ik al te ver weg was om haar waarschuwing ter harte te kunnen nemen.

Ik tuurde in de richting waar ik Robert voor het laatst had gezien, maar zag alleen wat winkeliers die in de deuropening stonden te roken. Ik verhoogde mijn tempo, begon bijna te hollen, maar vertraagde uiteindelijk mijn pas. Ik was hem kwijt.

Maar opeens kwam hij tevoorschijn uit een ijzerhandel. Hij stak een papieren zakje in zijn broekzak zodra hij de winkelpui voorbij was, en vervolgde zijn weg naar de rand van het dorp. Ik sloot me weer bij hem aan, een meter of twintig achter hem, hoewel ik drie stappen moest zetten om er twee van hem bij te houden.

Waar hij heen ging interesseerde me eigenlijk niet zo. Ik wilde alleen per se met hem praten, weer gesust worden door zijn flanellen stem, weer vermaakt worden door zijn droge humor. Afgezien daarvan had ik geen vastomlijnd plan.

Robert stak de dorpsgrens over, en ik sloop achter hem aan als een ongeloofwaardige privédetective. Na nog geen halve kilometer sloeg hij een zandpad in dat naar de trappen van een oud gebouw voerde. Uit het vervaagde opschrift op het wit geverfde bord dat aan de gevel was opgehangen, viel op te maken dat het de baptistische kerk Mount Zion was. Onder de naam stond: IEDEREEN IS WELKOM.

Maar ik bleef op een afstandje, verscholen achter een reusachtige gele paardenkastanje, en keek toe hoe Robert de verzakte treden op liep en de kerk in ging.

Ik drukte mijn voorhoofd tegen de knoestige boomstam en plukte een vrucht van een lage tak. Ik rolde de buigzame groene bolster, die midden in de zomer vast niet zou opensplijten, tussen mijn handpalmen. Ik wilde dolgraag te weten komen wat Robert op een smoorhete middag in juli te zoeken had in een verlaten kerk. Maar ondanks de belofte van het bord wist ik dat ik op een grove manier Roberts privacy schond als ik achter hem aan naar binnen ging. Ik deed een stap naar achteren en gooide de kastanje tegen de boomstam. De moed waarmee ik daarnet nog bezield was geweest, zonk me in de schoenen, en ik liep terug naar de weg. Opeens hoorde ik gekraak en ik wierp een blik over mijn schouder. Robert kwam een zijdeur uit, met grof houten en metalen gereedschap in zijn handen. Zijn rug was al naar me toe gekeerd; hij had me blijkbaar niet op het pad zien staan. Hij liep om het gebouw heen. Ik verzamelde mijn verloren gewaande moed en ging achter hem aan. Achter het verschoten houten bouwwerk stond een begroeid prieel. Het oorspronkelijke geraamte ervan ging schuil onder de verstrengelde en knoestige vingers van woekerende klimplanten. Robert dook eronderdoor om het prieel in te gaan. Algauw hoorde ik een energiek geknip en geknak, en de klimplanten trilden.

Ik haalde diep adem, legde de laatste paar meter naar het prieel af en dook op dezelfde plek als Robert onder de klimplanten door. Hij schrok toen hij me zag, en zijn geheven armen verstijfden tijdens het weghakken van een bijzonder dikke tak, die zich door het dak van het prieel had gewurmd en tot op de aarden vloer neerhing.

'Mijn god, juffrouw – Isabelle!' De koppige tak ontsnapte uit zijn snoeischaar, en het gereedschap viel uit zijn handen en kwam bij zijn voeten neer. Hij greep naar zijn borst en deinsde achteruit. 'Je bezorgde me bijna een hartaanval! Ik dacht dat ik een spook zag.'

Ik sloeg mijn hand voor mijn mond en probeerde niet te giechelen om Roberts geschrokken gezicht. 'Het spijt me. Had ik soms... meer geluid moeten maken?'

'Bijvoorbeeld.' Hij wiste het zweet van zijn voorhoofd en pakte een pot water die op de rustieke houten kansel stond. Zo'n soort pot die bij mij thuis het door zijn moeder ingemaakte fruit bevatte. Hij nam me met een schuin hoofd op. 'Ben je me vanuit het dorp gevolgd? Mijn hemel, waarom stel ik zulke domme vragen? Natuurlijk ben je me gevolgd. Hoe zou je anders op zo'n afgelegen plek kunnen belanden om me vroegtijdig de dood in te jagen?'

Ik hief mijn hand. 'Schuldig.'

'En waarom? Hoe haal je het in je hoofd? O ja, ik weet het weer. Je denkt nooit van tevoren na bij wat je doet, hè Isabelle?' Het was de eerste keer dat hij mijn naam wist te zeggen zonder dat gehate 'juffrouw' ervoor of zelfs maar de geringste aarzeling, maar ik voelde me niet gevleid.

'Alweer schuldig.' Ik plofte neer op een van de verweerde banken langs de wanden van het prieel.

'Pas op voor splinters.'

Ik trok mijn rok glad onder mijn benen. 'Ik ben niet bang voor splinters. En ik ben je gevolgd omdat ik met je wilde praten. Ik vind het leuk om met je te praten. Ik vind het leuk om je bezig te zien.'

Robert schudde zijn hoofd, nam nog een slok van zijn pot water, pakte de snoeischaar op en viel weer aan op de tak. 'Je hebt niets bij me te zoeken. Je ouders zouden in alle staten zijn als ze wisten dat je me tot hier bent gevolgd. Nou ja, je moeder dan. Je vader zou bezorgd zijn en zich afvragen hoe je erbij komt om met een kleurling te praten, ook al ben ik die kleurling. Het is geen verstandig plan.'

'Papa praat zo vaak met je. Waarom mag ik dat dan niet?' We hadden al jaren niet meer samen les gehad – mijn moeder had lang voordat Robert naar de middelbare school was gegaan abrupt een eind gemaakt aan onze bijeenkomsten – maar ik zag mijn vader en Robert nog steeds geregeld samen. Papa overhoorde hem wanneer ze samen aan het werk waren, om ervoor te zorgen dat Robert voldoende elementaire kennis bezat van wis-, natuur- en scheikunde om op de universiteit biologie als hoofdvak te kunnen nemen. Terwijl ze het huis netjes verfden, een pad legden naar ons tuinhuisje of kalksteen opgroeven om een steunmuur op te richten in de zachte, steile helling naar onze voorveranda, schaafde papa ook Robert bij. Hij koesterde de hoop dat Robert in zijn sporen zou treden. Noord-Kentucky had zwarte artsen nodig. De paar die er praktijk hielden – opgeteld bij het geringe aantal blanke artsen dat bereid was kleurlingen te behandelen – waren bij lange na niet genoeg.

Robert draaide zijn hoofd om me aan te kijken alsof ik te dom was om op de wereld rond te lopen. 'Je weet dat dat anders is.'

'Ik meen het. Waarom kunnen wij niet praten? Bevriend zijn?'

'Je weet wel waarom. Hou je nu niet van den domme.'

'Ik ben het zat om te horen te krijgen wat ik wel en niet mag, Robert.' Ik blies puffend mijn adem uit en liet mijn kin op mijn hand vallen, terwijl ik met de neus van mijn schoen kringetjes trok in de aarden vloer van het prieel. Ik deed de schoen uit en gooide hem met kracht tegen de klimplanten boven mijn hoofd. Na die voltreffer kreeg ik een regen van dood plantmateriaal over me heen, en dat zou helemaal niet erg zijn geweest, ware het niet dat er een aantal levende wezentjes bij zaten. Toen er een spin op mijn schoot neerkwam, sprong ik gillend op van de bank. Ik klopte als een bezetene mijn rok af en liep achteruit bij de bank vandaan.

Robert gooide zijn hoofd in zijn nek en schaterde het uit, het ene daverende lachsalvo na het andere. Ik had hem al jaren niet zo expressief gezien. Het was alsof Cora, Robert en Nell in mijn dorp en op ons erf hun emoties ziftten met een fijne zeef. Als ik niet zo geschrokken was geweest van de spin, zou ik me alleen maar hebben verbaasd over Roberts lach. Maar zoals de zaken er nu voor stonden, keek ik hem met samengeknepen ogen aan terwijl ik stampvoetend aan mijn blouse schudde, nog steeds bang dat de spin in de plooien daarvan zou rondzwerven.

'O, je hebt hem al weggejaagd, Isabelle. Die spin is zo snel zijn poten hem maar dragen konden weggerend. Maar o, o, wat was dat grappig,' zei hij, nog steeds met lachrimpeltjes van vrolijkheid. Hij steunde op zijn knieën tot hij uitgelachen was. Toen pakte hij mijn schoen van de plek waar die neergekomen was. Hij bracht hem naar me toe en bood hem aan. Toen ik de schoen pakte, streken zijn vingers langs de mijne. Het was een heel lichte aanraking, maar voldoende om me een rilling te bezorgen, van mijn vinger over de volle lengte van mijn arm tot aan mijn nek.

Ook hij voelde het. Dat wist ik. Hij liet zijn hand vallen en bleef stokstijf staan. Ik had andere meisjes wel horen fluisteren over jongens die ze leuk vonden, hen horen beschrijven hoe ze zich voelden op het moment dat ze er voor het eerst echt zeker van waren dat de jongen in kwestie hen ook leuk vond, maar ik had het zelf nooit ervaren. En nu? Nu wist ik wat ik wist.

Het gevoel stroomde van de een naar de ander, ook al konden we dat niet hardop zeggen. Dit was niet langer eenzijdig, niet langer maar een dagdroom, hoe verraderlijk ook, alleen in míjn hoofd.

Ik verbrak de ongemakkelijke stilte. 'Ik zou weleens willen weten wat jíj hier doet.' Ik wees naar het prieel en de gereedschappen. 'Nou ja, vooral: waarom?'

'Dit is mijn kerk. En dit is mijn kerkbaantje.'

'Je kerkbaantje? Hoeveel baantjes heb je eigenlijk?'

'Nou ja, het is geen betaald baantje. Ieder lid draagt zijn steentje bij. Het is binnenkort weer tijd voor de revivalbijeenkomsten, en het is mijn taak om het prieel te snoeien en ervoor te zorgen dat het er netjes uitziet en niet meer zo vol beestjes zit voordat de bijeenkomsten beginnen.' Hij grinnikte, en ik begon te blozen toen ik terugdacht aan mijn hysterische uitbarsting.

'Ieder lid?' vroeg ik Robert. In mijn kerk moest iedereen op ingeroosterde werkdagen natuurlijk wel een handje meehelpen, en bij speciale diners of gelegenheden werd er door de vrouwen en meisjes gekookt, opgediend en afgewassen, maar de rest van de tijd leek de kerk zichzelf draaiende te houden – met hulp van de oude meneer Miller. Meneer Miller sliep op een stretcher in een alkoof in het souterrain. Hij maakte het kerkgebouw schoon en onderhield het in ruil voor kost en inwoning, en de dames uit de kerkgemeente brachten hem om beurten zijn maaltijden. Ze kookten gewoon wat extra als ze voor hun eigen gezin kookten of, zoals in ons geval, lieten hun huishoudsters eenvoudige maaltijden klaarmaken om langs te brengen. Om de paar weken stuurde Cora Nell of Robert naar de kerk met een emmer vol broodjes en fruit voor het avondeten van meneer Miller, met verse melk en koffie erbij. Hij was daar al zolang ik me kon herinneren, hoewel ik geruchten had gehoord over een vrouw en een gezin en een betaalde baan die hij in het begin van de crisis was kwijtgeraakt. Hij was nogal op zichzelf en wij kinderen meden hem, uit angst voor zijn lange, onvriendelijke gezicht. Maar hoe ouder ik werd, hoe vaker ik me afvroeg of zijn uitdrukking niet eerder voortkwam uit verdriet dan uit boosaardigheid. Ik had hem tenslotte nooit nijdig gezien, zelfs niet als hij verontwaardigd op de jongens mopperde omdat ze schoensmeerstrepen op zijn pas in de was gezette vloeren hadden achtergelaten door er op hun zondagse schoenen overheen te rennen en te glijden.

'Vanaf het moment dat ze oud genoeg zijn om te kunnen lopen,' zei Robert, 'krijgen zelfs de allerkleinsten een of ander klusje te doen. De liedboeken of de potloden recht leggen, onkruid wieden, of welke klusjes de moeders en broeder James dan ook maar onder hen verdelen. Ik maak al sinds mijn dertiende dit prieel klaar voor revivalbijeenkomsten.' Hij gebaarde naar de takken boven hem en trok aan een knoop op zijn overhemd, met een gezicht dat een verlegen soort trots uitstraalde.

'Nou, ik moet zeggen: het is een keurig prieel.' Ik schreed er parmantig omheen en bestudeerde zijn handwerk. 'Maar zo te zien heb je een plekje overgeslagen. Hier.'

Robert rolde met zijn ogen en ging weer aan het werk. 'O, nu ben je opeens deskundig op het gebied van priëlen snoeien, begrijp ik.'

'Deskundig in van alles, maar bedreven in niets,' verzuchtte ik. Het was waar. Ik mocht dan wel een goede leerling zijn, maar ik had geen bijzonder talent, geen vurige passie om zelfs maar mijn moeder voor te leggen als alternatief voor haar plannen. Ik benijdde mijn klasgenoten die al een vak leerden en de paar die naar de universiteit zouden gaan, een carrière zouden najagen waar ze al jaren van droomden – de jongens voornamelijk, maar ook een paar meisjes, die een modernere moeder hadden dan ik. En hoewel ik wel degelijk ooit een gezin wilde en durfde te dromen van romantiek en ware liefde, was ik bang dat het niet voldoende zou zijn. Ik verlangde naar meer, maar ik had geen idee hoe 'meer' eruitzag.

'Waar komt die zucht vandaan?'

'Ik benijd je. Ik benijd je omdat je de kans krijgt naar de universiteit te gaan en iemand te worden.'

Zijn blik hield het midden tussen verbazing en geamuseerdheid. 'Jij? Jaloers op mij? O, je wilt echt niet met mij ruilen.' Hij schudde zijn hoofd, pakte een hark, harkte de takken bijeen die hij van de onderkant van het prieel af had gesnoeid en sleepte ze allemaal naar één kant. 'Neem dat maar van me aan. Je hebt geen idee.'

Met gloeiende wangen dacht ik over die waarheid na. Ik kon me niet voorstellen hoe het was om een jongen te zijn, en al helemaal niet een zwarte jongen – een tweederangsburger in alle opzichten, of zo was me in elk geval bijgebracht, al trok ik dat met de dag meer in twijfel. 'Nou ja, misschien niet, nee. Maar ik wil de kans krijgen om iets belangrijks te doen. Iets echt belangrijks.'

Robert grinnikte. Hij schoof het snoeisel naar een holte in de aarde aan de andere kant van de tuin. Uit het zakje dat hij had meegenomen uit de ijzerhandel haalde hij een lucifer, die hij aanstak en op de stapel takken gooide. Even later lagen de bladeren en takken te smeulen in de middagzon. 'Je zult echt wel iets belangrijks gaan doen,' zei hij ten slotte. 'Je bent te koppig om het niet te doen. Misschien niet datgene waarvan je droomt, of misschien niet iets wat jij als iets belangrijks zou hebben beschouwd, maar toch.'

'Zie je? Je lacht me niet uit als ik iets zeg. Nou ja, je lacht me wel uit, en dat zal je bezuren. Maar je neemt me toch serieus. Dat overkomt me nóóit.'

Hij leek zich enigszins terug te trekken, hoewel hij onbeweeglijk bleef staan in de houding die hij had aangenomen: de handen in zijn zij, zijn ogen beurtelings gericht op het vuur en op mij. 'En als ik je nou eens niet serieus nam, Isabelle? Mag dat eigenlijk wel? Mag ik je niét serieus nemen?'

Mijn hart leek te verschrompelen in mijn borst, als een doorgeprikte ballon. Natuurlijk zou hij nooit met me van mening verschillen of de draak steken met mijn dromen. Dat zou gezien onze verschillende posities onaanvaardbaar zijn. Toch wilde ik dolgraag dat hij eerlijk tegen me was. En dat leek hij ook te zijn, wat hij ook beweerde. 'Maak jij dat maar uit,' zei ik, op een toon die nauwelijks luider was dan een fluistering. 'Het is niet aan mij om dat te doen.'

Mijn woorden overschreden een onzichtbare lijn, een lijn die de stand van zaken tussen ons kon veranderen. Een lijn die uitnodigde tot vertrouwen.

8

Dorrie, heden

We reden die avond vroeger dan verwacht Memphis binnen, omdat we ondanks de reisonderbrekingen flink waren opgeschoten. Toch was ik verrast toen mevrouw Isabelle me vroeg langs alle toeristische plekjes te rijden voordat we ons hotel opzochten, gewoon om ze even te bekijken. Het huis van Elvis was kleiner dan ik me had voorgesteld – gezien alle heisa om hem heen. Zijn songs waren niet helemaal mijn smaak, maar sommige konden zelfs mij ontroeren. (Zeven verticaal, negen letters: 'niet geroerd door vreugde, verdriet, plezier of pijn.' *Stoïcijns*. Zo ben ik.)

Ik wilde er dolgraag straks tussenuit knijpen om een van de bluesclubs te bezoeken die we in Beale Street zagen. Ik luisterde ook weleens naar de muziek waar mijn kinderen van hielden. Wat ik ervan vond? Het ritme beviel me wel, maar de meeste teksten waren te grof voor mijn tere zieltje. De blues daarentegen, dat was het betere werk. Maar het leek me niet verstandig om mevrouw Isabelle alleen te laten, en het idee om samen met haar in zo'n tent te zitten was alleen maar lachwekkend. We moesten trouwens nodig gaan slapen.

In de periode dat ik ermee begon mevrouw Isabelle thuis te kappen, had ik haar geholpen een computer met een internetverbinding te installeren, en daar kon ze uistekend mee overweg. Ze was zo'n surfwonder dat ik hoestend achterbleef in de stofwolken die ze had opgeworpen. Ze was bij het plannen van onze reis het hele web over geweest. Ik had aangeboden overnachtingsadressen voor ons te zoeken, maar daar had ze zelf al voor gezorgd; ze had onze hotelkamers al gereserveerd en alles.

Mevrouw Isabelle bleef voor de ingang van ons eerste hotel in de stationair draaiende auto zitten wachten. Ik gaf de man achter de ontvangstbalie de naam door waaronder de reservering was gedaan en overhandigde hem de creditcard van mevrouw Isabelle. Hij wierp er een blik op en vroeg naar mijn identiteitsbewijs. Ik gaf hem dat van mevrouw Isabelle. Hij controleerde het en gaapte me aan. Hij dacht kennelijk dat ik me voor haar probeerde uit te geven of zo. Laat dat nou net iets zijn wat ik nooit zou kunnen: mijn huidskleur springt nogal in het oog.

Hij wees naar de foto. 'Dit bent u niet.'

'Je meent het.' Ik schudde mijn hoofd en grinnikte, maar niet te hard. Ik stelde me zo voor dat die nachtportiers volkomen over de rooie gingen als iemand hun beperkte autoriteit in twijfel trok, alsof ze ervan genoten om macht te hebben of zo. 'Kijk alstublieft even naar links,' zei ik. 'Dat is mevrouw Isabelle Thomas.' Ik wees naar mevrouw Isabelle in haar auto, die naar ons keek om te zien waarom het zo lang duurde. Ik zwaaide naar haar, en ze zwaaide terug en maakte een gebaar alsof ze wilde zeggen: 'Waar wachten we op?'

'Dit is haar creditcard en haar identiteitsbewijs,' zei ik. 'Zij heeft de reservering gedaan.'

'Tja, mevrouw, een identiteitsbewijs dat uit naam van een ander wordt aangeboden mag ik niet accepteren. Wij verlangen dat degene die de reservering heeft gedaan zelf het identiteitsbewijs laat zien.'

'U houdt me zeker voor de gek?' zei ik. 'Ze zit dáár. U kunt zo zien dat ze dezelfde persoon is als op de foto.'

'Ik houd me aan de regels van ons bedrijf, en u moet u rustig houden, mevrouw. Als u me blijft tegenspreken, zal ik de beveiligers erbij moeten roepen.'

'Me rustig houden?' Had hij dat echt gezegd? En beveiligers? Omdat ik de waarheid sprak? Sodeju. Tot op dat moment was ik wel degelijk rustig geweest en had ik alleen maar half lacherig een paar opmerkingen gemaakt. Maar nadat hij dat had gezegd, wist ik dat er niets anders op zat dan mevrouw Isabelle erbij halen om te voorkomen dat ik hem uiteindelijk wurgde en geboeid naar de gevangenis werd afgevoerd.

Ik slaakte een diepe zucht en griste haar identiteitsbewijs en creditcard terug voordat ik naar de auto liep. Ik was niet van plan ze daar te laten liggen terwijl de kans bestond dat hij zijn plaats verliet en iemand anders ze gapte. Ik vertrouwde die idioot alleen al nauwelijks.

Mevrouw Isabelle draaide het raampje omlaag toen ze me zag aankomen. Ik weet zeker dat de stoom uit mijn oren kwam, als uit een ouderwetse, goed op gang gekomen snelkookpan. 'Wat is er, Dorrie?'

'Meneer de nachtportier is er niet van overtuigd dat u degene op het identiteitsbewijs bent. Hij zou u graag van dichtbij willen zien. Meneer de nachtportier gaat er waarschijnlijk van uit dat ik u ontvoerd heb, gezien het feit dat we er nou niet bepaald uitzien alsof we familie zijn.' Ik gromde. Ik grómde nota bene. 'En wat u ook doet, zeg niet dat ik me rustig moet houden.'

'In mijn ogen zie je er rustig uit, Dorrie – nou ja, redelijk rustig – en meneer de nachtportier zal er nog spijt van krijgen dat hij het niet met jou heeft afgehandeld, want hij zal het niet leuk vinden om het met mij af te handelen. Beslist niet leuk.'

Ik trok het portier open en mevrouw Isabelle kwam moeizaam van de passagiersstoel. Elke keer dat ze de auto uit kwam leken haar gewrichten nog stijver te zijn geworden en haar nog meer last te bezorgen. Zo'n langeafstandsrit was waarschijnlijk een aanslag op botten en spieren die al bijna negentig jaar in gebruik waren.

Maar uiteindelijk richtte ze zich op in haar volle lengte – zo'n 1 meter 60 maar liefst. Het was een piepklein vrouwtje, maar als ik op de juiste manier door mijn wimpers keek en me er een hoed en handschoenen bij voorstelde, was het alsof koningin Elizabeth op het punt stond naar binnen te lopen en die knul de wind van voren te geven.

'Jongeman, is er een probleem met mijn creditcard?' vroeg ze, waarop de nachtportier bloosde en met zijn smoezelige vingernagels zijn adamsappel krabde.

'Nee hoor, mevrouw. Volstrekt geen probleem. Zoals ik uw... uw vriendin al heb uitgelegd, accepteren we de creditcard en het identiteitsbewijs alleen uit handen van de eigenaar zelf.'

'Nou, hier ben ik, drie meter dichterbij, en ik neem aan dat je nu duidelijk kunt zien dat ik degene op de foto ben. Dus tover alles voor elkaar. En snel een beetje.' Ze draaide zich naar een gestoffeerde stoel met een streepdessin die een paar meter van de balie af stond. 'Als ik iets moet tekenen, dan kom je het maar brengen.'

'Ja, mevrouw, natuurlijk. Het spijt me dat...'

'En nu goed opletten. Morgenochtend verwachten we dat het gratis ontbijtbuffet warm is, en de koffie vers en sterk. Geen restjes van vandaag of verpieterd spul dat er al twee uur staat. We komen om klokslag acht uur naar beneden. Of misschien kwart over acht. We willen binnen de komende tien minuten extra handdoeken en kussens op onze kamer bezorgd krijgen en geholpen worden met onze bagage. Nog vragen?'

Hij probeerde met zijn vingers door zijn haar te strijken, maar ze bleven steken omdat er duidelijk te veel gel in zat. Ik kreeg bijna medelijden met de knul.

Maar niet heus. Ik moest inwendig wel een beetje lachen om de uitdrukking op zijn gezicht. Hij was waarschijnlijk een arme student die nachtdiensten draaide om overdag zijn colleges te kunnen volgen, en ik betwijfelde of hij wel genoeg betaald kreeg om ons een vijfsterrenbehandeling te geven. Maar hij had erom gevraagd met zijn dikdoenerij van daarnet. Ik durfde te wedden dat hij de volgende keer dat een klant duidelijk zichtbaar op de passagiersstoel zat en onmiskenbaar haar metgezel opdracht gaf haar creditcard te gebruiken het wel zou laten om iemand te bevelen zich rustig te houden.

Toen we in de lift stonden, op weg naar onze kamer – meneer de nachtportier zou na ons met het bagagekarretje naar boven komen – zei mevrouw Isabelle: 'Ik hoop dat je het niet vervelend vindt om een kamer te delen.'

Daar had ik tot op dat moment niet eens bij stilgestaan. Het was toch onzin dat mevrouw Isabelle voor twee afzonderlijke kamers zou betalen terwijl één kamer met twee prima bedden volstond?

Maar ik vroeg me af hoe zij er eigenlijk over dacht. Ik vroeg me af of ze ooit de nacht had doorgebracht met iemand als ik: iemand van een ander ras. Ik vroeg me af hoeveel mensen in het algemeen ooit de nacht hadden doorgebracht met iemand van een ander ras.

'Ik vind het best, hoor, mevrouw Isabelle. Natuurlijk vind ik het best. En u?'

Ze staarde naar de nummers van de verdiepingen. Oogcontact maken in een lift is niet goed voor je gezondheid. 'Het zal fijn zijn om iemand om me heen te hebben, Dorrie. Thuis mis ik die gezelligheid soms wel. Er zijn momenten dat het maar eenzaam en stilletjes is.' Ze verplaatste haar blik naar de deuren, die opengleden op onze verdieping. 'Maar God verhoede dat je snurkt.'

Ik snoof. Mevrouw Isabelle had een gevoel voor humor dat zo scherp was als een gloednieuwe naald. Ik mocht hopen dat ik nog zo bij de pinken zou zijn als ik al negen decennia op de wereld rondliep. 'Snurken? Ik? Ik ben juist bang dat u dat doet.'

'O, je hoeft niet bang te zijn dat ik snurk. Woelen en draaien misschien, hoewel ik zelfs dat tegenwoordig niet meer fatsoenlijk voor elkaar krijg. Echt slapen doe ik nauwelijks meer. Eerder de hele nacht hazenslaapjes. De hele dag ook, trouwens.'

Ik had anderen er weleens over horen praten dat dit gebeurde als je ouder werd. Ik vroeg me af waar mevrouw Isabelle tussen de hazenslaapjes door aan dacht. Als ik 's nachts de slaap niet kon vatten, gonsde mijn hoofd van de zorgen: of mijn kinderen zich niet in de nesten zouden werken – daar kwam de laatste tijd het lastige parket waarin Stevie zich bevond nog bij, ook al had hij het nog niet toegegeven – en of ik er wel op kon vertrouwen dat Teague week in week uit en jaar in jaar uit zou zijn wie hij nu leek te zijn.

Meneer de nachtportier zette onze weekendtassen op geschikte plekken in de kamer neer, en ik vroeg me af of hij een fooi verwachtte. Mevrouw Isabelle bedankte hem met alweer zo'n neerbuigende koningin Elizabeth-blik – ook al was hij een flinke kop groter dan zij – en trok haar neus op, alsof het in de kamer niet lekker rook. Ik concludeerde dat hij niet vaak een fooi kreeg; hij zag er volstrekt niet verbaasd uit.

Het was nog vroeg. We waren buiten Memphis gestopt voor de avondmaaltijd en die was nog niet helemaal gezakt. Ik wachtte terwijl mevrouw Isabelle haar nachtjapon en ochtendjas meenam naar de badkamer om zich te verkleden. Toen ze zich eenmaal in de leunstoel had geïnstalleerd met een van haar kruiswoordpuzzelbladen en de afstandsbediening van de tv in haar hand, zei ik: 'Ik ga even naar buiten om een paar telefoontjes te plegen, mevrouw Isabelle. Hebt u op dit moment nog iets nodig?'

'Nee hoor, liefje. Ik red me wel. Je hoeft niet te babysitten. Ga maar doen wat je moet doen. En Dorrie?' Ze aarzelde even, en ik zag de uitputting op haar gezicht, lijntjes waarvan ik me niet kon herinneren dat die er de laatste keer dat ik haar haar had gedaan ook waren geweest. 'Dank je wel. Zonder jou had ik dit niet gekund. Je bent... Je zult wel een goede dochter zijn.' Haar stem trilde bij die laatste twee woorden, en mijn hart zwol van genegenheid en medelijden. Iets zei me dat wat het ook was dat haar aan het eind van deze reis te wachten stond – óns te wachten stond – moeilijker zou zijn dan ik tot dusverre had gedacht. Ik was blij dat ze niet alleen was, ook al hield dat in dat ik mijn eigen problemen van veraf moest onderzoeken. Ik begon het gevoel te krijgen dat ik voor mevrouw Isabelle een cruciaal onderdeel was van deze onderneming, ook al had ik nog geen idee waarom.

Ik spitte mijn sigaretten en aansteker op uit mijn tas en liet ze in mijn zak glijden toen ik er zeker van was dat mevrouw Isabelle niet keek. Hoewel ik vlak voordat ik haar die ochtend van huis had afgehaald voor het laatst had gerookt, snakte ik minder naar een sigaretje dan ik had verwacht. Ik probeerde nu al voor de dertiende keer te stoppen, en op de meeste dagen nam ik er nog maar een stuk of drie. Door ons gesprek in de auto was ik mijn hunkering vergeten en telkens wanneer we waren gestopt om te eten of naar de wc te gaan had ik geen zin gehad om met mijn slechte gewoonte te koop te lopen. Ik had mezelf voorgehouden dat ik het tussen de middag voor één keer best zonder mijn vaste sigaretje kon stellen, en kennelijk had mijn koppige zelf nog geluisterd ook. Ik hield mijn mobieltje opvallend in mijn hand, zodat mevrouw Isabelle zou denken dat ik daarnaar had gespit.

'Ik weet dat je rookt, Dorrie.'

Betrapt.

'Dat hoef je niet voor me te verbergen. Ik ruik het aan je vingers als je mijn haar doet. Maak je geen zorgen, het is niet onaangenaam. Het doet me aan vroeger denken. Toen rookte iedereen overal.'

'Ik probeer te stoppen,' zei ik op weg naar de deur, zoals ik altijd automatisch tegen iedereen zei die er een opmerking over maakte dat ik rookte. Ik schaamde me voor die verslaving. Ik had gezworen dat ik er nooit aan zou beginnen, al die jaren dat ik opgroeide met mijn moeder en haar vriendjes om me heen. Die had ik zelden gezien zonder dat er een sigaret aan het uiteinde van hun hand hing, als een extra vingerkootje. Mijn moeder was half afhankelijk van de zuurstofflesjes die inmiddels een paar keer per maand werden thuisbezorgd, maar ze bleef roken, alsof die zuurstof een traktatie was in plaats van een noodzaak.

Telkens wanneer ik er een opstak, maakte ik mezelf in stilte verwijten, maar het was me tot nu niet gelukt er helemaal vanaf te komen. Ik was er op de middelbare school mee begonnen – een paar per dag, stiekem in het laantje achter het lokaal waarin het vakonderwijs werd gegeven, samen met de andere leerlingen van de cursus haar- en huidverzorging. We mochten eigenlijk niet roken, maar de docenten zagen het door de vingers. Die waren uitsluitend loopbaangericht, en wisten dat het voor ons als toekomstige schoonheidsspecialisten toch onontkoombaar was. Roken hoorde er gewoon bij. Ze hoopten waarschijnlijk dat roken voldoende zou zijn om onze hunkering te stillen en er geen zwaardere middelen aan te pas hoefden te komen. Maar al te vaak namen haarstylisten hun toevlucht tot een bijbaantje als stripper, in een wanhopige poging om het magere aanvangssalaris aan te vullen met zogenaamd makkelijk verdiend geld. En van strippen was het nog maar een achteloos stapje of twee naar prostitutie en vervolgens het gebruik van harddrugs om het allemaal te kunnen vergeten: cocaïne, heroïne en uiteindelijk crack. Veel van mijn oude schoolvriendinnen waren inmiddels gesloopt en leefden zo goed en zo kwaad als het ging van het ene shot naar het andere, in de onguurste buurten van mijn geboorteplaats.

Ik behoorde tot de gelukkigen. Ik was alleen maar een roker en kon nog steeds in mijn levensonderhoud voorzien.

Maar ook al had mevrouw Isabelle er geen kwaad woord over gezegd, opeens vond ik het maar een verspilling van geld en energie dat ik rookte. Haar huid voelde nog steeds zo zacht en zijdeachtig aan en haar haar was nog steeds zo veerkrachtig voor haar leeftijd dat ik nauwelijks kon geloven dat ze zelfs maar één zo'n stinkstok naar haar lippen had gebracht, zoals ze volgens haar in die nachtclub had gedaan.

Ik vroeg me opeens af of Teague soms ook doorhad dat ik rookte. Ik had hem tot nu toe op een afstandje gehouden, maar we waren wel een paar keer naar de bioscoop geweest. Hij had mijn hand gepakt en losjes vastgehouden, met een hand die al net zo warm en mager was als de rest van zijn lichaam. Had hij, nadat we uit elkaar waren gegaan, zijn handpalm tegen zijn neus gedrukt en mijn geur opgesnoven, zoals ik de zijne? Zo ja, dan zou mijn geheime zonde misschien niet meer zo geheim zijn. Ik rookte altijd buiten, hield de sigaretten ver van me af en zorgde ervoor dat de rook niet mijn kant op dreef, maar besefte niet dat de lucht ervan aan mijn handpalmen en vingertoppen bleef hangen, zoals de geur van lotion dat bijvoorbeeld zou doen bij iemand anders. Echt iets voor mevrouw Isabelle om de eerste te zijn die daar een opmerking over maakte in al die jaren dat ik kapster was geweest.

Ik had mezelf wijsgemaakt dat ik voorgoed zou stoppen voordat Teague een reden zou hebben om erachter te komen – als onze relatie zo lang zou duren. Nu was ik vastbesloten. Maar het had niet alleen met Teague te maken. Ik wilde niet dat mijn kinderen me ooit naar adem zouden zien snakken, zoals mijn moeder deed. Als ik nu stopte, zou ik nog enige invloed hebben als ik hun voorhield dat het stom was om er ooit mee te beginnen. Niet dat ik ook maar enige reden had om aan te nemen dat mijn o, zo onschuldige zoon nooit een sigaretje had gerookt. Ik had het idee dat er bij hem al veel ernstiger dingen speelden dan stiekem sigaretjes roken.

Ik bracht het pakje naar mijn neus en snoof de bitterzoete tabaksgeur op. Ik telde tot vijf en gooide het bijna lege pakje in de afvalbak met flapdeksel die bij de lift stond. De aansteker gooide ik er bijna ook in, maar ik wist mezelf ervan te overtuigen dat een aansteker bij allerlei noodgevallen weleens van pas zou kunnen komen. Hij zou vooral van pas kunnen komen bij het aansteken van de sigaretten uit de twee extra pakjes onder in mijn koffer. Maar daar zou ik niet aan denken, behalve als het niet anders kon.

Ik kon me niet voorstellen dat ik twee ongeopende pakjes zou weggooien. Ik had er mijn goeie geld aan uitgegeven, en ik was nu eenmaal overdreven gehecht aan mijn geld. En zeer waarschijnlijk ook aan mijn slechte gewoonte. Mijn huidige pakje weggooien was één ding; van het ene op het andere moment stoppen een ander. Ik moest de komende dagen nog ruim vijftienhonderd kilometer rijden. Ik was niet gek.

9

Isabelle, 1939

Moeder begon erop aan te dringen dat ik me in de kerk met de jongens onderhield. Waarom nú, vroeg ik me af, terwijl ze er in het verleden genoegen mee had genomen me naar de bijeenkomsten van de zondagsschool te sturen of me met een rij meisjes in de kerk te zien zitten vóór de jongens, die er met hun glad naar achteren gekamde haar en gepoetste schoenen weliswaar keurig uitzagen, maar het niet konden laten ons met scherp geslepen potloden in de nek te prikken om te zien of we de stilte zouden verstoren, terwijl dominee Creech maar doorzaagde. Als moeder nu na de dienst zogenaamd met de andere dames stond te roddelen, tintelde mijn nek. Ik had haar erop betrapt dat ze me in de gaten hield, afwachtte of ik mijn aandacht op één jongen in het bijzonder richtte. Toen ik een van de jongens uit mijn klas eraan had herinnerd dat we nog een boek moesten lezen voordat de school weer begon, dook ze als een aasgier op ons af en nodigde hem uit om diezelfde avond nog zelfgemaakt ijs bij ons te komen eten. Ze vertelde het later overdreven enthousiast aan papa, en drong erop aan dat hij de ijsmaker alvast klaarmaakte voor gebruik en het ijs schaafde, terwijl zij zich bij uitzondering in de keuken waagde om room, suiker, eieren en vanille te mengen.

De jongen kwam te vroeg, en papa draaide grijnzend de slinger van de ijsmaker rond, terwijl ik over koetjes en kalfjes probeerde te praten met Gerald, die van zijn knokige sleutelbeenderen tot de wortels van zijn met Brylcreem ingesmeerde haar bloosde wanneer ik zelfs maar naar hem keek.

Mijn broers keken gniffelend toe vanaf de andere kant van de binnenplaats, waar ze achteroverleunend op chaise longues zaten en de een de ander een heel pak spelkaarten toesmeet wanneer hij een potje verloren had. Ik zag wel dat ik binnenkort weer kon gaan sorteren.

'Hé, Gerald,' riep Patrick, 'ik zou maar netjes omspringen met onze kleine schone, als ik jou was, knul. We houden je in de gaten. Geen geflikflooi, begrepen? Dan krijg je met ons te maken...' Papa's arm hield op met het ronddraaien van de slinger van de ijsmaker, terwijl hij Patrick het zwijgen oplegde. Mijn broers schaterden het allebei uit en papa begon weer te draaien.

Gerald bloosde nog dieper. Uit gêne om de grofheid van mijn broers deed ik een spontane, maar ongelukkig gekozen reddingspoging. 'Gerald,' zei ik, 'wat vind je van de onrust in Europa?' Ik had me de hele middag in de zondagskrant verdiept en geprobeerd te begrijpen wat er aan de overkant van de oceaan allemaal aan de hand was.

Hij had hier geen mening over, maar mijn vraag ontlokte hem een spraakwaterval. Hij praatte ruim tien minuten achter elkaar – zonder me ook maar één keer aan te kijken – over de pas geopende Baseball Hall of Fame in New York, die hij voor het einde van de zomer hoopte te bezoeken. Papa gaf me een knipoog terwijl ik onderuitzakte in mijn tuinstoel. Ik vroeg me af of Gerald dusdanig in ademnood zou raken dat hij zou bezwijken, of dat ik nog vóór hem aan verveling zou bezwijken. De enige manier waarop ik het nog volhield, was hem in stilte met Robert vergelijken, die weliswaar een jaar ouder was, maar er vergeleken met Gerald als een man uitzag en zich er in elk geval meer naar gedroeg.

Moeder kwam uit het huis tevoorschijn, en Gerald verplaatste zijn aandacht naar haar. Hij ontweek met succes al haar pogingen om hem terug te loodsen naar een gesprek met mij, was vol lof over haar roomijsrecept en beweerde dat hij nog nooit zulk lekker ijs had gegeten, terwijl we allemaal wisten dat ze dezelfde basisingrediënten gebruikte als ieder ander. Uiteindelijk vertrok hij, met een streep ijs op zijn mouw op de plek waar hij zijn mond had afgeveegd.

'Moeder,' zei ik smekend, 'nodig hem alstublieft nooit meer uit, om wat voor reden dan ook! Dat was pijnlijk.'

Ze slaakte een zucht. 'Het was inderdaad niet zo'n geslaagd afspraakje.'

Afspraakje? 'Het wás geen afspraakje. Ik regel zelf mijn afspraakjes wel, dank u,' snauwde ik.

Ze klopte me glimlachend op mijn schouder. 'Moeder weet het beter, liefje.' Papa schudde zijn hoofd toen onze ogen elkaar ontmoetten, en ik dook onder haar hand uit en vluchtte naar binnen, waar ik net kon doen alsof ik mijn boek las en ondertussen ongestoord mijn innerlijk leven kon vervolgen.

Elke woensdagmiddag gaf ik bij de bibliotheek mijn boeken af – nu soms maar half gelezen – en kwam dan vlak voordat juffrouw Pearce afsloot terug om andere boeken van de planken te plukken. Mijn nieuwe gewoonte stelde de bibliothecaresse voor een raadsel. Ik had 's zomers vaak urenlang op een van de rechte stoelen gezeten, met een opgetrokken been onder me en mijn ellebogen op de stokoude, ongemakkelijke tafel, omdat ik zo'n haast had om in mijn pas uitgezochte boeken te duiken dat ik niet kon wachten tot ik thuis was. Boeken waren mijn troost geweest, mijn dierbaarste vriendenkring.

Ik maakte juffrouw Pearce wijs dat ik nu wekelijks boodschappen te doen had, en dat het te warm was om mijn boeken mee te slepen. Ik legde niet uit dat ik een nieuwe vriend had die niet in het stapeltje bibliotheekboeken schuilging. Die zelfs niet eens welkom was in het gebouw.

Ik weet zeker dat het geen toeval was dat Robert elke woensdag rond dezelfde tijd bij de Mount Zion-kerk verscheen, zogenaamd om de kluwen klimplanten boven het prieel te snoeien en met een bijl te lijf te gaan, ter voorbereiding op de revivalbijeenkomsten van zijn kerk in augustus. Het werd zo langzamerhand een waar kunstwerk.

Volgens onze stilzwijgende overeenkomst waren we allebei ter plekke, klaar om ons gesprek voort te zetten op het punt waar we het de week daarvoor hadden afgebroken. Robert bestudeerde takken, speurde het prieel af naar afgedwaalde leden van de verstrengelde gemeente, of maakte brandstapels van snoeihout. Terwijl we praatten liep ik achter hem aan of zat ik op een bankje toe te kijken. Ik bood hem uiteindelijk mijn hulp aan, en ik denk dat hij erop vertrouwde dat ik mijn mond zou houden over onze geheime ontmoetingen, anders zou hij mijn aanbod hebben weggehoond. Ik volgde hem met een hark of een bezem, en bespaarde hem een paar stappen door tuinafval bijeen te vegen. Mijn moeder had altijd haar neus opgetrokken voor lichamelijke inspanning, hoewel ik vermoedde dat haar beheerstheid eerder voortkwam uit lethargie dan uit welgemanierdheid. Al was het niet bepaald inspannend werk, ik vond het stimulerend. Het gezelschap droeg daar allicht toe bij.

In het prieel kwam ik erachter dat mijn vader Cora extra loon gaf om ervoor te zorgen dat Robert op school kon blijven, terwijl talloze leeftijdgenoten van hem juist van school gingen om hun familie te helpen onderhouden. Ik vroeg me af wat mijn moeder ervan vond. Ik vroeg me af of ze het eigenlijk wel wist. Ik vermoedde van niet. Ik had misschien jaloers kunnen zijn, maar Roberts nederige houding ten opzichte van de gulheid van mijn vader maakte jaloezie onmogelijk. Mijn vader was niet gewoon gul om een opspelend schuldgevoel tegenover de minder bedeelden te sussen; hij had lang voordat ik er oog voor kreeg al iets speciaals in Robert gezien. Hoe meer tijd ik met Robert doorbracht, hoe meer ik me verwonderde over zijn intelligentie. Ik was in de kerk of op school nog nooit een jongen tegengekomen die net zo belezen was als ik, die met me durfde te praten over actuele gebeurtenissen – sterker nog: die het leuk vond om met me te praten, in tegenstelling tot Gerald kortgeleden.

Nu veroorloofde Robert het zich om te doen wat ik hem tijdens ons eerste gesprek in het prieel had gevraagd: hij vertrouwde me.

Toen ik hem dezelfde vraag stelde die ik Gerald had gesteld, had hij daar wel degelijk een mening over. We hadden allebei wekenlang thuis aan de radio gekluisterd gezeten, luisterend naar de oplopende spanning – nieuwe bondgenootschappen tussen Engeland en Rusland, een verbroken verdrag tussen de Verenigde Staten en Japan, binnendruppelend nieuws over wreedheden jegens Joden in Duitsland en daarbuiten.

'Oorlog is zinloos,' zei ik. 'De mensen zijn domweg op zoek naar een uitlaatklep voor hun natuurlijke neiging tot barbarisme! We moeten ons niet in dat wespennest steken.'

Robert schudde zijn hoofd. 'Isa,' zei hij. Die afkorting van mijn naam bezigde hij nu al weken. Ik had nog nooit een bijnaam gehad, afgezien van de neerbuigende waarmee ik door mijn broers betiteld werd. Ik vond het heerlijk om te horen hoe hij 'Isa' uitsprak, met op het eind een zachte, volwassen klinkende lettergreep, in plaats van het kinderlijke 'belle', dat me het gevoel gaf een prinses te zijn die gevangen werd gehouden door conventies. 'Amerika zal er spijt van krijgen te lang struisvogelpolitiek te voeren. Let op mijn woorden.'

De gedachte aan oorlog beangstigde me: degenen die zouden vechten, waren mijn leeftijdgenoten, hoezeer ze me ook frustreerden. Desondanks probeerde ik het vanuit zijn gezichtspunt te bekijken. 'Zou jij meedoen? Als je mocht vechten?'

'Als ik vond dat het de goede zaak diende? Meteen,' antwoordde hij. Ik bedwong de neiging om hem eigenhandig af te rammelen en stond er versteld van dat hij er zo grif toe bereid was zijn eventuele dood tegemoet te gaan. Ik zou me natuurlijk niet al te veel zorgen hoeven maken: zwarten mochten niet meevechten, alsof zij niet dezelfde beslissingen over leven en dood konden nemen als blanke soldaten.

Ik loodste het gesprek naar een minder ongemakkelijk onderwerp, maar even later ging het onvermijdelijk weer over op een lastigere kwestie. Ik vond het heerlijk om iemand ontdekt te hebben die net als mijn vader met me wilde discussiëren, die met me in gesprek wilde gaan alsof mijn mening waardevol was, ook al waren we het niet met elkaar eens.

Na een tijdje kon het prieel er weer ruimschoots mee door. Ik vond het jammer dat ik de revivaldiensten niet kon bijwonen, al was het maar om te delen in de voldoening die Robert zou voelen op het moment dat zijn kerkfamilie bijeenkwam onder de keurig gesnoeide parasol waar we samen aan hadden gewerkt. Ik had na onze wekenlange arbeid het gevoel gekregen dat het prieel een beetje van mij was, hoewel mijn bijdrage eraan uiteraard verwaarloosbaar was. Op een dag rustten we even uit nadat we het laatste deel hadden vrijgemaakt.

'Waarom vertrouw je me?' vroeg ik.

Robert trok een verschoten halsdoek uit zijn zak en veegde er zijn glimmende voorhoofd mee af. 'Ik vertrouw wie mij vertrouwt,' zei hij.

Ik was week in week uit naar het prieel gekomen en had daar uren doorgebracht alleen met hem, een zwarte jongen die bijna een jaar ouder was dan ik, en veel sterker. Ik zag al voor me hoe ontzet mijn moeder of haar vriendinnen en mijn leeftijdgenoten zouden zijn wanneer we betrapt werden. Er heerste wantrouwen tegen zwarte mannen, vooral jonge zwarte mannen – zelfs degenen die Shalerville in mochten om boodschappen of zwaar tilwerk voor ons te doen. Overdag behandelden we hen als zwakkeren, ondergeschikten, maar als de zon onderging, verbanden we hen. Dan liepen ons alleen al bij de aanblik van een jonge zwarte man die te dicht bij het dorp rondzwierf de rillingen over de rug, en werd de burgerwacht opgeroepen om hem weg te jagen, zo ver dat hij geen bedreiging meer kon vormen.

Als ik er nu over nadacht, kon ik niet precies zeggen waar die bedreiging uit bestond. Ik wist dat je in elke gemeenschap goeden en kwaden had, maar ik had me er net als ieder ander schuldig aan gemaakt hele groepen op één hoop te gooien. Nu vroeg ik me af hoe een jonge zwarte man die 's avonds in het donker de korte afstand door het dorp aflegde een groter gevaar kon vormen dan een van de onzen. En nu ik Robert was gaan vertrouwen en hem als een vriend beschouwde, vroeg ik me ook af hoe dat denkbeeld was ontstaan. Ik nam aan dat het een uitgekookte manoeuvre was om zwarten eronder te houden nadat hun schoorvoetend vrijheid was verleend, en te voorkomen dat ze banen inpikten of de leefruimte binnendrongen die blanken hadden opgeëist.

Het was me opeens duidelijk: het kwam voort uit misplaatste angst.

Ook aan Robert vroeg ik of hij wist hoe lang de borden er hadden gestaan. Hij was nóg minder toeschietelijk dan mijn vader, haalde zijn schouders op toen ik vroeg of hij weleens van zijn moeder of iemand anders iets van de geschiedenis ervan had gehoord. Ik vermoedde dat hij meer wist dan ik, maar dat niet wilde toegeven.

Ik stelde een derde vraag. 'Zou je willen dat ik anders was?'

'Hoe bedoel je?' vroeg Robert. Zijn stem had al weken niet zo behoedzaam geklonken.

Mijn wangen werden vuurrood, hoewel ik wekenlang over deze vraag had nagedacht. 'Zou je niet willen dat ik meer...' Ik aarzelde. '... op jou leek?'

'Ligt eraan.'

'Waaraan?'

'Zou jij niet willen dat ik meer op jóú leek?' Hij hield zijn hoofd schuin en wachtte af.

Het eerste wat ik deed toen mijn vraag werd teruggekaatst, was zuchten. Daarna haalde ik mijn schouders op. Ten slotte hees ik me op van de bank en begon te ijsberen. Het antwoord was niet zo makkelijk te geven. Het was ingewikkeld, vol valkuilen. Als Robert een bevoorrechte jonge blanke was, wat zou ik dan in hem zien? Zou hij Robert dan nog wel zijn? Of... wilde ik alleen maar bij hem zijn en een relatie met hem opbouwen omdat hij anders was?

'Laat maar,' zei ik, maar Robert pakte mijn elleboog vast toen ik hem rakelings voorbijliep om de bezem weer te pakken die ik had weggelegd toen we gingen pauzeren, hoewel er nu niets meer te vegen viel: we hadden alles wat hij die dag van het prieel af had gesnoeid al weggebracht naar de plek waar hij het later zou verbranden. Ondanks de ondraaglijke warmte van eind juli huiverde ik toen ik de druk van zijn vereelte en verrassend koele vingertoppen op mijn huid voelde.

'De enige reden waarom ik zou willen dat jij anders was, júffrouw Isabelle,' zei hij, bewust de nadruk leggend op dat woord dat hij als we alleen waren nooit meer gebruikte, zelfs niet per ongeluk, 'is dat we dit dan in het openbaar konden doen, waar iedereen bij was, zonder bang te zijn dat de verkeerde persoon ons zou zien. Verder vind ik je volmaakt. In alle opzichten.' Hij liet mijn arm los en gaf me een duwtje in de richting van de bezem, maar toen ik die beetpakte kon ik me maar net staande houden, zo ging mijn hart tekeer, als een ongetemde, gevangen vogel die was opgesloten in een kooitje dat kleiner was dan de spanwijdte van zijn vleugels.

'Nu moet jij míjn vraag beantwoorden.' Robert leunde achterover, met brutaal geheven kin, maar ernstige ogen.

'Ik... Ik vind jou ook volmaakt, Robert, maar ik zou wel willen...'

'Wat zou je wel willen?'

Ik flapte het er roekeloos uit: 'Ik zou willen dat moeder jóú bij ons uitnodigde in plaats van de jongens die zij vraagt, in haar haast om me nog voordat ik mijn school heb afgemaakt al uit te huwelijken. Sterker nog: ik wou dat we op dezelfde school hadden gezeten. Ik wou dat we naar dezelfde kerk waren gegaan. Ik wou dat je van de bibliotheek met me mee was gelopen naar huis nadat we uit dezelfde boeken hadden gestudeerd. Of dat we samen frisdrank hadden gedronken bij de kruidenier. Ik wou...' Ik gooide mijn handen in de lucht. 'Ik wou al die dingen, en...' Ik deed mijn ogen dicht. '... Nog heel veel meer.' Zonder achterom te kijken pakte ik mijn boekentas en het gekreukte vetvrije papier dat een stuk taart had afgedekt dat ik met hem had gedeeld – een taart die zijn moeder had gebakken – en haastte me het laantje uit. Ik ging steeds sneller lopen, zelfs rennen, tot ik bij de weg aankwam. Ik legde de terugweg zo snel mogelijk af, zonder ook maar één keer achterom te kijken om te zien of Robert me volgde.

Ik denderde onze veranda op, maar stopte plotseling, niet alleen omdat mijn boekentas slap aan mijn vingertoppen bungelde en me eraan herinnerde dat ik iets was vergeten, maar ook omdat mijn moeder roerloos en met een vuist op haar heup op de schommelbank naar me zat te kijken. 'Ik heb Nell eropuit gestuurd om je te gaan halen,' zei ze. 'Ze is in haar eentje teruggekomen. Ze zei dat Hattie Pearce je vanmiddag maar heel even had gezien – een flinke poos geleden. Sterker nog: die verwachtte eigenlijk dat je inmiddels wel thuis zou zijn, nadat je je andere boodschappen had gedaan. Zoals je elke week doet.'

Achter de hordeur verscheen het gezicht van Nell, die met angstige en verontschuldigende ogen een blik naar buiten wierp. Ik nam het haar niet kwalijk dat ze mijn moeder de waarheid had verteld, ervan uitgaande dat ze me zelfs maar in bescherming zou willen nemen. Dat wist ik niet zo zeker meer. Maar we wisten allebei dat als moeder haar op een leugen betrapte – en dat zou ze ongetwijfeld doen – dat rampzalige gevolgen zou hebben.

'Isabelle? Waar heb jij je woensdagmiddagen doorgebracht?'

Ik probeerde koortsachtig een smoes te bedenken, een geloofwaardig leugentje om haar boosheid af te zwakken. Een leugen van Nell zou alles er alleen maar erger op hebben gemaakt.

Zelf de waarheid vertellen was onmogelijk.

10

Dorrie, heden

Het ging prima met de kinderen. Nou ja, met Bebe dan. En daarmee bedoel ik dat ze lief was als altijd, gedoucht had, en in pyjama voor het slapengaan een van haar lievelingsboeken voor de zoveelste keer las. Een vaste klant van me nam telkens wanneer ze bij me langskwam een stapeltje nieuwe boeken mee. Ze wist dat Bebe van lezen hield.

Bebe gaf de telefoon door aan haar broer. 'Hoe gaat het, Stevie Wonder?' vroeg ik. Gewoonlijk maakte dat minstens gesnuif los bij mijn zoon.

'Prima.'

Nu weet iedereen dat als je kind dat zegt en er daarna zwijgend bij zit, dit negen van de tien keer betekent dat het allesbehalve prima gaat. Normaal gesproken zou hij het telefoongesprek zo snel mogelijk hebben beëindigd om terug te kunnen gaan naar waar hij dan ook maar in verdiept was geweest, of zou hij me de oren van het hoofd hebben gekletst over de vette auto die hij verderop in de straat had zien staan, precies zo een als hij wilde, met een bordje TE KOOP en een prijs van maar vier cijfers, nou ja, net onder de vijf, maar wat een koopje, mam, en zou hij hebben gezegd dat hij, als hij die of een andere auto had gekocht, met zijn maatjes een rondreis van zes weken zou kunnen maken om te vieren dat ze geslaagd waren, wat hun ieder maar rond de duizend dollar zou kosten volgens hun berekening.

Wat míj duizend dollar zou kosten, welteverstaan, als je de kleine lettertjes zou lezen.

Maar nee. Hij zei: 'Prima.'

Niet dat het me verbaasde.

Ik probeerde iets uit hem te peuteren. Ik vroeg naar Bailey, hoe het met haar ging en waarom ze de laatste tijd met zo'n lang gezicht rondliep, maar hij zei alleen maar: 'Met haar gaat het ook prima, mam. Verdorie, wat ben je nieuwsgierig.' Dat 'nieuwsgierig' deed pijn. Maar ik likte mijn wonden en liet hem gaan.

Ik wachtte nog een paar minuten voordat ik Teague belde. Ik wilde hem niet storen terwijl hij zijn kinderen naar bed bracht. Ja, die kinderen, die drie... schattige... kléine kinderen. Dat was een addertje onder het gras – een belangrijke reden waarom ik aarzelde. Mijn kinderen waren al bijna grootgebracht; Stevie Junior stond op het punt om de middelbare school af te ronden (misschien) en met Bebe ging alles zo soepeltjes als maar mogelijk was voor een brugklasser. Van de gedachte om er nog drie vanaf de lagere school tot de tienerjaren te moeten begeleiden kreeg ik enigszins het zuur.

Als Teague zijn kinderen nu alleen om het weekend had gehad ging het nog wel, maar zijn ex-vrouw had hen gewoon pats-boem in de steek gelaten, zonder waarschuwing. Ze was er naar verluidt toch nog niet aan toe geweest om getrouwd te zijn of handenbinders te hebben. Ze had nu andere prioriteiten. Elk eerste, derde en vijfde weekend speelde zij moedertje, en de rest van de tijd was Teague papa én mama. Ik had me aanvankelijk afgevraagd of hij misschien alleen maar iemand zocht die korte metten zou maken met het verslonste huishouden dat deze vrouw had achtergelaten. Maar ik ging langzaam overstag. Als we uitgingen huurde hij een babysitter in, tegen het gangbare tarief – en toen ik erachter kwam wat dat gangbare tarief was, verslikte ik me. Hij ging elke dag naar zijn werk. Gaf zijn kinderen kipnuggets en aardappelkroketjes te eten, net als alle alleenstaande moeders. Bezocht voetbalwedstrijden en dansvoorstellingen, om van trainingen nog maar te zwijgen. Hij was met zijn werkgever overeengekomen dat hij voornamelijk plaatselijk werkte, met al zijn klanten binnen de stadsgrenzen. De zeldzame keren dat hij toch moest reizen, regelde hij kinderopvang – meestal niet met zijn ex.

Ik haalde diep adem en toetste zijn nummer in om na mijn gekissebis met Stevie Junior een fijn, luchtig gesprek te voeren, in plaats van een gesprek vol haat en wrok. En o, mijn hemel...

De kinderen van Teague sliepen al en op de achtergrond klonk coole jazz. Ik stelde me voor dat hij blootsvoets en met ontbloot bovenlijf languit op zijn leren bank lag en op zijn welgevormde sixpack een glas rode wijn in evenwicht hield. Hij zou een slok nemen en het dan weer neerzetten om met lange vingers over zijn opgeschoren haar en zijn nek te strijken. Zijn kapper was steengoed, al zei ik het zelf.

Ooo, zijn stem. Balsem op mijn moegereden ziel. Vanaf zijn 'hallo' zweefde ik ver voorbij de branding een warme, zilte zee in en hoefde ik me nauwelijks te ondersteunen, terwijl ik werd omspoeld door zachte golven. Een beetje zoals in de Golf van Mexico, bij het strand van Panama City in Florida. Het enige strand waar ik ooit naartoe ben geweest.

Als ik Steve zou hebben gebeld in de tijd dat mijn kinderen nog klein waren en hij op ze paste, zou ik het volgende hebben gehoord: gekibbel van Stevie Junior en Bebe, schetterende bierreclame op tv tussen de penalty's en doelpunten door, en Steve die steunend en kreunend wilde weten wanneer ik thuis zou komen, omdat hij zo langzamerhand hoorndol van hen werd. Ik zou zo snel mogelijk hebben opgehangen.

Maar een man die zijn kinderen onder de duim had, tevreden hield en op een fatsoenlijk tijdstip in bed had liggen? Ja, graag. Was dat sexy of niet?

Ik probeerde mezelf eraan te herinneren dat hij bij lange na niet volmaakt was. Dat zijn kinderen soms kotsten en zich soms misdroegen, en dat ook hij weleens zijn dag niet had. Maar dat viel niet mee. Ik stelde mezelf in de loop van één enkel gesprek minstens tien keer de vraag waarom een man als Teague belangstelling zou hebben voor mij.

Het voor de hand liggende antwoord was dat hij te mooi was om waar te zijn.

Hij vroeg beleefd hoe onze reis tot nu toe was verlopen, hoeveel kilometer we hadden afgelegd, of we problemen hadden gehad met de auto, de route, of de stops onderweg. Ik vertelde het verhaal van meneer de nachtmanager – achteraf gezien best grappig – en over de voorliefde van mevrouw Isabelle voor kruiswoordpuzzels. Maar net toen we ons allebei vrolijk maakten over de enorme hoeveelheid snoep die een negenentachtigjarige vrouw, nauwelijks groter dan een chihuahua, kon verstouwen, kreeg ik een wee gevoel in mijn maag en begon mijn hoofdhuid te tintelen. Ik hield abrupt op met grinniken.

'Dorrie...? Hallo?'

'Ik ben er nog.' Ik probeerde de paniek in mijn stem te verbergen. Het lukte niet.

'Wat is er aan de hand?'

Ik haalde diep adem, drukte mijn ellebogen tegen mijn in opstand gekomen ingewanden en dacht erover na of het verstandig zou zijn dit op te biechten. Ik waagde het erop, en deed nu zelfs geen moeite meer om mijn stem onder controle te houden. 'O, Teague. Ik bedacht net dat ik de contante omzet van zaterdag niet heb gestort. Foute boel. Heel foute boel.' Ik had het nog niet gezegd, of ik wilde de woorden terugnemen. Dit hoefde hij niet te weten.

Of wel?

'O-o,' zei hij. 'Krijg je problemen met de bank als je het geld pas over een paar dagen inlevert?'

'Nee, nee, ik heb geen rekeningen vooruitbetaald, dus wat dat betreft zit ik goed. Ze zullen me niet achtervolgen, maar o, wat ben ik een uilskuiken. Ik heb de envelop in de winkel laten liggen.'

'Achter slot en grendel? Zou iemand weten dat de envelop er ligt of er makkelijk bij kunnen?'

'Het geld zit achter slot en grendel, maar je weet dat mijn zaak nou niet bepaald in een fijne buurt ligt. Als het iemand opvalt dat ik een paar dagen gesloten ben, besluit hij misschien wel op onderzoek uit te gaan. Het zou niet de eerste keer zijn, maar meestal laat ik er geen geld achter. En shit, als ze mijn contanten vinden, kom ik volgende week wel degelijk in de problemen.'

Ik slaakte een zucht, kokend van woede. Ik was bozer op mezelf – en beschaamder – dan ik ooit hardop zou toegeven. Ik had het geld zaterdag laten liggen, en had toen mazzel gehad. Maar in alle drukte bij de voorbereidingen voor het reisje met mevrouw Isabelle had ik het maandag wéér laten liggen, toen ik even naar de gesloten zaak was gegaan om mijn agenda om te gooien. Ik had die zaterdag een stuk of wat klanten geknipt en gekleurd, en er waren er ook nog een paar onverwacht komen binnenlopen. Alles bij elkaar had ik enkele honderden dollars contant binnengehaald. Op zich geen wereldschokkend bedrag, maar genoeg om mijn elektriciteits- en waterrekening te betalen, en ik rekende erop. Jonge gastjes hadden weleens vernielingen aangebracht aan de winkel, maar deden meestal niet meer dan de boel overhoophalen, op zoek naar geld. Professionele criminelen wisten dat inbreken in een kapsalon met één stoel niet loonde, het risico niet waard was.

'Kan ik helpen? Ik bedoel, ik zou misschien...' Teagues woorden stierven weg, en ik begreep dat hij wel iets wilde doen, maar bang was dat elk aanbod van hem verkeerd opgevat zou worden.

Mijn antwoord verraste me. 'Moet je horen, hoe ziet jouw ochtend er morgen uit?'

'Nadat ik de kinderen bij school heb afgezet? Ik heb geen afspraken en ik hoef niet op een vaste tijd op kantoor te zijn. Dat ligt hier aan het eind van de gang, weet je nog? Niemand zal me missen als ik wat later ben dan anders.'

Hij werkte vanuit huis als vertegenwoordiger voor een farmaceutisch bedrijf en stelde meestal zelf zijn dagindeling vast – nog iets wat we gemeen hadden.

'Zou je dan misschien het volgende kunnen doen? Ik heb mijn moeder de sleutel van de winkel in bewaring gegeven. Ze logeert in mijn huis; daar is ze morgenochtend. Zou je zo goed willen zijn om de sleutel op te halen en daarna de boel te controleren? Ik kan je precies zeggen waar het geld ligt; dan zou je het bij je kunnen houden tot ik terugkom. Of je zou het bij mij thuis kunnen achterlaten, maar eerlijk gezegd vertrouw ik jou meer dan mijn moeder.' Ik lachte nerveus, en vroeg me af hoe hij dat zou opvatten. Wie vertrouwde haar eigen moeder nu niet?

Hij maakte er geen punt van. Ik vertelde hem waar hij de sleutel kon vinden van de archiefkast waarin ik het contante geld bewaarde, en zei dat ik mama zou laten weten dat hij de volgende ochtend vroeg zou langskomen, waarna ik met gekruiste vingers en ingehouden adem in godsnaam maar hoopte dat ik nu niet een nóg grotere stommiteit had begaan.

'Ik regel het wel, Dorrie. Het komt goed. Als je huisbaas me tegenhoudt omdat hij me voor een vandaal aanziet, zal ik hem jou laten bellen om bevestigd te krijgen dat ik op de gastenlijst sta' – hij dacht ook óveral aan – 'en ik zou het geld zelfs kunnen storten, als je dat wilt. Jouw bank zal het vast wel aannemen zonder rekeningnummer als ik je naam en adres opgeef en de situatie uitleg.' Hij sloofde zich uit, las mijn gedachten, probeerde me aan het verstand te peuteren dat hij me niet zou belazeren.

Nadat we hadden opgehangen bleef ik roerloos door de glazen ruiten van de hotelfoyer staan staren, me ervan bewust hoe belangrijk dit voor me was. Ik keek toe hoe een schattig stelletje incheckte bij de balie. De jonge vrouw bleef met al hun koffers bij de lift staan wachten terwijl de man betaalde, en ze maakten allebei de indruk het enig te vinden om in het hotel te zijn. Ze waren vast pasgetrouwd, of bijna. Hoe lang was het geleden dat ik zoveel vertrouwen had gesteld in een man? Hoe lang was het geleden dat ik ook maar enig vertrouwen had gesteld in een man?

Op de hotelkamer bleek mevrouw Isabelle te zijn ingedommeld in haar stoel terwijl ik aan het bellen was geweest. Toen ik de deur opendeed, schrok ze. Haar leesbril tuimelde van het puntje van haar neus op de vloer naast het bed. Toen ik hem snel voor haar wilde pakken, zag ik haar handtas liggen, verborgen onder haar kant van het bed. Echt, ik zou er verder niet bij hebben stilgestaan, ware het niet dat ik, toen ik me vooroverboog, vanuit mijn ooghoek zag dat haar bijna doorschijnende wangen een tikje roze kleurden.

'Ik ben altijd ongerust,' zei ze snel. 'Ik dacht bij mezelf: stel dat iemand hier vannacht inbreekt en mijn tas probeert te stelen, wat moeten we dan?'

'Weet u het zeker, mevrouw Isabelle? Ik bedoel, u vertrouwt me min of meer uw leven toe door me in uw auto te laten rijden en bij u in de kamer te laten slapen en zo. Maar toegegeven: ik ben stikjaloers op die joekel van een tas die u altijd meezeult. Misschien stop ik hem wel stiekem in mijn koffer om hem mee naar huis te nemen.'

Ik gaf haar met een knipoog haar bril terug. Ik wist dat ze niet ongerust was om mij. Maar toch maakte het me verdrietig dat ze het gevoel had gehad dat ze zich moest verantwoorden, dat ze bang was geweest dat het verkeerd begrepen zou worden. We hadden een hechte band, dat stond vast, en die band werd tijdens deze reis met de minuut hechter, maar realistisch gezien zou dat kloofje tussen ons altijd blijven bestaan, alleen maar omdat we verschillend waren.

Zo waren we nu eenmaal geconditioneerd.

11

Isabelle, 1939

Mijn moeder was al overdreven beschermend geweest voordat ze had ontdekt dat ik mijn woensdagmiddagen niet in de bibliotheek had doorgebracht, maar nu hield ze helemaal alles wat ik deed scherp in de gaten. De dag dat ze me op de veranda op het matje riep, mompelde ik dat ik vaak op woensdag zonder toestemming langs de rivier wandelde, omdat ik wist dat ik dat niet mocht van haar, en dat ik die dag de tijd uit het oog verloren had. Mijn verfomfaaide kleren en mijn gezicht, dat rood en bezweet was van het naar huis rennen, zetten mijn verhaal kracht bij. Ze hoorde me verder niet uit, maar of ze nu vermoedde waar ik me in werkelijkheid mee had beziggehouden of niet, ze was er kennelijk van overtuigd dat mijn reputatie op het spel stond.

De dagen daarna bleef ik om de hoek van de deur staan dralen wanneer Nell en Cora samen in een van de kamers aan het werk waren, en spitste ik mijn oren om mogelijke opmerkingen over Robert op te vangen. Ik had sinds mijn bekentenis geen spoor meer van hem gezien, en telkens wanneer ik terugdacht aan mijn blunder, die ons blijkbaar allebei in verlegenheid had gebracht, kromp mijn trots. Ook al was elk woord dat ik had gezegd waar geweest.

Ik hoorde flarden van vrolijke berichten over buren die eindelijk een baantje hadden bemachtigd, gedempt geroddel over een nicht die haar dronken man definitief het huis uit had gezet, en gefluister over een meisje dat de pech had gehad zwanger te raken en haar familie ernstig te schande maakte. Maar geen woord over Robert, alsof ze hadden afgesproken dat ze in mijn huis zijn naam niet zouden noemen. Ik wist dat hij hun niets zou hebben verteld over onze middagen bij het prieel of de gevoelens die ik had opgebiecht. Het leek er eerder op dat er een voorgevoel was doorgedrongen tot hun gezamenlijke onderbewustzijn, dat hen ertoe had aangezet een onzichtbare verdedigingslinie tussen ons beiden op te werpen.

Toen Nell en ik elkaar een keer toevallig tegenkwamen, probeerde ik haar vertrouwen terug te winnen. Ik hoopte dat ze me een sprankje nieuws over Robert zou aanbieden, maar daarnaast miste ik haar vreselijk.

Ze hield me op een afstandje, beantwoordde mijn vragen niet uitgebreider dan noodzakelijk en richtte haar ogen op een plekje vlak onder de mijne – hoog genoeg om niet oneerbiedig over te komen, laag genoeg om mij te laten weten dat ik nog steeds strafhad.

Op een dag zat ik weggekropen in een hoek van de schommelbank te doen alsof ik las. In werkelijkheid zat ik te mokken en te dagdromen over Robert. De hordeur ging krakend open, en Nell kwam tevoorschijn met een emmer en een dweil. Ik dacht dat ze me zag. Ze gaf geen teken van herkenning, maar dat was de laatste tijd niets nieuws. Ik richtte mijn starende blik weer op de bladzijden van mijn boek. De letters vervaagden omdat ik een klein beetje scheel begon te kijken, te lui om mijn aandacht erbij te houden. De doordringende geur van kamperfoelie zweefde omhoog uit de bloembedden die aan de veranda grensden. Ik snoof de geur op en joeg de frustratie om die situatie waarin ik me bevond mijn borst uit, in de hoop dat de uitwisseling gunstig zou uitpakken.

Nell doopte haar dweil in de emmer, wrong hem uit en bewoog hem in een troostend ritme heen en weer over het donkergrijze oppervlak van de veranda. Na een tijdje begon ze te neuriën op de maat van haar werk, en ten slotte te zingen.

Haar rug was naar me toe gekeerd. Ik luisterde verrukt toe. We hadden als meisjes wel kinderliedjes gezongen in de achtertuin, maar ik had me nooit gerealiseerd hoe mooi haar stem was. Wanneer ze de lage noten rekte, trok mijn hart samen, en wanneer ze de hoogte in schoot, schoot mijn hart mee. Ze was fantastisch. Toen ze ophield, gooide ik mijn boek neer en sprong ik applaudisserend overeind.

Nell veerde op alsof ze een schot tussen haar schouderbladen had gekregen. Ze draaide zich vliegensvlug om en voor het eerst in weken keek ze me recht aan. Er sprak zowel humor als irritatie uit haar ogen. 'Mijn hemel, juffrouw Isabelle, ik ben me een hoedje geschrokken. Hoe lang zit je daar al toe te kijken hoe ik me aanstel?' Dit was de Nell die ik had gemist. De Nell die er niet voor had teruggedeinsd me de meeste van haar gedachten en veel van haar meningen toe te vertrouwen, tot ik het had verpest door haar even achteloos terzijde te schuiven als een jurk die ik was ontgroeid.

'O, Nell. Ik had geen idee dat je zo mooi kon zingen. Wat was dat voor een lied?'

Ze sloeg haar ogen weer neer toen ik haar enthousiast complimenteerde. 'Gewoon, iets wat ik aan het instuderen ben voor onze revivalbijeenkomsten. Een nieuw lied van meneer Thomas Dorsey.'

'Van Tommy Dorsey heb ik weleens gehoord. Heeft hij dat geschreven?'

'Nee, niet die man van de bigband. Meneer Dorsey schrijft gospels. Mijn predikant en ik zijn dol op alles wat hij maakt.' Ze sloeg snel haar ogen op om te zien hoe ik reageerde.

'Het is prachtig. En ga jij dat solo zingen? O, wat geweldig, Nell. Ik wou dat ik naar je kon komen luisteren.' Mijn stem stierf weg bij die belachelijke suggestie. Ik slaakte een zucht.

Nell doopte haar dweil weer in het sop.

Een idee strekte zijn ranken uit in mijn hoofd. Ik sprak met beheerste stem, alsof ik een beleefdheidsvraag stelde. 'Wanneer worden die revivalbijeenkomsten gehouden? Binnenkort al?'

'De hele volgende week. We gaan 's avonds eerst picknicken, en dan beginnen de bijeenkomsten elke avond rond zonsondergang, vanaf aanstaande zondag. Ik zing aan het eind de oproep om naar het altaar te komen.' Ze kon haar trots niet verbergen; haar hele gezicht veranderde door haar glimlach, als water dat door de zon wordt aangeraakt.

'O, wat zal Cora trots zijn, Nell – je hele familie. Ze zullen het wel reuze opwindend vinden om je te horen.'

Toen ik in die algemene termen Robert ter sprake bracht, verflauwde haar glimlach. Hij verdween eerst uit haar ogen, en daarna gingen haar mondhoeken naar beneden. 'Het zal me niet naar het hoofd stijgen, juffrouw Isabelle. Het is allemaal ter ere van de Heer.' Ze wendde zich met een minachtende schouderbeweging af en dweilde de rest van de veranda in stilte. Uiteindelijk pakte ik mijn spullen bijeen en ging naar binnen, want haar hernieuwde koelheid was ondraaglijk, zelfs op zo'n smoorhete middag.

Maar mijn idee liet me niet los.

Op zondagmiddag kreeg ik plotseling zo'n misselijkmakende hoofdpijn dat ik naar bed ging en daar bleef, terwijl de rest van het gezin in de schaduw van de achterveranda kaartte en limonade dronk.

Moeder kwam bij me kijken toen de zon eindelijk begon te zakken. Hij scheen fel door mijn slaapkamerraam en dreef als een reusachtige meloen op de horizon. 'Voel je je al wat beter?' vroeg ze. Ze leek eerder bezorgd dan achterdochtig te zijn toen ze over me heen gebogen stond, bijna alsof ze bang was dat haar onophoudelijke strenge toezicht van de laatste tijd mijn hoofdpijn had veroorzaakt. Ik voelde me schuldig – heel even. 'Kan ik je nog iets brengen voordat ik naar bed ga, liefje?'

Ik had al een teiltje met koel water gekregen om de lap op mijn voorhoofd te verfrissen, en mijn vader had me aspirine gegeven, wat volstrekt geen invloed had gehad op mijn voorgewende ziekte.

'Iets beter, moeder.' Ik slaakte een zucht en verschoof de lap een stukje. Ik was vaak genoeg getuige geweest van haar migraines om te weten wat ik moest zeggen. 'Het enige waar ik behoefte aan heb, is duisternis en rust. Slapen. Morgen ben ik vast weer helemaal de oude. Maakt u zich maar geen zorgen.'

'Goed, liefje. Dan zal ik je alleen laten.' Ze gaf me een zoen op mijn wang en vertrok, hoewel ze in de deuropening zwijgend naar me bleef staan kijken, met een gezicht dat geen spoor meer vertoonde van die eeuwige bedilzucht – een glimp van hoe ze eruit had kunnen zien. Haar zachtere uitdrukking verleidde me er bijna toe haar terug te roepen, te doen alsof ik haar toch nodig had. Maar ik deed mijn ogen dicht, en algauw liep ze op haar tenen weg.

De gedempte geluiden van de andere gezinsleden die zich over de verschillende kamers verspreidden gingen geleidelijk over in stilte, en ik glipte mijn bed uit. Ik schudde het beddengoed en de kussens zodanig op dat het leek alsof ik op mijn zij lag, met mijn gezicht onder de dekens. Ik hoopte vurig dat moeder zich niet verder dan de deur zou wagen als ze toevallig nog even zou komen kijken hoe het met me ging.

Ik trok snel mijn zomernachtjapon uit en schoot een lange broek aan waar mijn broer jaren geleden uit was gegroeid. Een eenvoudige geruite blouse die in mijn ogen kon doorgaan voor een jongensblouse – in elk geval van een afstand – stopte ik in onder de tailleband, en met een riem snoerde ik de broek aan. De platte veterschoenen die ik naar school droeg waren duidelijk meisjesschoenen, maar de broek viel bijna tot over de neuzen. Ten slotte nam ik mijn haar strak bijeen en propte het onder de gerafelde vispet van mijn broer. Ik bestudeerde mezelf in de spiegel. Iedereen die dichtbij genoeg kwam zou onmiddellijk doorhebben dat ik geen jongen was, maar ik was van plan afstand te bewaren. In de verstikkende, roerloze atmosfeer van mijn kamer brak het zweet me nu al uit, en ik vroeg me af hoe mannen het uithielden om 's zomers elke dag een lange broek te dragen, alsof er niet eens een seizoenswisseling was geweest.

Ik rolde de broekspijpen op en trok mijn peignoir aan over mijn ensemble. Met de schoenen en de pet in mijn hand sloop ik naar de deur. Ik wist waar en hoe ik die moest hanteren – uit jarenlange ervaring en omdat ik die middag terwijl de rest van het gezin in de tuin was had geoefend – en terwijl ik precies op de juiste plekken drukte om te voorkomen dat hij kraakte, deed ik hem net ver genoeg open om naar buiten te kunnen glippen. Bij terugkomst zou ik via het latwerk aan de zijkant van het huis omhoogklauteren en door mijn raam naar binnen kruipen, maar als ik heel stil deed kon ik wel op de normale manier het huis verlaten. We deden zelden deuren op slot, maar je wist nooit of er straks niet toevallig iemand op de wc in de gang zou zitten of in de keuken zou zijn om iets koels te drinken. Het was mogelijk dat mijn broers weg waren gegaan, en zo ja, dan wist je nooit wanneer ze terug zouden komen.

Ik slaagde erin de trap af te lopen zonder verraden te worden door gekraak, en de achterdeur ging keurig dicht zonder dat hij zoals gewoonlijk bij de drempel ergens klemde. Ik sprong het trapje van de achterveranda af en rende de oprijlaan uit. Ik bleef alleen even staan om mijn peignoir onder een struik te proppen. Het deed me denken aan een ander tochtje dat ik onlangs had gemaakt, maar ditmaal hoopte ik dat ik naar Robert toe zou rennen, in plaats van bij hem vandaan.

In de buurt van Main Street ging ik langzamer lopen. Ik rolde mijn broekspijpen naar beneden en wurmde mijn voeten in mijn schoenen. In het centrum bleef ik dicht langs de gebouwen lopen en glipte ik van de ene donkere ingang naar de andere. De straat was uitgestorven, op wat groepjes jonge mannen na, die stonden te roken en te kletsen. Om een paar van die groepjes hingen jongere jongens heen, met de handen diep in hun zakken, alsof ze droomden van de dag dat ze tot die kringen toegelaten zouden worden. Telkens wanneer ik te dichtbij kwam, versnelde ik mijn pas, met mijn kin op mijn borst en de pet van mijn broer ver naar beneden getrokken, voor het geval iemand me zou herkennen. Toen de bebouwing spaarzamer werd en overging in een woonwijk kon ik weer rustig ademhalen. Bij de grens van het dorp gaf ik een harde klap op dat akelige bord en slaakte ik een jubelkreet. Kennelijk mocht ik nu ik als jongen gekleed was me ook als zodanig gedragen. Het kwam niet eens in me op om me druk te maken over wat er in het donker langs de weg op de loer zou kunnen liggen. Er flikkerden vuurvliegjes, maar altijd in de verte, alsof ze me voorgingen – ook al wisten mijn voeten zelfs in de paarse duisternis de weg.

Hoewel ik er nog lang niet was, bereikten de stem van de predikant en de ritmische, bijna zangerige antwoorden van zijn gemeente mijn oren al. Bij het horen van dat vreemde koor vertraagde ik mijn pas, opeens onzeker over mijn plannen. Ik kon niet bepaald het prieel in duiken en me onder de gemeenteleden mengen, wát er op het bord van de kerk ook werd beweerd. Wat zou ik een opschudding veroorzaken: een mager blank meisje, gekleed in de lange broek van haar broer.

Vandaar dat ik om de kerk heen sloop en me zorgvuldig verschool in de schaduwen. Ik liet mijn blik over de bescheiden groep mensen glijden, zoekend naar vertrouwde silhouetten. De meeste gemeente-leden zag ik alleen op de rug, omdat ze met hun gezicht naar de predikant zaten of stonden, afgezien van degenen die op de paar rijen banken achter hem zaten. Ik bespeurde het profiel van Nell daar, op het provisorische podium voor het koor. Ze keek strak naar de predikant en reageerde net als de anderen met hoofdknikken, amens, halleluja's en langere frasen, die ik vanaf de plek waar ik toekeek niet kon verstaan. De predikant was jonger dan ik had verwacht – hooguit een paar jaar ouder dan Nell – en ik begreep waarom ze zo betoverd was. Niet alleen leek hij de waarheid te spreken, ook was hij een zeer aantrekkelijke man.

Ik leunde tegen de verweerde planken van de kerk, terwijl mijn ogen zich aanpasten aan het donker. Opeens ontdekte ik tot mijn schrik dat er nog geen drie meter van me vandaan een jonge vrouw op een boomstronk zat. Ze hield een bundeltje tegen zich aan, en toen het bij uitzondering even stil was in het prieel, hoorde ik het onmiskenbare geluid van een baby die van een moederborst af wordt gehaald, gevolgd door zachte babyzuchtjes terwijl de moeder het kindje over haar schouder legde om het te laten boeren. Ik wist meteen dat ik een intiem moment had verstoord, maar ik zag toen ook de glans van haar opengesperde ogen, die me verschrikt aankeken. Een jonge, blanke man, verscholen in de schaduwen van een kerk voor zwarten, was waarschijnlijk niet alleen verre van normaal, maar in de regel ook bedreigend.

Ik hapte een paar keer naar adem. Hoe kon ik haar geruststellen zonder de anderen mijn schuilplaats te verraden? 'Wees maar niet... Wees maar niet bang,' fluisterde ik, wanhopig zoekend naar woorden en struikelend over de paar die ik nog net kon vinden.

Ze drukte het kindje dichter tegen zich aan en sperde haar ogen zo mogelijk nog wijder open. Ze kromp ineen toen ik dichterbij kwam. 'Doe mijn baby geen pijn. Alsjeblieft, laat mijn baby met rust.'

Haar angst dat ik haar kind iets onvoorstelbaars zou aandoen gaf me opeens mijn spraakvermogen terug, en ik haastte me haar gerust te stellen. 'Ik ben niet van plan uw baby pijn te doen. Ik ben niet van plan wie dan ook pijn te doen. Ik ben hier voor de kerkdienst, net als u.' Ik zette mijn pet af, overbrugde de afstand tussen ons en boog me over haar heen om haar baby te bekijken. De vrouw bedekte haastig haar boezem. Sommige jonge moeders uit mijn dorp gaven hun baby borstvoeding, maar ze deden dat altijd in afzondering en gaven het nooit openlijk toe, alsof het een duister geheim was dat verborgen moest blijven. Ik koesterde de hoop zelf ook ooit moeder te worden en mijn kind misschien op die manier te voeden, maar een blote borst was wel het laatste wat ik had verwacht hier te zullen zien. Ik had zelfs mijn eigen moeder nog nooit met ontbloot bovenlijf gezien.

'Wat een mooie baby.'

'O, je bent maar een meisje,' zei de vrouw, klakkend met haar tong nu ze me goed kon zien en horen. 'Zij is ook een meisje. Mijn dochtertje.' Ze hield de baby van zich af en keek stralend naar het kleine gezichtje. Het hummeltje was al in slaap gevallen in het vredige donker, en haar moeder veegde een streepje melk weg dat zich had opgehoopt in de hoek van haar rozenmondje. Maar ondanks haar ontspannen trots, wist ik dat de vrouw nog steeds in verwarring was over mij. Nog voordat ze haar mond had opengedaan, wist ik welke vraag er zou komen. 'Wat doe je hier? Ik bedoel, je zei dat je voor de dienst komt, maar...' Ze schudde haar hoofd.

'Eh...' Ik aarzelde, en gaf mezelf even de tijd om een betere reden te bedenken dan die ik tot dusverre had bedacht. Ik koos voor twee waarheden. 'Dat bord bij de kerk, weet u wel? Daar staat op: IEDEREEN IS WELKOM.'

Haar wenkbrauwen gingen omhoog, maar ze trok haar schouders op. 'Tja, daar kan ik niets tegen inbrengen. Het is alleen nooit op de proef gesteld, voor zover ik weet. Maar je houdt je wél in het donker schuil.'

'Eh... ja. Maar...' Ik haalde diep adem en waagde het erop: 'Dat meisje daar vooraan, in het koor, ziet u wel? Die aan de linkerkant, in die roze jurk.' Ik wachtte af of ze begreep wie ik bedoelde.

'Nell Prewitt?'

'Ja! Nell. Ze werkt voor ons gezin. Ze heeft me verteld dat ze vanavond zou zingen, en ik wilde haar graag horen. Ze heeft haar lied een keer bij ons thuis geoefend, en o, het was alsof er een engel op onze voorveranda zong. Ik wilde haar graag tijdens de kerkdienst horen zingen, waar het vast nóg mooier zou klinken.'

De vrouw dacht na over mijn antwoord en knikte. Pas toen ontspanden haar schouders zich volledig. Kennelijk bevatte mijn uitleg te veel onbetwistbare feiten om een leugen te kunnen zijn. De derde reden vertelde ik haar niet: dat ik ook hoopte een glimp van Robert op te vangen, en, als het niet te veel gevraagd was, met hem te praten. Ik had hem vreselijk gemist.

'Nou, je bent in elk geval niet te laat, en het zal niet lang meer duren. De predikant is bijna klaar.'

'Kent u Cora? De moeder van Nell? En haar broer?'

'Natuurlijk. De hele familie Prewitt bezoekt deze kerk al zolang ik me kan herinneren. We zijn hier allemaal grootgebracht. Gedoopt, getrouwd en begraven. Hun familie, de mijne en talloze andere.'

'Hebt u hen vanavond gezien? Cora?' Ik aarzelde. 'En Robert?'

Ze wees. 'Cora zit daar op de eerste rij, samen met haar man, Albert – de vader van Robert en Nell. Die zijn waarschijnlijk al een uur van tevoren gaan zitten, zodat ze de beste plaatsen zouden hebben om hun dochter te kunnen horen zingen als een engel.' Ze glimlachte toen ze mijn complimenteuze woorden over Nell nazei. 'Waar Robert is weet ik niet. Of hij zit met de andere jongens op de achterste rij grappen te maken of te klieren, zoals jongens dat doen, of hij is ergens een klusje aan het opknappen waar de predikant hem vóór de dienst om heeft gevraagd. Waarschijnlijk het laatste. Het is een fijne knul. Ze hebben nogal een hechte band, en als ik het bij het rechte eind heb, zijn ze binnenkort zwagers. Broeder James en Nell hebben de laatste tijd meer belangstelling voor elkaar dan strikt noodzakelijk is.'

Zo slecht had ik het dus nog niet gezien. Ik was blij voor Nell. Ze was dol op haar kerk, en ik kon me geen beter leven voor haar voorstellen dan dat van predikantsvrouw, in plaats van net als haar moeder in de huishouding te blijven werken. Allebei hadden we van alles voor elkaar verzwegen, hoewel dat uitsluitend aan mij te wijten was.

'Mijn meisje is nu tevreden. Tijd om weer bij mijn familie te gaan zitten. Moet ik tegen Nell of Cora zeggen dat jij je hier schuilhoudt?'

'O, nee!' Ik deed een stap achteruit en mijn hart bonkte tegen mijn ribben. 'Cora zou maar ongerust worden als ze het wist. Ze zou zich waarschijnlijk verplicht voelen het morgen tegen mijn moeder of vader te vertellen, en u weet niet half wat me dan te wachten staat.' Ik schudde heftig mijn hoofd en zag al voor me hoe alle vier mijn familieleden zouden reageren als ze erachter zouden komen. Maar ik wist zeker dat de jonge moeder me niet zou verraden.

'Goed, hoor. Maak je geen zorgen. Maar kom je wel weer veilig thuis? Waar woon je?'

'Shalerville.'

Ze deinsde enigszins achteruit. 'Dat is een flinke wandeling in je eentje in het donker. Maar ja, wat doe je eraan.' Het was geen vraag. We wisten allebei wat ze bedoelde. Ik vroeg me af hoe ze zou reageren als ze wist dat Robert een keer samen met mij in het donker mijn hele dorp door was gelopen.

'Er is wel iets wat u zou kunnen doen,' zei ik. 'Als u Robert ziet, kunt u hem dan zeggen dat ik er ben? Ik zal daar om de hoek, bij het kerkgebouw, blijven wachten. Misschien kan hij samen met Nell een deel van de terugweg met me meelopen. Maar laat het hem zelf maar tegen Nell zeggen. Maak haar niet ongerust door haar te vertellen dat u me hebt gezien.'

Ze nam me onderzoekend op, drukte de baby weer tegen zich aan en duwde zich met haar vrije hand af van de boomstronk. Ik kon bijna de radertjes zien draaien in haar hoofd terwijl ze over mijn verzoek nadacht, maar uiteindelijk knikte ze. 'Wees maar voorzichtig, jongedame. Ik zal tegen Robert zeggen dat je er bent. Geniet van het zingen van Nell.'

'Dank u,' riep ik zacht toen ze zich verwijderde. 'Uw baby is een plaatje.'

Ze keek om, en haar gezicht, daarnet nog bezorgd, straalde.

Ze liep op het prieel af en vertraagde haar pas om de jongemannen die in een groepje achteraan zaten in zich op te nemen. Ze fluisterde iets tegen een zittende tiener. Hij wees naar opzij, en toen zag ik Robert, leunend tegen een van de dikke houten palen die het prieel ondersteunden; hij stond buiten, niet in de beschutting van het prieel. Hij had zijn handen diep in zijn zakken, en hoewel het leek alsof hij naar de predikant luisterde, zag ik dat hij een afwezige uitdrukking op zijn gezicht had. Dacht hij aan mij? Aan onze tijd in het prieel? Ik schudde mezelf door elkaar. Hij had wel iets belangrijkers te doen dan dagdromen over mij, ook al dagdroomde ik vaker over hem dan ik wilde toegeven.

De vrouw liep omzichtig op hem af en tikte hem op zijn schouder. Hij bracht zijn hand naar achteren alsof hij een insect wilde doodslaan, voordat het tot hem doordrong dat zij er stond. Ze fluisterde hem iets toe en wees naar de kerk en de hoek waar ik had beloofd te blijven wachten. In een flits veranderde de afwezige uitdrukking op zijn gezicht in een behoedzame. De jonge moeder gaf hem een kneepje in zijn arm, glipte voor een man langs en nam plaats naast een peuter, die haar bedolf onder de zoenen, alsof ze dagen weg was geweest. Ze zou het er misschien niet mee eens zijn geweest, maar ze was de tweede die ik op één avond met een engel vergeleek.

Ik hoopte maar dat Robert haar beschouwde als een overbrengster van goed nieuws, hoewel eerder te verwachten viel dat hij woedend was om mijn toenemende brutaliteit. Hij sloeg zijn armen over elkaar en ging gehurkt tegen de houten steunpaal zitten, alsof hij er helemaal in wilde verdwijnen. Ik nam bijna de benen. Ook al heerste er inmiddels een ontzagwekkende duisternis, uit zijn uitdrukking maakte ik op dat ik ongetwijfeld belachelijk overkwam: een onvoorzichtig, dom kind, dat door hier stiekem naartoe te komen niet alleen mezelf, maar ook hem alweer in gevaar bracht. Ik trok me terug de diepere schaduwen in, toch maar naar de hoek toe. Als ik weg zou gaan, zou hij uit verantwoordelijkheidsbesef de donkere weg terug naar Shalerville afzoeken om me te vinden.

Ik liet mijn voorhoofd tegen de ruwe planken van het gebouw rusten en wachtte af.

Uiteindelijk slenterde Robert, zijn handen nog steeds diep in zijn zakken, naar de achterkant van het prieel en stak diagonaal het terrein over. Van me áf. Mijn adem stokte in mijn keel. Zou hij domweg vertrekken, om mijn dwaasheid te ontwijken? Of had hij de instructies van de jonge moeder verkeerd begrepen?

Ik liet me met een luide zucht tegen het gebouw aan vallen. Als de predikant op dat moment had gezwegen of tot een stil gebed was overgegaan, zouden ze me met z'n allen hebben ontdekt.

Opeens hoorde ik een doordringend gefluister. 'Isabelle!'

Ik draaide met een ruk mijn hoofd om en verloor daarbij bijna mijn evenwicht. Robert legde me met zijn ene hand het zwijgen op en ondersteunde me met de andere. Daarna deed hij een stap achteruit, nam me wel vijf tellen onderzoekend op en schudde zijn hoofd. 'Je bent gek, meisje.'

Ik klemde achter mijn rug mijn handen ineen en glimlachte geforceerd. Ik hoopte dat ik hem kon charmeren, of in elk geval ontwapenen. 'Je hebt gelijk. Ik ben gek. Maar jij verleidt me er altijd toe in dit soort malle situaties te belanden. Ik heb zeker mijn verstand verloren.'

'Nou ja, als je bent gekomen om naar Nell te luisteren, zoals die mevrouw zei, kunnen we nu beter onze mond houden. Daar komt ze.' Ik draaide me snel om, en ja hoor: Nell stond nu vooraan, maar een paar meter van de predikant. Hij was dichter naar zijn gemeente toe gelopen en riep ze met uitgestrekte armen op naar het altaar te komen. Hij knikte naar Nell, en daar zweefden de klanken en woorden die ze de vorige week op onze veranda had geoefend haar mond uit, zo puur en lieflijk dat ze overal om ons heen in de lucht bleven hangen, zelfs op onze plek, ver vanwaar zij stond te zingen.

Zij keek niet naar broeder James en hij keek niet naar haar, maar er was een bijna tastbare, vloeiende binding tussen hen, terwijl ze de gemeenteleden uitnodigden op hun boodschap te reageren.

Ze waren duidelijk voorbestemd om dit te doen. Samen.

Mijn hart deed pijn. Mijn keel zwol op. Tranen brandden in mijn ogen. Zou ik ooit zo'n partnerschap hebben met een man van wie ik hield? Alle pogingen van mijn moeder om belangstelling bij me te wekken voor de jongens uit de omgeving waren tot dusverre mislukt. Ik had maar één man leren kennen met wie ik me kon voorstellen mijn leven te zullen delen en mijn dromen waar te zullen maken, maar dat idee was niet te verwezenlijken.

Toch was ik hier.

Mijn schouders schokten nu mijn zucht gesmoord werd door tranen.

'Heel indrukwekkend samen, Nell en James,' fluisterde Robert.

Ik kon alleen maar knikken. Nell begon aan een nieuw couplet, en er kwamen verscheidene mensen naar voren om in een rij voor broeder James te gaan staan. Een voor een spraken en baden ze met hem, en sommigen huilden openlijk. Anderen bleven waar ze waren en knielden ter plekke neer, met hun hoofd naar de ruwe banken gebogen, en richtten hun stille verzoeken rechtstreeks tot God, zonder menselijke bemiddelaar. Het was prachtig, en bezielender dan alles wat ik ooit in mijn eigen kerk had gezien, waar we telkens dezelfde gezangen zongen en onze dominee, die er al preekte toen ik nog niet eens geboren was, de ene na de andere zondag dezelfde donderpreek hield, zo eentonig dat niemand bibberde van angst, tenzij dominee Creech je naar voren riep omdat je tijdens zijn preek had zitten dutten.

Toen de laatste persoon bij broeder James aankwam en er niemand anders opstond om hem te volgen, begon Nell zacht het refrein van het lied te neuriën, en het koor viel in. Het klonk troostend, bijna als een wiegelied. James stak zijn handen weer omhoog en wenkte zijn gemeente nogmaals, maar toen er niemand reageerde, liet hij ze weer zakken en legde ze ineengeslagen zijn rug. Hij sprak een gebed uit om de dienst te beëindigen.

Na zijn zegening zong het koor opnieuw om de gemeenteleden uitgeleide te doen, ditmaal een snel en ritmisch refrein. Sommigen zongen en klapten mee; anderen pakten slaperige kinderen op of omhelsden elkaar. Ik had nog nooit zo'n vreugdevolle groep gezien. Aan hun kleding – in de meeste gevallen tot op de draad versleten en allang uit de mode – was te zien dat ze met armoede kampten en nauwelijks hun hoofd boven water konden houden, juist nu Amerika zich eindelijk ontworstelde aan de tijden van ontbering, maar desondanks maakten ze een dankbare indruk.

'Zo, juffrouw Isabelle.'

Ik schrok van Roberts stem. Ondanks zijn ergernis leek hij geamuseerd te zijn, en ik wist dat hij alleen maar om me te plagen weer begon met 'juffrouw'. Ik was even vergeten dat hij achter me stond, en nu keek hij me met een schuin hoofd nieuwsgierig aan. Ik had er moeite mee iets te zeggen, omdat ik tijdelijk mijn stem kwijt was na te hebben gezien hoe zijn familie en vrienden hun geloof vierden. Ten slotte zei ik: 'Ik weet dat je het dom van me vindt dat ik gekomen ben. Typisch weer zo'n gevaarlijk plannetje van Isabelle.' Ik slaakte een zucht. 'Maar zoiets moois als dat heb ik nog nooit gezien. Ik benijd je soms wel, Robert, ook al kun je dat niet geloven. Ik sta versteld van je familie, je kerk en alle mensen die je om je heen hebt. Neem nou de jonge moeder die je voor me heeft opgespoord: toen die eenmaal doorhad dat ik geen blanke jongen was die problemen kwam veroorzaken, was ze heel welwillend, zoals dat bord dat voor de kerk staat ook doet vermoeden. Ik heb nooit geweten waarnaar ik verlangde, maar nu weet ik het. Hiernaar.' Ik spreidde mijn handen om de laatste paar mensen die in het prieel waren blijven hangen aan te geven, en meer. Mijn stem werd schor en ik begon bijna te huilen. 'Kon ik het maar krijgen.'

Robert vlocht zijn vingers ineen en liet er schutterig zijn kin op rusten, alsof hij niet wist waar hij zijn handen moest laten. 'Pas op, Isabelle. Straks geef je me nog een gevoel dat ik beter niet kan hebben en laat je me iets doen wat ik niet mag doen.' Hij deed een stapje achteruit.

'Wat dan, Robert? Wat voor gevoel? Heb ik me die dag in het prieel soms niét vergist? Ben ik niet de enige? Zeg het tegen me. Laat het me zien.'

De groep mensen achter de kerk was op dit late tijdstip snel uiteengegaan. De lantaarns die bij het prieel hingen, schommelden heen en weer in het plotseling opgestoken briesje, maar afgezien daarvan was er geen beweging meer te zien. De luchtstroom bezorgde me kippenvel in mijn nek, waar mijn haar, bevrijd uit de pet van mijn broer, op mijn huid plakte, vochtig van het zweet.

'Je weet dat ik dat niet kan,' zei hij. 'Je weet dat het verkeerd zou zijn, en allerlei problemen zou veroorzaken.'

Hij had gelijk. Ik wist best dat hij gelijk had. Waarom raakten mijn gevoelens dan niet bekoeld door zijn bezwaren? Waarom kon ik dan geen afstand nemen van deze dwaasheid en vragen of hij me wilde begeleiden tot de rand van Shalerville, voor de laatste keer, terug naar waar ik hoorde – ook al voelde ik me er niet langer thuis?

'Robert,' zei ik, en ik schudde heel licht mijn hoofd en keek omhoog, brutaler dan ooit, recht in zijn ogen. Toen vaagde hij de ruimte tussen ons weg en was hij bij me. Hij liet zijn handen om mijn middel glijden, trok me naar zich toe, en bracht één hand omhoog om mijn hoofd op zijn schouder te drukken, net als tijdens de storm. Ik bleef zo staan, bijna zonder adem te halen, luisterend naar het *toem toemp, toem toemp* van zijn hart. Ik voelde me veilig daar, in de koestering van zijn armen, en ik wilde nooit meer ergens anders zijn. Ik wilde me niet meer verroeren.

Maar hij tilde met zijn vinger mijn kin op en keek me in de ogen, en stelde me alleen met die simpele gebaren een vraag die me nog nooit gesteld was.

Hoewel hij mijn hoofd nog steeds omvat hield, boog ik het achterover, en ik ging op mijn tenen staan. Ja.

Hij drukte zijn mond op de mijne, teder en hongerig, en zijn lippen voelden zacht en warm aan. Mijn adem stokte toen zijn tong mijn lippen zacht uiteenduwde om het uiterste randje van de binnenkant ervan te verkennen. Hij trok zich weer terug en gaf me nauwelijks waarneembare zoentjes op mijn voorhoofd, wangen, kaak, en zelfs op de onderkant van mijn kin. Ik had nooit gedacht dat de zenuwen daar zo gevoelig zouden zijn voor een aanraking die nog lichter was dan het gekietel van een grasspriet.

Ik moest onwillekeurig giechelen. Hij hield op en duwde me van zich af om mijn gezicht te bestuderen. Ik vroeg me af of ik er nu anders uitzag.

'Waar heb je dat geleerd?' vroeg ik. Ik meende het echt. Ik kon me niet voorstellen dat hij de pikante verhalen las die mijn klasgenoten voor hun moeders verstopten. Misschien had hij films gezien: een liefdesverhaal in een bioscoop in Cincinnati die zwarten toeliet tot het balkon.

Hij hield zijn hoofd schuin. 'Misschien ben ik een natuurtalent. Of misschien kan ik mijn bronnen niet prijsgeven.' Ik voelde een steek. Was ik jaloers? Jaloers op de andere meisjes die hij ook weleens op deze manier kon hebben gezoend. Maar ik had toch niet het recht om te denken dat ik de eerste zou zijn? De enige?

Ik had toch geen enkel recht?

Hij had mijn plotselinge twijfel waarschijnlijk bespeurd, want hij liet zijn vingers van mijn ellebogen glijden, duwde me een eindje van zich af en zette zijn handen in zijn zij. 'Je bent mooi als jongen, Isa, maar ik denk dat het tijd is om naar huis te gaan.'

We liepen er aanvankelijk zwijgend bij. Ik was mijn zorgen weer vergeten en ging zo op in de euforie van de avond dat het me ontging dat hij op een bepaald moment met zijn voeten begon te slepen. Zijn gezicht werd ernstiger en ongeruster naarmate we dichter bij het bord aan de rand van Shalerville kwamen. 'Isabelle?' vroeg hij ten slotte, en angst baande zich een weg door mijn maag.

'Zeg het niet. Alsjeblieft niet,' mompelde ik, en ik pakte zijn hand, zonder me er iets van aan te trekken dat we nog geen meter verwijderd waren van een plaats die vijandig stond tegenover zijn hele bestaan, afgezien van de diensten die hij bij daglicht kon verrichten.

Maar hij zei het wel. 'Het kan niet. Het is niet gebeurd.'

'Ze laten me onverschillig, hoor.' Ik wees met mijn kin naar het dorp, legde mijn hoofd in mijn nek en keek hem schaamteloos in de ogen. 'Het laat me onverschillig wat iedereen ervan vindt. Alles wat ik heb gezegd, was oprecht. Woord voor woord.'

'Isabelle. Wat er vanavond is gebeurd, kan nooit meer zijn dan dat: een fijne herinnering. Voor ons allebei. Dat weet je. Wat dacht je dat ze me zullen aandoen als ze er ooit achter komen dat ik je heb gezoend? Wat je moeder jou zal aandoen? Het is onmogelijk.'

'Maar...' Ik haalde diep adem. 'Robert Prewitt, ik geloof... Ik geloof dat ik van je hou.' Mijn hart ging tekeer en mijn vingers, die om de zijne geslagen waren, trilden.

'Je bent... Je bent nog maar een meisje, Isa. Een kind. Je weet niet wat je zegt.'

Ik kromp ineen bij die afwijzing. Maar ik was ervan overtuigd dat het zijn manier was om gevoelens te ontkennen die ook hij volgens mij koesterde. Hij had gelijk: ik was nog maar een meisje, nog niet eens zeventien, maar ík kon de gevoelens die ik eindelijk had geaccepteerd niet ontkennen – gevoelens die telkens wanneer we elkaar hadden ontmoet sterker waren geworden. Bij mij in de tuin. Bij de beek. Elke week in het prieel. Vanavond. Vooral vanavond.

'Ik weet wel degelijk wat ik zeg, Robert. Wil je beweren dat jij het niet voelt? Dat jij je niet precies zo voelt? Ik moet het vragen. Ik weet dat je bang bent. Dat zou ik ook zijn. Ik bén het ook.' Hij wilde zich afwenden, zijn blik op iets anders richten, maar ik liet zijn hand los, pakte zijn gezicht vast en draaide het naar me toe. 'Hou jij ook van mij?'

Hij haalde zijn schouders op. 'Als ik zou zeggen van wel, wat dan? Als ik zou zeggen: ik... ik geloof dat ik van je hou, wat dan? Wat schieten we daar allebei mee op?'

Ik kon en wilde zijn vraag niet beantwoorden. Het enige wat ik wilde, meer dan ooit, was weten of mijn gevoelens niet ongegrond waren. Uit zijn opmerking, hoe omslachtig ook, meende ik toch te kunnen opmaken dat hij dezelfde gevoelens had als ik.

12

Dorrie, heden

Ik lag de hele nacht te woelen, tobbend over mijn geld. Tobbend over de vraag of ik Teague mijn geld wel had moeten toevertrouwen. En tobbend over alles waar ik verder nog over dacht te moeten tobben. 's Ochtends was ik bekaf, alsof ik de hele nacht met een pasgeboren baby had rondgelopen die maar niet tot rust kon komen. Aangezien ik dat voorlopig niet van plan was te doen, tobde ik weer over mijn zoon en de waarschijnlijkheid dat hij zijn vriendinnetje zwanger had gemaakt.

Ik hoopte maar dat mijn rusteloosheid mevrouw Isabelle niet wakker had gehouden, vooral omdat ze had gezegd dat ze toch al niet zo goed sliep. We zouden een mooi stelletje zijn onderweg, allebei vechtend tegen de slaap.

Maar ze verraste me opnieuw, kwiek en monter, en klaar om met de lift naar het gratis ontbijtbuffet te zoeven, waar ze volgens haar wel degelijk voor had betaald, omdat het in de prijs van de kamer was verdisconteerd. Ze kreeg graag waar voor haar geld. Als ik haar haar deed, wees ze me op plekjes die ik had overgeslagen – niet vaak hoor, laat dat duidelijk zijn.

'Word wakker, Dorrie Mae. Het zonnetje is al op.'

Ik kreunde en zei: 'Laat dat zoetsappige toontje maar achterwege.' Toen mevrouw Isabelle de verduisteringsgordijnen openschoof, trok ik een kussen voor mijn ogen, want inderdaad: de zon schitterde me tegemoet. Ik haalde met tegenzin het kussen weg, zwaaide mijn benen over de rand van het bed, begroef mijn gezicht in mijn handen en beval de rest van mijn lichaam wakker te worden. Het had weinig resultaat.

'Ik heb wel gehoord dat je de hele nacht hebt liggen piekeren. Het spijt me dat we zo vroeg uit de veren moeten, maar als we niet snel op weg gaan, raken we achter op schema.' Ik had altijd al gedacht dat ze een ochtendmens was, en dat stond nu als een paal boven water. Maar ik dacht ook dat ze haar pretgezicht op had, en dit was bepaald geen vakantie.

'Geen probleem, mevrouw Isabelle. Even mijn armen en benen controleren om te zien of ik nog wel leef. Zodra ik een cafeïne-infuus heb aangelegd, ben ik weer in orde.' Ik dwong mezelf op te staan en kleedde me snel aan. Ik had voordat ik naar bed was gegaan al gedoucht, en aangezien ik onderweg niet veel aan mijn haar kon doen, drukte ik het zo plat mogelijk en beloofde mezelf dat ik er meer werk aan zou besteden wanneer we op onze bestemming waren aangekomen.

Men was vaak verbaasd dat ik als kapster voor zo'n eenvoudig kapsel koos. Ik was er al heel vroeg achter dat ik geen zin had om veel tijd aan mijn eigen haar te besteden. Ik hield het op één lengte, kort en natuurlijk, soms met een donkerkastanjebruine kleurspoeling. Naar mijn bescheiden mening had ik een mooi gevormd hoofd, en mijn haarstijl kreeg altijd veel complimenten, zij het meestal van blanken. Mama klaagde continu dat ik een mooie kop met haar verloren liet gaan, omdat ze vond dat ik reclame voor mezelf moest maken door mijn haar optimaal te benutten. Ik was het daar niet mee eens. Mijn klanten kwamen voor één ding naar me toe: om zich bij het verlaten van mijn salon blinkend en mooi te voelen, als een pas geslagen munt. Het kon hun geen zier schelen hoe mijn haar eruitzag, zolang het netjes en onopvallend was. (Zeventien horizontaal, elf letters: 'niet opmerkelijk, bescheiden.' *Onopvallend*.) Ik was gewoon een middel waarvan ze zich bedienden om zich in ongeveer een uur van niets in iets moois te laten veranderen. Als we in de loop der tijd meer dan oppervlakkige kennissen werden, was dat mooi meegenomen, want dan hoorde mijn haar wel hun laatste zorg te zijn. Dat verwachtte ik ook van mijn vriendin mevrouw Isabelle, terwijl ik mijn haar een laatste klopje gaf.

Beneden namen we plaats achter borden met dampende eieren en toast, cornflakes met koude melk erover, en lauwe koffie. Mevrouw Isabelle trok haar neus op voor de kaneelbroodjes, omdat ze volgens haar het vet dat nodig was om ze te glaceren niet waard waren. Geen wonder dat ze zo slank bleef. Ik had bij mevrouw Isabelle thuis overal foto's gezien van haar op verschillende leeftijden, en op elke foto zag ze eruit alsof ze net een halfjaar aan de lijn had gedaan: met een wespentaille, omgord met een ceintuur van het soort dat ik sinds Stevie Junior zich had aangekondigd niet meer had gedragen. Áls ik ze al had gedragen. Ik sloeg zuchtend de kaneelbroodjes ook maar over, met het idee dat het geen kwaad kon haar voorbeeld te volgen. Maar ik rook ze wel, en het kostte me de grootste moeite om er niet een tussen mijn lippen te steken. Of een sigaret.

'Hoe herken je een lieve man?' vroeg ik. Abrupt, ja, maar ik moest het weten. Ik had te weinig slaap gehad om de vraag zorgvuldig te kunnen inkleden.

'Een lieve man,' zei ze, en ze hief haar vork om een klein hapje roerei te nemen. Een snel antwoord kon ik dus wel vergeten.

'Het schorem kan ik namelijk wel vinden – geen probleem,' voegde ik eraan toe. 'Nou ja, ik hoef er niet eens naar te zoeken; zodra er een vertrekt, staat de volgende alweer te trappelen. Ik trek losers aan.'

'Een lieve man,' zei mevrouw Isabelle weer. 'Om te beginnen behandelt hij je fatsoenlijk. Maar minstens even belangrijk is hoe hij anderen behandelt.'

'Wie bedoelt u daarmee? Zijn kinderen? Zijn moeder?'

'Uiteraard. Maar daar houdt het niet op. Als hij met je naar de bioscoop gaat, bedankt hij dan degene die de kaartjes aanneemt? Als je bij hem in de auto zit, is hij dan een heer in het verkeer? Toont hij zelfs na twee weken, of twee maanden nog respect voor zijn medemens, ongeacht de positie van die persoon ten opzichte van hem? Met andere woorden, geeft hij de ober nog steeds een fooi?'

'Mooi, mevrouw Isabelle. Heel mooi.' Ze had gelijk. Ik had er nooit bij nagedacht, maar bijna iedere man met wie ik was uitgegaan had me de eerste paar keren als een koningin behandeld, maar tegen serveersters geklaagd over eten dat koud of smakeloos was, terwijl er niets aan mankeerde, of automobilisten die wanhopig probeerden in te voegen op de snelweg afgesneden, ook al hadden we tijd genoeg gehad om onze bestemming te bereiken. En na verloop van tijd behandelden ze mij ook zo.

'Ik heb in mijn leven een paar lieve mannen gekend. Ze zijn er wel.' Ze kreeg een zachte, afwezige blik in haar ogen, alsof ze een herinnering in was gezweefd, en er speelde een introvert glimlachje om haar lippen. Ik vond het jammer dat ik niet naast haar haar herinneringen in kon stappen. Ik wilde zien wat haar na al die jaren nog steeds blij maakte. 'Mijn echtgenoot was een lieve man. Maar hij was niet de enige,' zei ze. Opeens richtte ze haar aandacht weer op mij. 'Denk je dat jij er een gevonden hebt, Dorrie?'

'Ik weet het niet. Ik zou graag willen geloven dat de man met wie ik nu een paar keer uit ben geweest – Teague – een lieve kerel is, maar ik vertrouw mezelf niet meer. De bekende ellende heb ik bijna nog liever: de mannen van wie ik bij voorbaat al weet dat ze me met mooie woorden zullen paaien, en dan voor de zoveelste keer mijn hart zullen breken. Maar deze man? Mevrouw Isabelle, u weet toch: lijkt iets te mooi om waar te zijn...'

'... dan ís het waarschijnlijk te mooi om waar te zijn,' zei ze om mijn zin af te maken. 'Maar misschien niet altijd.'

Ik vertelde haar dat ik Teague had gevraagd even ter controle bij mijn zaak langs te gaan, dat ik ontzettend graag wilde geloven dat hij betrouwbaar was en zou doen wat hij had beloofd, niet meer en niet minder. Dat mijn slaggemiddelde wat betreft het uitzoeken van betrouwbare mannen lager dan laag was.

'Hoe lang ken je hem al?'

'We gaan nu al een tijdje met elkaar om, maar...'

'Wanneer heb je voor het laatst iemand gevraagd zoiets belangrijks voor je te doen?' vroeg ze. 'Welke man dan ook,' voegde ze eraan toe.

Ik nam een slokje van mijn koffie en inventariseerde mijn vorige relaties. 'Een tijdje geleden.' Ik schudde mijn hoofd. 'Oké, heel... heel... lang geleden.'

'Dan weet je meer dan je denkt. Je moet wat meer vertrouwen hebben in jezelf.'

'Misschien. Maar als hij me besodemietert – bedríégt, heb ik het gehad met mannen. Dan ben ik er klaar mee. Wat héb je ook aan ze?'

Ze haalde zuchtend en met een wazige blik haar schouders op. We aten zwijgend verder.

Ik had getankt bij een benzinepomp in de buurt van het hotel in Memphis, en toen ik weer plaatsnam op de bestuurdersstoel, ging mijn mobiel. Mevrouw Isabelle zat geduldig naast me terwijl ik het ding uit mijn zak viste.

'Hoi Teague, wat heb je voor nieuws?'

'Hoi.'

Ik hoorde het aan zijn stem, aan de voorzichtige manier waarop hij me begroette, aan wat hij niet zei en aan de gerekte, beladen stilte door de lijn. 'Vertel.'

'Ik ben in de zaak.'

'Ja?'

'Er is sinds je vertrek wel degelijk ingebroken. Het spijt me, Dorrie. Ik wou dat ik betere berichten had.'

Ik deed mijn ogen dicht en zuchtte door mijn neus. 'Het geld?'

'Weg.'

Ik sloeg met mijn handpalm op het stuur van mevrouw Isabelle, die van schrik een paar centimeter omhoogschoot van haar stoel. 'Sorry,' mompelde ik, met mijn hand over mijn mobiel.

'Het geeft niet, liefje,' fluisterde ze, en ze gebaarde dat ik moest doorgaan met mijn gesprek.

'En verder?'

'Nou, ze hebben het slot geforceerd om binnen te komen. De archiefkast is ook behoorlijk toegetakeld. Met een koevoet opengewrikt of zoiets. Verder is er hier en daar wat omgegooid. Dat is het.'

Het was meer dan genoeg. Ik had de archiefkast nooit 's nachts op slot gelaten – waarschijnlijk een doorzichtige aanwijzing voor waar ik het geld bewaarde. Ik vervloekte mezelf dat ik geen alarmsysteem had genomen. Elke maand nam ik me heilig voor dat te doen. Tot ik de rekeningen betaalde. Dan besloot ik nog maar een maandje te wachten. In die ouderwetse winkelpromenade waren de deuren niet inbraakbestendig. Het had er niet zoveel toe gedaan, hoewel het me de andere keren wel wat had gekost om het slot te laten repareren.

Toch was de sloten laten vervangen uiteindelijk goedkoper geweest dan een alarmsysteem laten aanleggen en controleren. Maar ik had dan ook nog nooit geld laten liggen. De balans was doorgeslagen.

'Ben je er nog?'

'Ja.' Ik slaakte een zucht. 'Moet je horen, zou je het erg vinden om er aangifte van te doen?'

'Natuurlijk niet. Ik zal ook even bij de bouwmarkt langsgaan om iets te halen waarmee ik de deur kan dichtspijkeren tot jij terugkomt. Lijkt dat je iets?'

'O, Teague.' Ik schudde mijn hoofd. 'Je bent een reddende engel. Het spijt me dat ik je erbij betrokken heb.'

'Je hoeft je niet te verontschuldigen. Het is een kleine moeite, en ik ga ervan uit dat jij hetzelfde voor mij zou doen als de rollen omgedraaid waren.'

Ik vroeg het me af. Echt waar, ik zou er waarschijnlijk pijlsnel vandoor zijn gegaan. Ik had genoeg behoeftige mannen gehad om er een paar mensenlevens of langer mee toe te kunnen. Anderzijds waren ze geen van allen geweest als Teague. Ik was helemaal ondersteboven van hem. Hij was niet alleen aardig; zijn bezorgdheid had pootjes en kon lopen.

Maar ik had nog niet opgehangen, of het begon aan me te knagen. Mevrouw Isabelle hield me in de gaten. Ze kon waarschijnlijk de zenuwtjes zien die me belaagden, schuddend met hun gebalde vuistjes en 'Vlucht! Vlucht! Vlucht!' roepend. Ze maakten me wijs dat Teague misschien de schade zelf had veroorzaakt, het geld in zijn zak had gestoken en aan de telefoon had gelogen. Ik reed de snelweg op en staarde naar de vlakke weg die Memphis verliet.

'Het spijt me, Dorrie. Ik voel me verantwoordelijk. Als ik je niet mee op reis had gevraagd, zou het nooit gebeurd zijn. Nu je dit hebt, naast je zorgen om Stevie Junior, denk ik dat we beter naar huis kunnen gaan. Het minste wat ik kan doen is je het geld dat je bent kwijtgeraakt vergoeden.' Ik haalde mijn schouders op. Ik had zin om te gillen en hysterisch te doen over het geld. Erger nog: ik wist dat ik mijn trots misschien wel opzij zou moeten zetten en haar aanbod om het me te vergoeden zou moeten aannemen – bij wijze van lening dan, natuurlijk. Maar naar huis gaan zou op dit moment niets oplossen.

Ze hield een tijdje haar mond. Zo'n vijftien kilometer verderop haalde ze haar kruiswoordpuzzelblad tevoorschijn en bladerde naar een nieuwe bladzijde. Ze tuurde naar de aanwijzingen en krabbelde een paar oplossingen neer. Ik omklemde krampachtig de armleuning, en ze streelde de rug van mijn hand. 'Probeer je geen zorgen te maken, Dorrie. Over het geld of de man. Ik heb zo'n gevoel dat het met allebei wel goed zal komen. Help me nu maar. De eerste is twee horizontaal – dat is héél zeldzaam – en zes letters...'

Ik luisterde met een half oor terwijl ik mijn hersens door elkaar rammelde om een antwoord van andere aard te vinden.

13

Isabelle, 1939

Twee weken.

Het was twee weken geleden dat ik hem had gezien. Twee weken geleden dat hij me had gezoend. Twee weken geleden dat ik hem had gezegd dat ik van hem hield.

Ik begon me te verbeelden dat hij mijn bekentenis had opgevat als het belachelijke en gevaarlijke geraaskal van een schoolmeisje. Hij zou er niet aan toegeven. Hij zou nooit meer een voet in de buurt van mijn huis zetten, en hij zou er alles aan doen om te voorkomen dat we elkaar tegenkwamen.

Maar op een dag verscheen hij om mijn vader te helpen de steunmuur te repareren. Het opgehoopte zand rond de gegroefde brokken kalksteen was weggeslagen, en mijn vader was bang dat hun noeste arbeid van de vorige zomer verloren zou gaan, de stenen uiteindelijk los zouden raken, en de voortuin langzaam zuidwaarts zou zakken, tot hij simpelweg vrijkwam van het huis en wij wiebelend op de top van de heuvel achterbleven.

Op maandag leverde de ijzerhandel drie zakken cement af onder aan de trap. Aan het eind van de middag voegde Robert zich daar bij mijn vader. Die liet Robert zien hoe hij de specie moest maken. Ik keek toe vanuit een raam op de bovenverdieping, verscholen achter de vitrage. De zon ging bijna onder, en Robert schudde mijn vader de hand. Hij liep de straat uit, weer bij me weg.

Maar de volgende ochtend kwam hij voordat ik wakker was terug, om eerst in de kruiwagen het cement te mengen, het er dan uit te scheppen en zorgvuldig tussen de stenen te drukken, en ten slotte met een vochtige lap de specieresten van het oppervlak van de stenen af te vegen, zodat de structuur ervan aan de straatkant zichtbaar bleef. Mijn vader, die met patiënten bezig was, liet het werk aan Roberts bekwame handen over.

Mijn spanning nam toe terwijl ik wachtte op een kans om met hem te praten, op een bruikbare smoes. Toen mijn moeder na ons middagmaal naar boven ging om te rusten, rende ik naar de keuken. Cora was eieren aan het pellen, die ze voor ons avondeten zou vullen met een gepeperd mengsel. Nell was elders in huis aan het werk, of misschien zelfs afwezig. Ik had haar al uren niet gezien of gehoord.

'Het is buiten weer niet om uit te houden,' zei ik tegen Cora, en ik plofte op een stoel tegenover haar neer.

'Zeg dat wel, juffrouw Isabelle. Het scheelt niet veel of deze zomer wordt mijn dood. Ik heb medelijden met mijn zoon daar in die brandende hitte, maar hij zal het wel overleven. Jullie jonkies kunnen beter tegen het weer dan wij oudjes.'

Het was al heel lang geleden dat ze het in mijn bijzijn over Robert had gehad. 'Hebben we limonade, Cora? Ik heb wel zin in een koel glas.'

'Ja hoor. Als je heel even wacht, schenk ik het voor je in.'

'Ik pak het zelf wel.' Ik liep haastig naar de kast en haalde er twee glazen uit. Toen Cora ze zag trok ze haar wenkbrauwen op, maar ze zei niets. Ik hakte wat ijs van het blok, vulde er beide glazen mee en schonk er Cora's versgeperste, weldadige citroensap overheen. 'Dank je, Cora. Ik zal Robert ook een glas brengen. Hij zal wel dorst hebben in die hitte.'

'O, nee, juffrouw Isabelle.' Ze had het laatste ei af en droogde haastig haar handen aan haar schort, nadat ze die bij de gootsteen had afgespoeld. 'Dat hoeft niet. Ik breng het wel. En dat glas mag je niet gebruiken om...'

'Laat het maar aan mij over,' zei ik. Mijn blik liet haar weten dat ik geen tegenspraak duldde, hoewel ik niet graag mijn positie misbruikte om mijn zin door te drijven. Terwijl ik snel de gang door liep, kromp ik ineen toen ik uit de keuken achter me een luide zucht hoorde. Ik duwde met mijn arm en heup de hordeur open en liet mijn eigen glas achter op een van de platte stenen die aan weerszijden van het trapje uitstaken uit de veranda, zodat het leek alsof ik niets anders van plan was geweest dan Roberts drankje afleveren. Ik liep met zijn glas in mijn hand het pad over en ging de trap naar de straat af.

Hij knipperde met zijn ogen toen hij me zag en begroef het blad van zijn troffel in de kruiwagen. Hij had net een nieuwe lading cement gemengd. Hij wachtte zwijgend; ik werd opeens verlegen.

Ik bood hem het glas limonade aan. Met een verwarde blik keek hij van het glas naar zijn handen en weer terug. Zoals Cora al naar voren had gebracht, had ik onnadenkend genoeg een van onze mooiere glazen gebruikt. Hij was blijkbaar bezorgd dat hij met die halfdroge smurrie aan zijn handen het glas zou bederven. Maar ik had een zakdoekje in mijn zak zitten. Ik haalde het tevoorschijn en wikkelde het om het glas heen.

'Het wordt er toch niet beter op met dat chique geval eromheen? Dan verpest ik dat ook.'

'Het is een oude.' Of misschien was het wel een van mijn nieuwste zakdoekjes, dat ik eerder die maand in een vlaag van verveling had uitgeknipt en omgezoomd – en dat waarschijnlijk een paar dagen geleden was gewassen, gestreken en gesteven door zijn moeder of zus.

Hij keek twijfelend om zich heen, maar toen ik hem het glas nadrukkelijker toestak, nam hij het aan. De rug van zijn hand vormde in het felle zonlicht een schril contrast met het sneeuwwitte vierkantje. Ik hield mijn hand boven mijn ogen.

Hij sloeg de limonade achterover en gaf het glas terug voordat ik zelfs maar kans zag om tegen het nog niet gerepareerde gedeelte van de muur aan te gaan staan. Maar ik ging er toch tegenaan staan. Hij keerde zich weer naar de kruiwagen en trok zijn troffel uit de snel opstijvende brij. 'Ik moet opschieten. Dit wordt snel hard.'

'Ik wil je niet van je werk houden. Doe maar alsof ik er niet ben.' Het was een bevel, in plaats van een beleefde opmerking. Hij strekte zijn hals uit om naar de voorramen van het huis te kijken, maar zijn moeder was de enige die wist dat ik hier was. Mocht ze kijken, dan kon ze me niet zien. Bovendien boog de straat enigszins af voordat hij bij het laantje kwam dat naar ons huis voerde, dus zelfs onze nieuwsgierige buren konden me niet zien staan, zo tegen de muur gedrukt. Het laantje liep door naar een weiland dat te vochtig was om bebouwd te worden en kwam ten slotte uit bij de beek waar Robert me had geleerd elritsen te vangen en waar we overvallen waren door dat noodlottige onweer.

'En, wat heb je de afgelopen paar weken allemaal gedaan, Robert? Sinds ik je voor het laatst heb gezien?'

Hij drukte met ritmische bewegingen het klonterige mengsel tussen de stenen, streek het rondom elke steen uit en veegde de stenen schoon. 'Niets bijzonders.'

'Ik heb je gemist,' zei ik, om mijn tijd niet langer te verdoen met luchtig geklets. We konden elk moment gestoord worden door iemand die zich had afgevraagd waarom ik al zo lang weg was dat het ijs in mijn limonade op de veranda smolt, en naar me op zoek was gegaan.

De hand waarmee hij het handvat van de troffel vasthield bleef even rusten op een steen waarop zich duidelijk zichtbare fossielen hadden vastgezet. 'Je mag me niet missen. Het is onverstandig. Ik heb het je nog zo gezegd. Die hele avond... Je weet dat het een vergissing was.'

'Jij bent niet de baas over mijn gevoelens. Ik heb je echt gemist. Heel erg zelfs, de afgelopen vijftien dagen. Ik heb ze geteld. Ik had het idee dat ik weggekwijnd zou zijn voordat ik je weer zag.'

Hij draaide zich om en ik bespeurde een glinstering in zijn ogen om mijn dramatische uitspraak, maar toen hij mijn ernstige gezicht zag – ik had het woord voor woord gemeend – verdween zijn geamuseerdheid. 'Goed dan,' zei hij. 'Ik geef toe dat ik jou ook heb gemist. Ik begrijp wat je bedoelt. Maar Isa, ik heb je toen ook gevraagd: wat kunnen we ermee? Niets. Dat weet jij, dat weet ik. We zijn als dat cement. Als je jou en mij mengt, krijg je iets wat te hard is om op de verkeerde plek mee te werken. Dit hier' – hij gebaarde in het rond en gaf daarmee méér aan dan alleen de straat voor mijn huis; zijn gebaar omvatte het hele dorp, misschien wel de hele wereld – 'is de verkeerde plek. Het is domweg illegaal. We zouden gek zijn als we het zelfs maar overwogen.'

'Het is al te laat. We hebben het al overwogen. Het is iets moois, Robert. Dat weet je best.'

'Je vindt me nu misschien een botterik, maar Isabelle, je moet me met rust laten.' Hij was doorgegaan met zijn werk, maar hield nu weer even op en keek me recht in de ogen. 'Wil je soms dat ik vermoord word?'

Ik rilde. Hij sprak de waarheid.

Zijn afwijzing had me tot bloedens toe geschaafd, me opengereten – ook al was het een afwijzing van de mogelijke gevolgen en niet van de gevoelens die we allebei koesterden, maar de waarheid verschroeide mijn hart.

Er welden tranen op in mijn ogen, en hij draaide zich snel om, maar niet voordat ik zíjn emotie en reactie op mijn verdriet met volle kracht op me in voelde beuken. Ik pakte het lege glas, maar de zakdoek gleed weg en dwarrelde naar de grond terwijl ik me omdraaide. Toen ik bleef staan om mijn eigen glas van het trapje te halen, zag ik dat hij zich boog om de tere stof op te pakken en de zakdoek naar me uitstak. Ik schudde mijn hoofd. Hij liet zijn arm vallen, maar hief daarna het zakdoekje weer en schoof het in zijn borstzak, op zijn hart.

Binnen liep ik bijna dwars door Nell heen, die verstijfd en met een verslagen gezicht bij de deur stond. Ik wist dat ze getuige was geweest van datgene wat ze vanaf die plek kon zien. Het laatste, belangrijke stukje. Ze boog haar hoofd toen ik langs haar drong. Ik kwakte de glazen op het aanrecht en nam niet de moeite om het mijne te legen of de kleverige troep weg te vegen die ik had veroorzaakt doordat de limonade over de rand was geklotst. Cora was nu nergens te bekennen. Ik rende weer langs Nell en via de trap naar mijn kamer, waar ik me op het bed liet vallen en mijn gezicht stevig in het kussen drukte. Desalniettemin waren mijn woedekreten waarschijnlijk tot in de gang hoorbaar.

Ik had er vreselijk naar verlangd Robert weer te zien en een openlijk gesprek over de kwestie af te dwingen. Ik had geweten dat de kans groter was dat hij me zou afwijzen dan dat hij onze verboden relatie zou verwelkomen, maar de realiteit deed meer pijn dan ik had verwacht.

Ik had mezelf toegestaan te dromen dat we elkaar heimelijk zouden ontmoeten, zo vaak we maar konden, achter de rug van onze families om. Ik had verder niet stilgestaan bij het onvermijdelijke einde – want we hadden er hoe dan ook een punt achter moeten zetten.

Robert had gelijk: een huwelijk tussen een zwarte en een blanke was niet alleen taboe, maar ook nog eens illegaal. Wat had onze liefde voor zin als de inzegening ervan in de ogen van God en de wet verboden was?

Maar in mijn egoïsme was ik er kapot van dat Robert niet bereid was om te pakken wat we pakken konden. Ik was woedend, niet alleen op hem, maar ook op mezelf, omdat ik mijn hart had toegestaan te dromen. Ik was in verlegenheid en ik schaamde me.

Dagenlang ging ik alleen als mijn vader en moeder erop aandrongen naar beneden om te eten, of op zondag naar de kerk.

Mijn moeder maakte zich zorgen. Ze was bang dat haar aanleg voor migraine erfelijk was. Mijn vader leek erin te berusten, maar ook teleurgesteld te zijn, omdat ik altijd een avontuurlijk karakter had gehad, heel anders dan de mooie bloem met wie hij getrouwd was en die dagelijks om twaalf uur 's middags al bleek te verleppen.

Toen papa voor een huisbezoek een lange rit over het platteland moest maken, wilde hij per se dat ik meeging, zoals ik dat in het verleden zo vaak had gedaan. In die tijd had ik meestal eenvoudigweg over het land van zijn patiënten gezworven, opgetogen om nieuwe terreinen te verkennen, of in de auto met open kap zitten lezen onder het schaduwrijke bladerdak van wijze oude bomen. Als er kinderen waren, speelde ik met hen. De ouders waren dankbaar dat ik voor afleiding zorgde terwijl mijn vader patiënten onderzocht of behandelde, en de kinderen waren blij om in die afgelegen omgeving gezelschap te krijgen. Af en toe mocht ik zelfs van papa meekijken terwijl hij kleine ingrepen deed en mocht ik hem benodigdheden aangeven, mits ik van tevoren mijn handen had gewassen en de patiënt er geen bezwaar tegen had. Papa noemde me liefkozend 'verpleegstertje' als we weer buiten waren en beweerde dat ik, als het aan hem lag, wel elke dag mocht assisteren.

Maar ditmaal wilde ik de auto niet uit komen, zelfs niet toen de bekleding mijn armen en benen dreigde te verschroeien. Ik wendde me af toen hij vroeg wat me scheelde, bang dat hij misschien iets anders dan lichamelijke pijn in mijn ogen zou lezen – bang dat hij mijn geheim misschien zou ontdekken.

Ik had hem er dolgraag deelgenoot van willen maken. Mijn stilte schond onze band, de band die hij niet met mijn broers had, die hun dagen en nachten verbrasten, zijn geld over de balk gooiden en zo stom waren om zich allerlei problemen op de hals te halen. Ik wist dat hij van mij, zijn leergierige, nieuwsgierige dochter, hogere verwachtingen koesterde, al had hij dat nooit hardop gezegd, maar me alleen zachte, subtiele duwtjes in de goede richting gegeven. Ik denk dat hij in elk geval geloofde dat ik een uitstekende doktersvrouw zou zijn, veel geschikter als helpster voor een dorpsdokter dan zijn eigen vrouw was gebleken. Als hij van Robert en mij had geweten, zou hij verrast zijn geweest over de juistheid van zijn voorspelling, ware het niet dat deze relatie niet te verwezenlijken was.

Maar ik besefte nu ook dat hij zich wat belangrijke zaken betrof nooit tegen mijn moeder had verzet. Ook al begreep hij de emoties die aan me vraten zoals wolfsmelk de huid aanvreet, ik kon er niet op vertrouwen dat zijn hulp zou bestaan uit meer dan een schouder om op uit te huilen, en mijn tranen waren op.

De wind schroeide mijn gezicht toen we naar huis reden, en ik hield mijn ogen gericht op het wazige landschap langs de weg. Ik merkte dat papa telkens even zijn blik van de weg haalde en op mij liet rusten, en voor het eerst in mijn leven kwam het in me op om te wensen dat hij anders was. Ik vroeg me af of mijn moeder ook zou willen dat hij sterker was. Misschien had ze nooit meer gewild dan dat.

De ene saaie dag reeg zich aan de andere. Op een keer, toen de hitte nog brandde als smeulende as, maar de bittere geur van het eind van de zomer al in de lucht hing, kwam Nell naar me toe. Haar bedeesde klopje deed me opschrikken uit een rusteloos dutje. Ik was tijdens het lezen van *Onder moeders vleugels* ingedommeld. Mijn lievelingsverhalen leidden me af van mijn zelfmedelijden – tijdelijk dan. Hoe zacht het klopje ook was, ik sprong van mijn bed en liet mijn boek op de grond vallen.

Ze gluurde om het hoekje van de deur. 'Merouw Isabelle? Mag ik binnenkomen?'

Ik gebaarde dat ze verder moest komen en ging weer op mijn bed zitten. 'Ik kreeg bijna een hartverzakking,' zei ik. Mijn hart was weliswaar al gebroken, maar dat kon ze toch niet weten?

'Het spijt me, mevrouw Isabelle. Ik wilde u niet aan het schrikken maken.' Ze pakte mijn boek van de vloer en legde haar vinger bij wijze van boekenlegger op de plek waar het omgekeerd was neergekomen. Ik pakte het aan, sloeg het dicht en zette het terug op de plank boven mijn bed.

Ze had niets bij zich – geen was om op te bergen, geen schoonmaakspullen. Ze bleef gewoon maar voor me staan en reeg haar schort tussen haar vingers door.

'Wat is er, Nell? Had je iets nodig?'

'Ja, mevrouw,' zei ze. Maar ze bleef staan, zonder uitleg.

'O, Nell, hou op alsjeblieft. Je hoeft me niet "mevrouw" te noemen. Ik vind het heel naar dat je, nu we volwassen zijn, denkt me te moeten aanspreken alsof ik mijn moeder ben. Ik kan je verzekeren dat ik niét mijn moeder ben.' Ik huiverde.

'Dat weet ik, mevrouw Isabelle. Maar mama zegt dat ik u met hetzelfde respect moet behandelen nu u een jongedame bent.'

'Flauwekul. Jij respecteert mij, en ik respecteer jou. Toe, zeg nou waarom je hier bent. Ik barst van nieuwsgierigheid.'

'Goed dan. Herinner je je die dag dat je met Robert praatte terwijl hij de steunmuur repareerde?'

Ik knikte en wachtte af.

'Sindsdien heeft mijn broer niets anders gedaan dan in huis lopen kniezen. Zoals jij hier hebt lopen kniezen. Er is met jullie allebei iets aan de hand. Ik zit er vreselijk over in.'

Ik dacht na over haar woorden. Na al die jaren samen te zijn opgegroeid wist ik dat ik haar blindelings kon vertrouwen, maar nu ik overwoog haar te vertellen wat er aan de hand was, leek het allemaal ineens vreselijk dwaas. Ik speelde met een potlood dat op mijn nachtkastje lag.

Nell porde met haar knie tegen de zijkant van mijn bed. 'En, kun je iets bedenken wat ik zou moeten weten over Robert? Iets waardoor hij misschien wat minder chagrijnig zou kunnen worden? Minder neerslachtig?'

'O, Nell, ik wil je er niet bij betrekken. Dat kan ik niet doen.'

Ze rechtte haar schouders en trok een streng gezicht. 'Ik vraag zélf of je me erbij wilt betrekken. Ik kan het niet aanzien zoals jullie nu zijn.'

Ze wachtte roerloos af terwijl ik nadacht. Uiteindelijk liep ik naar de deur om te controleren of die goed dichtzat. Ik sprak op fluistertoon, beschermde zorgvuldig elke lettergreep van mijn bekentenis. Ik ontdekte tot mijn verrassing dat ik het totaal niet gênant vond om alles te vertellen, te praten over mijn groeiende genegenheid voor Robert – ook al was hij haar broer. Ik vertelde het haar niet tot in detail, maar ik merkte dat ze begreep hoe sterk mijn gevoelens waren. En ze bleef er tot het eind aan toe stoïcijns onder. Het was duidelijk dat het haar allemaal niet verraste.

Toen ik uitverteld was, schudde ze haar hoofd. 'Daar was ik al bang voor. Toen ik Robert vroeg wat er aan de hand was, waarom hij zo neerslachtig was, maakte hij zich ervan af. Maar ik weet hoe een verliefde jongeman eruitziet.' Haar stem trilde, en de blos op haar wangen werd dieper.

'Ik weet het ook, Nell. Ik heb het die avond in het prieel gezien. Het is zonneklaar dat jij en broeder James van elkaar houden, en hij is een goed mens. Ik ben heel blij voor je. Maar... jammer genoeg ligt het voor en Robert en mij allemaal niet zo eenvoudig.' Ik trok aan mijn pony en wond een lok om mijn vinger – een gewoonte die ik al heel lang had, maar pas kortgeleden had geperfectioneerd, ook al was ik er waarschijnlijk al bijna kaal van geworden.

'Het is niet verstandig,' zei Nell. Ik knikte bedrukt en wond de lok nog steviger om mijn vinger.

'Maar ik heb er vandaag onder het werken over nagedacht, juffrouw Isabelle,' zei Nell. Mijn hoofd schoot omhoog. 'De twee mensen die me het allerliefst zijn, zitten vreselijk in de put... Daar word ik zelf ook neerslachtig van.' Ze kwam dichter bij het bed staan en legde haar hand op mijn schouder. Als jonge meisjes hadden we hand in hand gedanst en in de tuin gespeeld, of fluisterend geheimpjes uitgewisseld, zo dicht bijeengekropen dat onze voorhoofden elkaar raakten. Maar de laatste jaren hadden we ons meer en meer gevoegd naar de regels van onze moeders, en had ik mijn best gedaan om mijn moeder er geen aanleiding toe te geven op me te vitten – of, erger nog: op Nell te vitten. Sinds de avond dat ik haar terzijde had geschoven hadden we elkaar niet meer aangeraakt, of het moest bij toeval zijn geweest.

Ik kreeg een brok in mijn keel toen ik haar vingers op mijn schouders voelde drukken. De druk deed zeer, en ik werd me er sterk van bewust hoe mager ik was geworden. Ik was aanvankelijk al mager geweest, en had de laatste tijd waarschijnlijk met vuur gespeeld door te weigeren meer te eten dan noodzakelijk was. Ik durfde me nauwelijks voor te stellen wat Robert zou denken als hij me zou zien zoals ik nu was: een spook. Maar op dit moment was ik me er vooral van bewust hoezeer ik de breuk tussen zijn zus en mij betreurde, en was ik dankbaar dat Nell weer bij me terug was.

14

Dorrie, heden

Na ons vertrek uit Memphis schoten we lekker op, en we hoefden pas na drie uur rijden even de benen te strekken. Hoewel we nog niet toe waren aan de lunch – nog vol zaten van het gratis ontbijtbuffet – vroeg mevrouw Isabelle in Nashville of ik van de snelweg af wilde gaan. We parkeerden op een bezoekersparkeerplaats voor een universiteit waarvan ik nog nooit had gehoord.

Ik controleerde mijn mobiel, benieuwd of Teague had teruggebeld. Verdorie! Ik had vier telefoontjes gemist en een hele sliert sms'jes. Maar niet van Teague. Mijn hart ging tekeer toen ik bij elk bericht de naam van Stevie Junior zag staan. Als hij mij belde, betekende dat niet veel goeds. Maar de berichten waren vaag. 'Bel me', of: 'Mam, bel me z.s.m.', keer op keer. Met trillende vingers tikte ik de terugbeltoets in. Was er iets met mijn moeder? Een hartaanval of gevallen terwijl ik achter het stuur had gezeten? God verhoede dat er iets met Bebe was gebeurd. Mijn lieve meisje was een onschuldig kind. Als iemand haar iets had aangedaan stond ik niet meer voor mezelf in.

Het was niets van dat alles. Maar het was mijn paniek wel waard.

'Wat is er, Stevie? Is met oma alles in orde? Met Bebe?'

'Met hen gaat het prima, mama. Maar zet je toch maar even schrap. Ik heb je twee dingen te zeggen, en die zullen je geen van beide blij maken. Sterker nog: het is waarschijnlijk maar goed dat je weg bent, anders zou je me nu vast hebben vermoord.'

Stevie Junior had me al weken niet zo uitgebreid toegesproken. Ik had er met veel pijn en moeite niet meer dan een onduidelijk 'Wat?' of 'Ja' uitgekregen wanneer ik hem had gevraagd iets te doen of de euvele moed had gehad om te vragen hoe het met hem ging. Deze spraakwaterval was geen goed teken.

'Oké. Kom maar op.'

Hij begon een beetje te hijgen. 'Mam, eh... zit je, toevallig?'

Dat deed ik niet. Ik liep te ijsberen bij de gedenkplaat voor de ingang van de universiteit, die mevrouw Isabelle stond te bestuderen. Ik had het vermoeden dat het ding binnenkort zou veranderen in een gedenkplaat voor mijn woedeaanval. 'Nee, ik kan hier nergens zitten. Kom op, Stevie. Gooi het er maar uit.'

'Ik moet het je in deze volgorde vertellen, mam. Het eerste eerst, anders is het tweede onbegrijpelijk. Niet dat het hoe dan ook begrijpelijk is of je er minder kwaad om zult worden.'

Hij stelde mijn geduld nu wel op de proef. 'Stevie. Voor de dag ermee. Nu.'

'Mam... Bailey is... Ze is...'

'Zwanger?'

Dertig seconden lang doodse stilte aan de andere kant van de lijn. Dat sprak boekdelen.

'Je wist het?' vroeg hij ten slotte, met verbazing in zijn stem. En opluchting.

'Denk je soms dat ik de afgelopen dertig-en-nog-wat jaar met mijn handen voor mijn ogen en oren heb rondgelopen, knul? Denk je soms dat ik niets heb geleerd over jongens en meisjes en hoe ze zich in de nesten werken en zich gedragen wanneer dat het geval is? Verdorie, Stevie. Ik heb dit bericht allang zien aankomen. Maar ik wou dat je het me eerder had verteld. Bijvoorbeeld in de beslotenheid van ons huis. Niet wanneer ik onderweg ben en mijn vriendin probeer bij te staan, die het nu erg moeilijk heeft. Stevie, we zijn op weg naar een begráfenis, godbetert.'

'Mama, het spijt me.'

'Jaja.' Au. Ik was niet geschokt of verbaasd, maar ik zou er ook geen doekjes om winden. Ik was teleurgesteld in mijn zoon. Ik had mijn best gedaan om hem alles te geven wat hij nodig had om meer te kunnen bereiken dan ik, en ervoor gezorgd dat hij wist hoe hij zichzelf en de meisjes met wie hij omging moest beschermen. Maar het lijkt wel of elke generatie tieners weer geen haar wijzer is dan de vorige.

Maar toch.

'O, Stevie. Het spijt mij ook. Ik weet dat het een ongelukje was. Ik hou van je, en we vinden wel een oplossing.' Ziezo. Ik had de juiste steunende en bemoedigende woorden gesproken, gedaan wat het beste was, ook al had ik zin om door de telefoon te springen en mijn kind met blote handen te wurgen.

'Eh... dat brengt me op het tweede punt. Wij, eh... Bailey en ik, hebben besloten dat ze te jong is om een kind te krijgen. Het komt ons nu allebei heel slecht uit. Ze... Wé hebben een afspraak gemaakt. Voor een, eh... je weet wel, een abortus.'

Mijn hart stond stil. Dat weet ik zeker. Ik hoorde om me heen de bladeren ritselen. Wat kregen we verdomme nou? Een abortus? Geen spra-ke van. Het kwam slecht uit? Nou en of het slecht uitkwam! Dat hadden ze beter kunnen bedenken toen ze niet van elkaar af konden blijven.

'Ik weet wat je denkt, mam.'

'Ja.'

'Maar Bailey heeft het al besloten. Ze ziet het niet zitten om een dikke buik te krijgen of een baby te hebben nu we volgend jaar gaan studeren en zo. Bovendien zouden haar ouders behoorlijk over de rooie gaan. Ze zouden haar waarschijnlijk het huis uit gooien als ze het zouden weten.'

'Haar ouders weten er niets van?'

'Nee. Vanaf nu ben jij de derde persoon, ons meegerekend. Nou ja, misschien heeft ze het Gabby verteld – haar beste vriendin. Dat weet ik niet zeker.'

Een meisje dat Gabby heette zou een geheim bewaren? Ik zou erom hebben gelachen als ik niet liever had gehuild. 'O, lieverd. We moeten hier rustig over nadenken. Kan het niet wachten tot ik terug ben? Ik ben over een paar dagen alweer thuis. Dan kunnen we met z'n drieën om de tafel gaan zitten. Je weet hoe ik hierover denk.'

'Mam, iedereen doet het.'

'Het kan me niet schelen wat anderen doen. Dat is hun zaak. Wat ik belangrijk vind, is wat wij doen. Óns gezin. Ik denk aan jóú, Stevie.'

Ik hoorde hem hijgen, en ik wist dat hij nadacht over wat ik had gezegd, wat ik altijd had gezegd. Dat ik het misschien tien seconden lang zelf ook had overwogen. Dat ik zo blij was dat ik hem had gekregen. Dat ik me mijn leven niet kon voorstellen zonder hem.

Maar ik wist ook – en dat viel niet mee – dat het ditmaal niet mijn beslissing was. 'Ik zeg niet dat je moet doen wat ik wil, maar ik vind dat we erover moeten praten. Een paar dagen langer wachten maakt ook niet uit.'

'De afspraak is morgen.'

Ik kreeg een hartverzakking. Plotseling voelde ik me machteloos, alsof ik vrijwel zonder zwaartekracht om de aarde cirkelde, me maar net vast kon klampen en alles op mijn deel van de aardkloot gierend uit de hand zag lopen.

'En, mam? Nu komt het tweede deel.'

'Het tweede deel? Hadden we dat dan nog niet gehad? Stevie...'

'Nee. Dat was nog niet alles. De afspraak kostte namelijk ongeveer driehonderd dollar. We hadden geen van beiden geld. Je weet dat ik geen geld heb.'

Vingers van angst kronkelden omhoog en knepen in mijn nek. Op dat moment vond ik wél een zitplek. Een betonnen bank namelijk, waarover ik in mijn verdwazing struikelde, en dat kwam goed uit. Ik plofte erop neer, zonder me er zelfs maar druk om te maken dat hij onder de vogelpoep zat. Opgedroogde vogelpoep.

'O nee, dat heb je niet gedaan. O nee.'

'Ik heb het je nog niet eens verteld.'

'O, Stevie. Zeg alsjeblieft dat je dat niet hebt gedaan.' Er viel een beladen stilte tussen ons. Ik wist het, en hij wist dat ik het wist, ook al was hij nog niet zover om dat toe te geven.

Het geld in de zaak. O god. Hij was degene geweest die had ingebroken en het geld had weggenomen. Mijn kleine jongen, die tot ongeveer een jaar geleden nooit met een stalen gezicht tegen me had kunnen liegen. De jongen die zich volgens alle leraren steevast correct gedroeg, zelfs als ze niet keken.

Een onverwachte zwangerschap? Dat kon de besten overkomen. Daar kon ik over meepraten.

Maar inbraak? God bewaar me.

Uiteindelijk begon hij weer te praten, met een schorre stem, en hoewel ik wist dat het hem moeite kostte om me de waarheid te zeggen, kwam ik hem ditmaal niet tegemoet.

'Ik was thuis toen Teague vanochtend de sleutel kwam halen, mam. Oma heeft hem de sleutel gegeven en ik zat maar zo'n beetje toe te kijken, kotsmisselijk. Ik was ervan uitgegaan dat jij als je thuiskwam zou ontdekken dat er iemand had ingebroken en de deur zou repareren, zoals je altijd doet. Maar ik was de hele tijd al niet slim bezig, hè? Het leek me stug dat jij geld had laten liggen' – zijn stem ging noordwaarts – 'en eigenlijk hoopte ik ook dat je dat niet had gedaan. Want dan had ik Bailey kunnen zeggen dat we pech hadden. Dat we iets anders moesten bedenken of moesten wachten. Maar daar lag het. Vierhonderd dollar. Mam, ik wist niet wat ik anders moest.'

Dus nu was het míjn schuld. Maar toen brak de stem van Stevie Junior, en mijn zoon barstte uit in snikken van het kaliber dat ik al jaren niet meer had gehoord, niet sinds hij erachter was gekomen dat zijn vader voorgoed weg was en niet voor de zoveelste keer met hangende pootjes zou terugkomen om me te smeken hem terug te nemen. 'Het spijt me onzettend, mam. Ik ben een stommeling. Ik haat mezelf. Ik wist niet wat ik moest.' Hij snikte nog een paar minuten door terwijl ik hem liet lijden. Terwijl ik mezélf liet lijden.

Iedereen die vindt dat een zeventienjarige volwassen genoeg is om altijd onderscheid te kunnen maken tussen een verstandige keuze en een domme beslissing is nooit de moeder van een zeventienjarige geweest. Het was knap klote om daar weer aan herinnerd te worden. Ik nam het wel degelijk ook mezelf kwalijk. Waarom had ik in vredesnaam het geld laten liggen? Ik bonkte met een vuist op de ruwe betonnen bank, maar de pijn die dat opleverde temperde nauwelijks het gebonk in mijn hoofd.

Opeens sprong ik overeind. Shit! Terwijl ik daar mijn tijd had zitten verdoen, leidde Teague waarschijnlijk de politie rond door mijn zaak om de troep te laten zien waarvan ik had aangenomen dat die door een onbekende criminele jongere was veroorzaakt.

Mijn hemel, ik had mijn eigen zoon tot de strop veroordeeld. De minste of geringste aanraking met de politie kon voor een jonge zwarte man het begin zijn van een lange, zware weg – of het nu om een eerste vergrijp ging of niet – en dat lot moest ik hem zien te besparen. We zouden dit zelf wel oplossen.

Maar ik was niet van plan hem er straffeloos af te laten komen. Ik was razend. Rijp voor een dwangbuis. Wat ik zei, zei ik snel. Ik gaf Stevie in niet mis te verstane bewoordingen te kennen dat hij mijn geld op een veilige plek moest opbergen. Ik zei hem dat als Bailey wilde ruziën over dat onderdeel van deze rottigheid, ze zich tot mij kon wenden. Daarna kapte ik ons gesprek af. Ik moest de verbinding met hem verbreken om Teague te laten weten dat hij de troepen moest terugfluiten.

15

Isabelle, 1939

Later die middag stelde Nell voor een briefje van mij naar Robert te brengen. Haar stem trilde toen ze het zei, maar ze bracht me tot zwijgen toen ik ertegenin wilde gaan.

Ik deed er een hele avond over om in gedachten een brief op te stellen, en de hele volgende ochtend om alles op papier te zetten. Kon ik ook maar iets zeggen wat alles er anders op zou maken? Hij had me gevraagd hem met rust te laten, en ik had me daarin geschikt tot zijn zus onze ellendige, stille wapenstilstand had verbroken. Ik besloot Nell de schuld te geven door aan te voeren dat onze somberheid haar medelijden had gewekt, maar vond dat bij nader inzien laf. Ik verscheurde mijn brief en begon opnieuw. En opnieuw. Telkens wanneer ik mijn schrijfsels gelezen had, scheurde ik ze in piepkleine snippers, die ik in een onder mijn bed verstopte draagtas propte.

Uiteindelijk slaagde ik erin een epistel te wrochten waarin ik, naar ik hoopte, het juiste evenwicht had gevonden tussen zielig en moedig. Epistel, want de lengte was waarschijnlijk buitensporig. Maar ik had de tekst van alle kanten bekeken en kon niets vinden wat ik zonder bezwaar kon weglaten.

Nell en ik hadden bepaalde signalen afgesproken. Toen ik zover was dat ze de brief bij me kon ophalen, zocht ik haar op in de gang. Mijn moeder keek toe, maar had geen idee wat de betekenis was van het tikje met mijn wijsvinger op mijn kin, alsof ik diep nadacht over iets wat ik moest doen. Nell liet me weten dat ze het had begrepen door een rukje te geven aan haar oor, alsof ze reageerde op kriebel. Ik ging een poosje later terug naar mijn kamer om te 'rusten', waarop zij de blanco dichtgeplakte envelop kwam halen.

'O, Nell, je hebt geen idee wat dit voor me betekent. Ik hoop maar dat Robert niet kwaad is. Hij heeft me gezegd dat ik hem met rust moet laten.'

'Dit was mijn idee,' zei ze. 'Het kan me niet schelen of hij kwaad op mij wordt. Ik zeg gewoon dat ik heb gedreigd ontslag te nemen als je het niet deed.' Ze staarde me aan tot ik mijn ogen neersloeg. Ontslag nemen zou ze nooit doen. 'Trouwens, het is maar een brief.'

Het mocht dan misschien maar een brief zijn, we wisten allebei dat hij meer betekenis had dan dat. Ik vond haar nonchalante houding tegelijkertijd bevrijdend en onthutsend.

Ik wachtte op het moment dat Nell een rukje aan haar oor gaf om me te laten weten dat ze antwoord van Robert voor me had. Toen ze de ene dag na de andere haar hoofd schudde wanneer we elkaar in huis tegenkwamen, verzonk ik weer in gesomber. Na verloop van tijd kreeg ze een berouwvolle uitdrukking op haar gezicht, alsof ze wou dat ze het briefje nooit had voorgesteld. Ik kon het haar niet kwalijk nemen. Het was het proberen waard geweest, maar het stilzwijgen van Robert deed pijn.

Toen ik op een ochtend na aandringen van mijn vader tegen heug en meug een ontbijt van droge toast en koffie naar binnen werkte, kwam Nell de eetkamer binnen.

'Nog wat room graag, Nell,' zei mijn moeder, met haar neus diep in het katern met maatschappelijk nieuws – het enige deel van het dagblad dat haar interesseerde. Mijn vader was verdiept in de hoopvolle berichten over de binnenlandse economie, het enige lichtpuntje te midden van de geruchten over een oorlog, terwijl de rest van de wereld afgleed naar chaos als gevolg van het mislukte Verdrag van Versailles en de toenemende agressie van de kanselier van Duitsland. Ik loste de kruiswoordpuzzel op totdat hij me de voorpagina doorgaf. Hij maakte de puzzel af terwijl ik het nieuws las.

Nell kwam terug met de roomkan en hield zich overdreven lang bezig met de broodmand. 'Zo is het wel goed,' zei mijn moeder. Dit trok mijn aandacht. Nells ogen ontmoetten de mijne, en ze gaf een rukje aan haar oor. Het scheelde niet veel of ik sprong een gat in de lucht. Ik tikte op mijn kin en schrokte de rest van mijn ontbijt op.

'Mag ik van tafel?' vroeg ik.

Mijn vader keek naar mijn bord, dat leeg was, op een paar kruimels na. 'Zo mag ik het zien, snoes. Je voelt je beter. Ga je gang.'

'Dank u, papa.' Ik telde in stilte en dwong mezelf in de maat te lopen, kaarsrecht en rustig, alsof ik op mijn hoofd een boek in evenwicht hield, zoals ik had gedaan tijdens de etiquettelessen die ik op mijn dertiende had gevolgd. Maar nadat de zwaaideuren achter me waren dichtgevallen, denderde ik de keuken door en gaf ik Nell onderweg met een zijwaarts knikje te kennen dat ik in de achtertuin zou wachten.

Terwijl zij haar ontbijtklusjes afrondde, liep ik bij onze oude speelplek heen en weer tussen de moestuin en de waslijn, waar Cora – samen met een oude eikenboom – tijdens het werk ons spel in de gaten had gehouden. Ik ging op mijn tenen staan toen ik Nell zag en klemde mijn handen stevig ineen bij mijn middel om ze in toom te houden.

Nell trok een stevig opgevouwen vel papier uit de zak van haar jurk, goed verborgen achter haar schort. Ik kon zien dat het maar één velletje was, en ik bloosde diep toen ik terugdacht aan de stapel die ik verzonden had. Maar jongens waren anders. Die goten zowel tijdens het schrijven als tijdens het praten hun gedachten in beknopte alinea's, ontdaan van de emotionele overdaad waar meisjes zo'n handje van hadden.

'Ik hoop dat ik er goed aan heb gedaan, juffrouw Isabelle.' Nell drukte me Roberts briefje in de hand. 'Ik weet niet wat hij hierin allemaal te zeggen heeft.'

'Maar maakte hij een blije indruk toen je het hem had verteld? En toen hij je zijn antwoord meegaf?'

Ze rimpelde haar neus en leek zich de afgelopen tijd voor de geest te halen. 'Zou ik niet kunnen zeggen. Het gaat beter met hem, maar dat zegt niets, want het duurt nu ook niet lang meer voordat hij gaat studeren, en ik weet dat hij daar blij om is.'

Ik waardeerde haar oprechtheid, hoewel ik had gehoopt dat ze er meer vertrouwen in had gehad dat Robert het fijn had gevonden om iets van me te horen. Maar hij had me nu eenmaal opgedragen hem met rust te laten, en ik kon me niet voorstellen dat hij van gedachten was veranderd alleen maar omdat ik hem per brief had laten weten dat ik het leuk zou vinden zo nu en dan te horen hoe het met zijn studie ging of wat hij verder zoal op de universiteit beleefde.

Maar ik was van plan om net zo lang door te gaan tot hij het al even ondraaglijk vond om mij niet meer te zien als ik om hem niet meer te zien. Dat kwam misschien wanhopig en zelfzuchtig over, maar ik wás dan ook wanhopig en zelfzuchtig.

De eerste brief van Robert voldeed aan mijn verzoek: een droge beschrijving van zijn activiteiten sinds hij zijn werkzaamheden aan de muur had afgerond. Niet meer, niet minder. Zelfs als het briefje zomaar ergens had rondgeslingerd en anderen onder ogen was gekomen, zouden ze niets op Roberts verslag aan te merken hebben gehad. De aanhef was niet eens persoonlijk: geen 'Lieve Isabelle' of wat voor groet dan ook. In de bovenhoek had hij de datum vermeld, en hij had eenvoudigweg ondertekend met 'Robert Prewitt'. Iedereen zou het hebben aangezien voor een dagboekaantekening die per ongeluk in ons huis terecht was gekomen. Dat neemt niet weg dat ze wel hun wenkbrauwen zouden hebben opgetrokken als ze het briefje hadden aangetroffen tussen de bladzijden van een boek dat ik toevallig aan het lezen was.

En zo gingen we de herfst in. Ik begon aan mijn laatste jaar op school en Robert begon aan zijn studie op de zwarte universiteit in Frankfort, zo'n tachtig kilometer van ons vandaan, hoewel hij de meeste weekends naar huis kwam. Ik wist dat ik alleen 's zondags of 's maandags een brief kon verwachten – of met een tussenperiode van twee weken als hij op school bleef om te blokken voor examens of een paper te schrijven. Onze brieven begonnen elkaar te overlappen, en het leverde nog weleens verwarring op als de bezorgingen elkaar kruisten.

De brieven van Robert bleven onpersoonlijk, maar in de loop der tijd veranderden ze van toon en beperkte hij zich niet langer tot een zakelijke beschrijving van zijn lessen en studiegenoten, maar gaf hij ook zijn mening erover. Toen ik op een dag heen en weer lopend in mijn kamer zijn laatste brief las, plofte ik op de vloer neer, zo geschokt was ik om te ontdekken dat hij het persoonlijk voornaamwoord 'jij' had gebruikt. Als deze brief gevonden zou worden, zou men niet langer in de waan verkeren dat dit een dagboekaantekening was. Hij had me tot mijn vreugde per vergissing als een menselijk wezen aangesproken. Ik drukte de brief tegen mijn borst, met mijn handen om mijn armen geslagen. Ik had het gevoel alsof ik omhelsd werd.

Nu durfde ik al helemaal mijn hart uit te storten in mijn brieven, en vermeldde ik vaak dat ik hem zo miste en dat ik zo graag wilde dat alles anders was. Een poosje daarna vond er weer een verschuiving plaats. Hij gaf toe mij ook te missen, meer dan ooit, en zich zo vaak voor te stellen dat hij bij me was of openlijk met me rondliep of mijn hand vasthield dat hij bang was dat zijn hoofd nog eens uit elkaar zou barsten van al die gedachten. Toen ik zijn woorden las, baande een hunkering van diep uit mijn buik zich een weg naar mijn hart.

Daarna ontmoetten we elkaar een paar keer. Nell gaf me een seintje wanneer Robert een lang weekend thuis was, en dan spraken we af in het prieel, hoewel het er kil was en vaak vochtig en modderig van de regen, en met het naderen van de winter de kans op sneeuw toenam. Op de donderdagen dat Robert aankwam, wendde ik voor dat ik na school een studieafspraak had met een vriendin en haastte ik me na de laatste bel naar onze ontmoetingsplek. Onze rendez-vous waren onschuldig: we stonden elkaar voornamelijk met een brede, dwaze grijns aan te staren, en struikelden over onze woorden in de haast om elkaar alles te vertellen wat we in brieven niet durfden te vermelden. Na afloop wisselden we kuise, maar hartstochtelijke zoenen uit voordat we uit elkaar gingen – niet anders dan onze eerste zoenen na de revivalbijeenkomst.

Natuurlijk vond ik het na elke ontmoeting en elke zoen weer moeilijker om mijn gewone leventje op te pakken. Ik leefde op twee niveaus, leidde twee afzonderlijke levens: het ene was het leven dat ik altijd had geleid, maar waarin ik me nu een vreemde voelde en als verdwaasd rondliep, alsof ik niet langer paste in de ruimtes die ik ooit als vanzelfsprekend had ingenomen, al stond ik een beetje uit het lood. Het tweede was het leven dat voelde als het echte leven, en ik keek uit naar de momenten waarop ik mezelf naar die werkelijk-heid kon verplaatsen door herhaaldelijk de brieven van Robert te le-zen of de paar gestolen momenten met elkaar door te brengen die ons ter beschikking stonden.

Na een ontmoeting laat in de herfst had ik behoefte aan een sprankje hoop, want ik wilde niet dat er een einde aan kwam.

'Ik bid elke avond dat we er iets op vinden om bij elkaar te kunnen zijn,' zei ik tegen hem, en ik leunde tegen hem aan voor nóg een om-helzing, hoewel we bij de vorige al hadden gezegd dat het die dag de laatste was. 'Er moet toch iets op te vinden zijn, zonder dat jouw fa-milie in de problemen komt of iemand in gevaar wordt gebracht. Dat moet kunnen.' Mijn stem brak.

Terwijl hij me in zijn armen nam, lachte hij me uit, teder, maar met onwrikbare berusting. Hoewel ik in mijn hart wist dat het een illusie was, vond ik zijn spotlachje ondraaglijk kwetsend.

Ik sprong op van de bank die hij met zijn jasje had bedekt om te voorkomen dat mijn rok bedorven zou worden door het vocht, en liep woedend weg, aanvankelijk richting huis, maar vervolgens een kant op die ik nog nooit had gekozen, over een uitgesleten pad door een dicht bos. Ik wilde alleen zijn, weg van al het vertrouwde. Maar Robert kwam me achterna. Terwijl hij zijn armen in de mouwen van zijn vochtige jas wurmde, probeerde hij me bij te houden.

Ten slotte haalde hij me in. Hij greep mijn arm van achteren beet en bracht me midden in het bos tot stilstand. Met fladderende jas trok hij me naar zich toe en drukte mijn wang tegen zijn borst, zo stevig dat zijn hart tegen mijn kloppende slaap bonkte. Ik haalde net zo lang diep adem tot mijn hartslag gelijk op ging met de zijne, of in elk geval er niet dwars tegenin, en toen kwam de chaos in mijn hoofd ook tot rust.

'Ik weet niet hoe ik dit moet aanpakken, Isabelle. Ik kan niet meer beloven dan de volgende brief of de volgende afspraak. Toen je me die eerste brief stuurde nadat ik je had gevraagd me met rust te laten, wist je dat ik je niets anders te bieden had dan het heden, het mo-ment dat ons gegeven is. Meer zekerheid hebben we nooit gehad.'

Telkens wanneer ik hem zag was zijn manier van spreken be-schaafder geworden. De universiteit had hem gepolijst en een schitterend juweel blootgelegd. Ik zou het niet erg hebben gevonden als hij zo nu en dan nog sprak zoals zijn moeder of zijn zus, en medeklinkers inslikte of een verkeerde tijdvorm gebruikte – dat was de jongeman op wie ik verliefd was geworden – maar nu ik hem zo bekeek, begreep ik niet hoe iemand ook maar enige tekortkoming in hem kon ontdekken. Hij paste precies bij mij – afgezien van zijn huidskleur, mooi en edel als de zwarte saffier in de trouwring van mijn moeder. Huidskleur was het enige wat ons in de weg stond. Ik kon het wel uitschreeuwen om de onrechtvaardigheid ervan. Ik had zin om de hoogste heuvel die ik maar kon vinden te beklimmen en net zo lang te gillen tot onze wereld zijn vergissing inzag. Maar ik kwam die middag op een tweesprong te staan. Ik deed in mijn hart een belofte, en sprak die vervolgens uit. Nu was voor mij het moment gekomen om me van hem af te wenden.

'Ik heb er genoeg van, Robert. Het stiekeme gedoe. Het verstoppen. Het gevoel dat mijn hart stukje bij beetje breekt wanneer ik geloof dat we nooit meer zullen hebben dan dit. Het is niet langer genoeg. En ik wil je niet meer zien. Tenzij we er iets op vinden om bij elkaar te kunnen zijn.'

Ik begreep nu wat ik vóór de brieven, vóór ik tot over mijn oren verliefd op hem was geworden, niet had begrepen. Onze relatie zoals die nu was – in het verborgene, achter de rug van onze families om, praten en zoenen – was toch gedoemd te eindigen, want het zou niet veel langer duren of we zouden allebei op de rand van de waanzin balanceren.

Nu was Robert degene die ongelovig toekeek terwijl ik me omdraaide en wegliep. Ditmaal had hij niet eens een zakdoek om dicht bij zijn hart weg te stoppen, en kon hij zich alleen vastklampen aan mijn armzalige belofte.

Ik had geen spijt van de overeenkomst die ik had gesloten. Die had me alleen maar bozer gemaakt op de situatie en vastberadener ons op de een of andere manier weer bij elkaar te brengen. Wekenlang smeedde ik allerlei plannen, en ik speelde zelfs met het belachelijke idee om mijn huid te verven met niet-afwasbare verf en een nieuwe identiteit aan te nemen. Lachwekkend? Jazeker. Zo wanhopig was ik.

Maar op een dag kwam er een gastspreker bij mij op school. Het baarde de leraren en leraressen zorgen dat de jongens in onze gemeenschap geen ambitie hadden, en te makkelijk aangezogen konden worden door de georganiseerde criminele bendes die zelfs ons slaperige dorp inmiddels hadden geïnfiltreerd en als een besmettelijke ziekte vanuit Newport de heuvel op kropen. Ze vonden snel werk als boodschappenjongen voor de bazen: leveringen doen of auto's parkeren bij de door de maffia geëxploiteerde Beverly Hills Country Club vlak bij de snelweg. Onze schooldirecteur nodigde zakenlieden uit om onze klas toe te spreken. Van ons meisjes werd verwacht dat we zwijgend toehoorden of studeerden, terwijl de gast de vragen van onze mannelijke klasgenoten beantwoordde. Dit was in theorie een goed idee, maar een advocaat uit Cincy die bij ons te gast was – een oom of neef van onze lerares – trof een muur van stilte toen de jongens hem mochten uitvragen over zijn werk.

Ik stak mijn hand op, zonder acht te slaan op het ongenoegen van mijn lerares, tot de man me opmerkte. 'Ja, jongedame? Je wilt zeker weten hoe je een van onze pientere jonge medewerkers kunt leren kennen en huwen?'

Ik negeerde het gegiechel van mijn vriendinnen en de boze blik van de lerares. 'Meneer Bird? Ik weet dat je naar de universiteit moet om advocaat te kunnen worden, maar wat moet je er allemaal voor weten?'

Hij leek verrast te zijn door mijn vraag, die niet eenvoudig was, en nota bene afkomstig van een meisje. Ten slotte hernam hij zich. 'Nou, juffrouw...'

'McAllister. Isabelle McAllister.'

'Juffrouw McAllister, als deze jongemannen na het behalen van hun diploma zich inschrijven bij een van de diverse uitstekende juridische faculteiten, zullen ze meer lezen en bestuderen dan ze zich ooit hadden voorgesteld toen ze nog in deze klas zaten, zo verwend zijn jullie geweest.'

Ik betwijfelde of mijn lerares waardering kon opbrengen voor deze opmerking of voor de bangmakerij; die zou weleens alles wat ze hoopten te bereiken met hun pogingen om de luie jongens te motiveren teniet kunnen doen. Maar voordat ze de man kon afleiden, stelde ik een volgende vraag. 'Wat zullen ze dan precies lezen en be-studeren, meneer?'

'De wet.' Hij zei het zo eenvoudig en dreigend alsof hij het over de Bijbel had. Alsof uit zijn korte antwoord alles af te leiden viel.

'De wet?' vroeg ik, in de hoop dat hij erover zou uitweiden.

'Kindje, je hebt geen idee hoeveel boekwerken er wel niet aanwe-zig zijn in de bibliotheken van de beste juridische faculteiten van de Verenigde Staten. Speciaal opgeleide stenografen leggen zorgvuldig de bijzonderheden van elke rechtszaak vast: de feiten, de problemen, de precedenten en de beslissingen.'

'En zou je al die boeken moeten lezen om te weten te komen wat de wet inhoudt?'

Ik wist niet of ik het goed begreep. Maar inmiddels had ik wel de nieuwsgierigheid van de gastadvocaat geprikkeld. Ik neem aan dat hij nog nooit op die manier door een meisje was ondervraagd, en hij leek inmiddels vastberaden te zijn om me een bevredigend ant-woord te geven. 'We beginnen met de grondwet van de Verenigde Staten. Die geldt voor elke Amerikaanse staat en stad. Maar alles wat niet omschreven wordt in de grondwet, wordt door de afzonderlijke staten en gemeenten omschreven. Ik denk dat je naar elk gemeente-kantoor toe kunt stappen om een afschrift van de plaatselijke wette-lijke bepalingen te vragen. Je zou het staats- en gemeenterecht zelfs kunnen aantreffen in een openbare bibliotheek – als die groot ge-noeg is. Maar het interpreteren van de wet, daar zit 'm de kneep, lief-je. Dat is wat advocaten en rechters doen. We bestuderen de wetten en proberen ze dan eerlijk toe te passen. En al doende worden weer nieuwe wetten geschapen.'

Hij had er geen idee van dat ik, hoe nieuwsgierig ik ook was, al niet meer luisterde naar het laatste deel van zijn antwoord. Ik was al-leen maar geïnteresseerd in één simpel antwoord op een simpele vraag: of en waar Robert en ik legaal konden trouwen. Zijn wijdlopi-ge uitleg bevatte dat ene detail waarop ik had gehoopt. We hadden op school de grondwet bestudeerd, en daar stond niets in over het huwelijk.

Vóór die dag wist ik verstandelijk wel dat elke staat wat betreft al-lerlei zaken zijn eigen regels opstelde, maar het was nooit in me opgekomen dat een huwelijk tussen een zwarte en een blanke welis-waar illegaal was in Kentucky, maar misschien elders niet.

Mijn lerares sloeg me gade terwijl ik aan het eind van de dag mijn boeken en schoolwerk verzamelde. Ze schudde haar hoofd en ging door met het schoolbord wissen.

Later die week schreef ik in een vervalst handschrift een briefje aan de schooladministratie met de mededeling dat ik de volgende dag absent zou zijn omdat ik mijn moeder moest vergezellen naar een familieaangelegenheid op enige afstand van ons dorp. De secretaresse wierp nauwelijks een blik op het briefje voordat ze het doorstuurde naar mijn lerares.

De volgende ochtend ging ik zoals gewoonlijk op weg naar school, maar toen ik het centrum van het dorp bereikte, sloeg ik af en nam ik een bus die aansluiting had op een andere bus die me naar het centrum van Cincinnati zou brengen, waar ik langs zou gaan bij het gemeente-kantoor waar huwelijkscertificaten werden verstrekt. Ik had een vraag.

16

Dorrie, heden

Ik was toch te beschaamd om Teague te bellen. Ik stuurde hem een sms'je en hoopte maar dat hij meteen zou bevestigen dat hij mijn bericht had ontvangen. Als hij dat niet zou doen, zat er niets anders op dan met hem te praten.

'Teague. Enorme vergissing. Laat politie er s.v.p. geen werk van maken. Wil geen aanklacht indienen.'

Het bericht leek wel een ouderwets telegram. Ik had noch de tijd, noch de energie om er meer van te maken.

Hij probeerde me meteen terug te bellen, maar ik negeerde de zwoele stem van Marvin Gaye. Ik kon de confrontatie met Teague niet aan, zelfs niet door de telefoon. Ik wist dat hij zo snel zijn eindeloos lange benen hem konden dragen zou vluchten als ik hem eenmaal had uitgelegd wat er gebeurd was. Zijn hulp aannemen bij de wandaden van een vreemde was één ding; hem de nieuwe misdaadcarrière van mijn ontspoorde zoon in sleuren was iets heel anders.

De sms'jes kwamen algauw.

'Eh... hoezo?' luidde het eerste.

En daarna: 'Dorrie, wat is er gebeurd? Ik heb gedaan wat je vroeg, maar ik snap het niet.'

'Je wilt toch nog wel dat ik de deur repareer?'

'Dorrie. Bel me. Alsjeblieft. Ik ben ongerust.'

'Dorrie?'

Ze stapelden zich op, het ene na het andere. Mevrouw Isabelle haalde een aantal papieren zakdoekjes uit haar tas en spreidde die uit over de bank voordat ze naast me kwam zitten. Ik zag aan haar gezicht dat ze genoeg had gehoord om te begrijpen wat er was gebeurd, en dat ik er niet over hoefde uit te weiden, tenzij ik dat zelf wilde.

Ik geef het niet graag toe, maar ik zat te snotteren. Ik veegde die rottranen die over mijn wangen biggelden hardhandig weg, en wist niet precies wat me nu het nijdigst maakte op mijn zoon: zijn wandaad of het feit dat hij me voor het eerst in ik weet niet hoe lang aan het janken had gemaakt. De enige reactie van mevrouw Isabelle op mijn tranen was het doorgeven van het zoveelste zakdoekje, dat ze zwijgend uit die bodemloze handtas haalde toen ik niet nóg meer zout water kon opvangen met mijn handen, en mijn neus ook al drupte. Ze begreep me.

Na verloop van tijd stond ze op en liep met voorzichtige pasjes verder over het trottoir. Ik slaakte een zucht en volgde haar, met het idee dat ik mijn eigen sores beter even uit mijn hoofd kon zetten. We waren hier niet voor niets gestopt, dus ik richtte mijn aandacht op haar terwijl we onze weg vervolgden.

Ik kwam ongeveer op hetzelfde moment bij de gedenksteen aan als zij; ik liep sneller, ook al probeerde ik dat niet te doen. Maar ik hield afstand toen ze de inscriptie bestudeerde, en sloot me daarna bij haar aan. De grote gedenksteen sierde de ingang van een van de gebouwen van de campus. Op de steen stond de verweerde afbeelding van een knielende soldaat, die het hoofd van een gewonde medesoldaat ondersteunde en met een stethoscoop diens hart beluisterde. Onder de afbeelding waren een stuk of vijftig namen gegraveerd. STUDENTEN MURRAY MEDICAL COLLEGE, OORLOGSJAAR 1946, stond er boven de namen. Mevrouw Isabelle liep met haar vinger een kolom namen af tot ze de naam vond die ze zocht. Ze keek me glimlachend aan, en nu glinsterden er tranen in háár ogen, hoewel ook zij deed alsof ze niet huilde.

ROBERT S. PREWITT

Mijn ogen gleden van haar naar de naam en terug. Ik keek haar met een schuin hoofd vragend aan en fluisterde: 'O, mevrouw Isabelle, is dat hem? Uw Robert?'

Ze ging weer rechtop staan. 'Medicijnen studeren op Murray was zijn grootste droom.'

Wat voor moeilijkheden Robert en mevrouw Isabelle samen ook hadden doorstaan – ik kende nog steeds niet het hele verhaal – hij had in elk geval zijn droom waargemaakt.

Terug in de auto installeerden we ons weer tussen de drinkbekers, kruiswoordpuzzelbladen en overige reisrommel. Ik draaide het contactsleuteltje om, hoewel ik bijna te moe was om achteruit de bezoekersparkeerplek af te rijden. Mevrouw Isabelle zag dat ik mijn krachten verzamelde. 'O, Dorrie. Dit is te veel. Je moet naar huis.' Ze wachtte op antwoord. 'Ik meen het. We kunnen nu beter omkeren.'

Die lieve mevrouw Isabelle. We waren nota bene op weg naar een begrafenis, en ze was bereid dat op te geven om mij in de gelegenheid te stellen de problemen uit de weg te ruimen die thuis op me wachtten. Ik wist dat het verstandig zou zijn om op haar voorstel in te gaan. Thuis donderde alles in elkaar, terwijl ik een geheimzinnig reisje maakte, naar een begrafenis reed van iemand die ik zelfs nog nooit had ontmoet – iemand wiens identiteit nog onduidelijk was, hoewel ik inmiddels zo mijn vermoedens had.

'Mevrouw Isabelle... deze begrafenis... is nogal belangrijk voor u, hè? Gaat het om iemand die veel voor u heeft betekend?'

Ze hield haar hoofd een tikje schuin, alsof ze echt nadacht over mijn vraag. 'De begrafenis is belangrijk, uiteraard. Maar Dorrie, niets, maar dan ook niets is belangrijker dan de verantwoordelijkheid van een moeder. Echt waar, als je liever hebt dat we...'

Ik onderbrak haar. 'Nee.' Door haar opmerking was alles glashelder geworden. 'Ik kan nu beter ergens anders zijn dan thuis. Dán ben ik een goede ouder voor Stevie Junior. Mijn zoon heeft gelijk: als ik hem nu zou zien, zou ik ongetwijfeld van alles doen – van alles zéggen – waar ik spijt van zal krijgen. Teague heeft de politie laten weten dat ze geen werk hoeven te maken van de inbraak. Inbraak...' Ik lachte bitter. Gold het ook als inbraak als je beroofd werd door je eigen kind? Voor een dergelijk misdrijf zou eigenlijk een zwaardere classificatie moeten bestaan. En Bailey zou haar plannen kennelijk hoe dan ook doorzetten – alleen niet met míjn geld. 'We gaan verder, mevrouw Isabelle. Stevie Junior neem ik wel onder handen als ik thuiskom.'

Ik had het sms'je van Teague over het repareren van de deur niet beantwoord, maar hem kennende, zou hij dat toch wel afhandelen. Ik hoopte dat ik erop kon rekenen dat Stevie Junior na ons eerstvolgende telefoongesprek bij de zaak langs zou gaan om de boel te controleren, als ik hem dat vroeg. Dat was wel het minste wat hij kon doen om zijn voorlopig allerslechtste keus ooit alvast een klein beetje goed te maken.

17

Isabelle, 1939

Ik sprong uit de bus en kwam terecht op lucht, zo licht voelde ik me. Ik kon wel blijven rennen, zonder dat ooit de energie opraakte die kloppend door mijn aderen, spieren en botten stroomde – van mijn hoofd tot mijn tenen en andersom. De bladeren waren aan het verkleuren, en onder het rennen streek ik er met mijn vingers langs; hun doordringende geur bracht me in verrukking en hun verschillende tinten leken doorschijnend: helderder en hoopvoller dan alle andere kleuren die ik ooit had gezien, zelfs nu ze zich opmaakten om terug te keren naar de aarde.

Robert en ik konden samen zijn. Voor altijd. Het was eenvoudiger dan ik had gedacht. Je hoefde alleen maar een rivier over. Een brede rivier, maar met meer dan genoeg bruggen.

In Ohio bestond geen wettelijk verbod op gemengde huwelijken. Het was daar blanken en zwarten al sinds 1887 toegestaan met elkaar te trouwen. Sterker nog: het was alleen de eerste paar jaar van de Burgeroorlog verboden geweest. In Kentucky daarentegen bestond al sinds de oprichting van de staat een wettelijk verbod op gemengde huwelijken. Wie had kunnen denken dat ongeveer een kilometer over het water zo'n verschil kon maken? Ik stond er versteld van.

Ik ging er zomaar van uit dat Robert met mij wilde trouwen. Ik was nog maar zeventien – ik was die herfst net jarig geweest – en hij was inmiddels achttien, maar het was niet ongewoon om jong te trouwen. Op onze leeftijd werd je om allerlei praktische redenen als volwassen beschouwd. Verscheidene van mijn vriendinnen waren vroegtijdig van school gegaan en al een paar jaar getrouwd, en heel wat meisjes die we kenden – vooral degenen uit minder welvarende milieus – hadden een of meer kleintjes aan hun rokken hangen.

Ik was niet van plan geweest een kindbruidje te worden; mijn oorspronkelijke ambities, hoe vaag ook, hadden het huwelijk vooruitgeschoven op mijn tijdslijn, een paar streepjes na iets belangrijks doen met mijn leven.

Maar begrijp wel: als je verliefd wordt, vliegt alle redelijkheid het pas geopende raam van je geest uit.

Ik wist zeker dat ik Robert ervan kon overtuigen dat het een verstandige oplossing was.

Immers, als we wettig getrouwd waren, kon niemand het ons meer verhinderen bij elkaar te zijn. We zouden misschien niet zo lang we wilden verkering kunnen hebben, de tijd kunnen nemen om elkaars kwaliteiten – en tekortkomingen – goed te leren kennen voordat we zo'n definitieve stap namen. Ik zou Robert misschien minder goed kennen dan ik hem zou hebben gekend wanneer onze omstandigheden anders waren geweest en ons dat voorrecht wel was gegund.

Maar één ding wist ik wel: ik hield van hem, en ik kon me niet voorstellen dat wat of wie dan ook me van gedachten kon doen veranderen. Ik wilde de rest van mijn leven met Robert doorbrengen. Als dat betekende dat ik meteen met hem moest trouwen in plaats van rustig te kunnen toeleven naar het huwelijksgeluk, dan zou ik dat doen.

Ik hoopte vurig dat hij er net zo over zou denken.

Ik genoot net zo lang van mijn nog ongerepte kennis tot ik het niet meer uithield en pen op papier zette om na bijna een maand weer een brief aan Robert te schrijven. Ik zat eerst het avondeten nog uit, en stikte bijna in de doperwten met roomsaus toen papa vroeg hoe mijn onderzoek die middag was verlopen. In al mijn euforie was ik vergeten wat ik als excuus had opgegeven voor mijn late thuiskomst: dat ik na lestijd op school was gebleven om bronnenonderzoek te doen voor een scriptie. Ik was even bang dat ik betrapt was, dat een collega van mijn vader me misschien had opgemerkt toen ik verdiept was in de kleine lettertjes bij de instructies voor de aanvraag van een huwelijkscertificaat in Ohio. Omdat ik in de tekst niets had aangetroffen wat een hinderpaal kon vormen, vroeg ik het voor alle zekerheid nog eens na bij de beambte. Haar gelaatsuitdrukking was ondoorgrondelijk, maar haar stilte veelzeggend. Uiteindelijk antwoordde ze: 'Tja, ik geloof niet dat er een wet is die het verbiedt, nee.' Ze snoof. 'Voor zover ik weet niet.'

'Dus als deze twee mensen die ik heb beschreven het aanvraagformulier zouden willen invullen en een huwelijkscertificaat zouden willen ontvangen, dan zou dat hier toegestaan zijn?' Ze haalde haar schouders op en ging door met haar werk, alsof ze het onverdraaglijk vond om het hardop te bevestigen. Ik hoopte maar dat er een andere beambte zou zitten als ik samen met Robert terugkwam – hoewel een ander misschien wel ontzet zou zijn in plaats van alleen maar verbluft, of de aanvraag om andere redenen niet eens in behandeling zou willen nemen.

'Het gaat prima met mijn onderzoek, papa,' antwoordde ik toen ik het onfortuinlijke huwelijk tussen zuurstof en doperwten in mijn luchtpijp weer onder controle had gekregen.

Zodra het luchtige tafelgesprek van die dag was stilgevallen, vroeg ik of ik mocht opstaan. Op mijn kamer ging ik tegen de muur naast mijn bed zitten en kauwend op mijn pen dacht ik erover na hoe ik Robert op de hoogte zou stellen van ons op handen zijnde huwelijk.

'Lieveling,' begon ik. Nee. Dat kwam te gemaakt over, ook al stroomde mijn hart over van liefde.

Ik koos voor een onopgesmukte benadering: 'Lieve Robert.' Elke andere aanpak zou me neerzetten als een kind, onvolwassen en met haar hoofd in de wolken, in plaats van als een volwassen, nuchtere vrouw die doodernstig was.

De volgende ochtend hield Nell bij mijn teken abrupt op met het poetsen van de kapstok in de gang. Ze gaf een rukje aan haar oor, maar met zo'n vragende uitdrukking dat ik op mijn kin tikte om er zeker van te zijn dat ze het begreep. Ze had zich ongetwijfeld afgevraagd waarom er weken voorbij waren gegaan zonder briefwisseling, maar ze had me er nooit over aangesproken. Later, op mijn kamer, begroette ze me met een bezorgd gezicht. Ik vroeg me af of

Robert haar had verteld over het ultimatum dat ik hem in het bos had gesteld.

'Je moet hier extra voorzichtig mee zijn, Nell,' fluisterde ik. 'Niemand mag dit zien, behalve Robert. Als een ander het onder ogen zou krijgen, zijn we de pineut.' Ik vond het vervelend om haar nog ongeruster te maken, maar mijn brief moest rechtstreeks van mijn handen naar de zijne gaan, en zij was de enige die er verder nog aan mocht zitten.

Ze stopte de brief zuchtend in haar zak. 'Je maakt me bang als je zo praat. Ik heb het gevoel dat ik iets in gang heb gezet dat ik misschien beter niet in gang had kunnen zetten. Ik wilde alleen maar dat jullie allebei...'

Ik onderbrak haar. 'Dit betekent heel veel voor me, en voor Robert ook.' Dat ik voor Robert sprak was waarschijnlijk een vreemde gewaarwording voor Nell. Zij was degene die met hem was opgegroeid, en zo weinig met hem in leeftijd scheelde dat ze vaak voor een tweeling werden aangezien. Ik gaf een klopje op de kant van haar schort waarin de brief verborgen zat, maar het vervulde me ook met ontzetting dat haar gezicht weer schuilging achter een masker van behoedzaamheid.

'Ik moest maar weer aan het werk gaan,' zei ze, en ze wendde zich af.

'Isa, ben je gek geworden?' schreef hij terug.

'Ja, ik ben buiten zinnen van liefde voor jou,' antwoordde ik.

'Het pakt vast niet goed uit. Je bent te jong. Je hebt te veel te verliezen,' was zijn reactie.

Ik verfrommelde het vel papier tot een prop en gooide die in de hoek, om hem even later weer op te pakken en glad te strijken. Ik staarde naar Roberts redenering en haalde een nieuw vel briefpapier tevoorschijn.

'Denk niet aan mij. Ik heb hier toch niets. Jij bent degene die je studie zult moeten uitstellen. Jij bent degene bij wie ze verhaal zullen komen halen. Je hebt gelijk – het is hopeloos. Zet mijn zottenpraat maar uit je hoofd.'

Maar hij zette het niet uit zijn hoofd. Integendeel: hij stuurde me een gedetailleerde lijst van elk denkbaar argument dat tegen het plan aangevoerd kon worden. Ik maakte uit zijn analyse op dat het geen verloren zaak was.

'Dat weet ik allemaal ook wel. Wil je misschien eigenlijk helemaal niet met mij samen zijn? Ben ik de reden?' schreef ik.

Ik wist dat het manipulatief was, en ik had Nell nog niet weggestuurd met het briefje of ik had al spijt van mijn woorden. De volgende dag stuurde ik een nieuw briefje. 'Het spijt me. Dat had ik niet mogen zeggen. Vergeef me alsjeblieft dat ik aan je heb getwijfeld.'

Er ging een weekend voorbij zonder dat ik iets hoorde. Ik berustte erin. Ik had eindelijk bewezen hoe zelfzuchtig ik wel niet was. Toch kreeg ik een week later antwoord van Robert.

'Ik kan niets bedenken wat ik liever zou willen dan mijn leven verenigen met het jouwe, ook al maakt die gedachte me doodsbang. Maar een huwelijk zal de meeste problemen waar we als echtpaar mee geconfronteerd zouden worden niet oplossen, zelfs niet in Cincinnati. De wet is daar wel anders, maar dat betekent niet dat de mensen dat ook zijn. En ik ben niet de enige die door hen veroordeeld zou worden.'

'Ik ben niet achterlijk,' schreef ik, 'ook al gedraag ik me vaak wel zo.'

Toch was ik wel zo achterlijk om alleen te willen dromen van de hoed en de jurk die ik op onze trouwdag zou dragen, en van taferelen van huiselijk geluk. Wat boosaardige mensen een paartje zoals wij zouden kunnen aandoen, daar dacht ik liever niet aan. Ik stond mezelf niet toe me ons leven voor te stellen zonder de steun van mijn familie, met name de steun van mijn vader.

Robert maakte geen haast met zijn beslissing.

'Isa, je moet geduld hebben. Ik wil me eerst nog eens goed verdiepen in alles wat er komt kijken bij een huwelijk in Cincinnati, voor mijn eigen gemoedsrust. Ik zou werk moeten zien te vinden, en een onderkomen voor ons. Dat heeft tijd nodig. Ik mis je nu al zo dat ik het nauwelijks uithoud,' schreef hij.

Hoewel ik hem ook vreselijk miste, leidde ik mezelf af met school. Als hij zou instemmen, zou ik het laatste jaar misschien niet kunnen afmaken op mijn eigen school, maar waar Robert en ik ook zouden wonen, ik zou altijd weer naar school kunnen gaan om mijn opleiding te voltooien, zij het wat later dan anders.

Van de resterende dagen van de herfst tot aan de kerstvakantie wachtte ik op bevestiging. Maar de brieven van Robert gingen nog steeds over zijn studie, een stilzwijgende en onbedoelde herinnering aan het feit dat zijn felbegeerde opleiding door het huwelijk op de lange baan geschoven zou worden, want mijn vader zou de financiële steun ongetwijfeld staken. Zonder die steun zat het er niet in dat Robert een studie kon bekostigen, al helemaal niet omdat hij er zijn handen vol aan zou hebben om in het levensonderhoud van ons beiden te voorzien. Maar ik was ervan overtuigd dat we er wel iets op zouden vinden, als het zo moest zijn dat hij net als ik weer ging studeren.

Eindelijk was het zover. Tijdens de kerstvakantie schreef Robert dat hij werk had gevonden bij een scheepswerf aan de bij Cincinnati horende kant van de rivier. Het loon was schamel, maar voldoende om verzekerd te zijn van een kamer in een pension. Hij hoopte dat ik me niet zou schamen om in een buurt in West End te wonen die voornamelijk door zwarten werd bevolkt – plus een stuk of wat Aziaten en mensen met een Cherokee-uiterlijk. Hij had geen andere keus; vrouwen die in een ander deel van de stad kamers verhuurden hadden hun deur voor zijn neus dichtgeslagen toen hij vroeg of ze woonruimte hadden voor hem en zijn vrouw.

Zijn vrouw. Ik vond die woorden zowel beangstigend als fascinerend.

'Isa... wil je met me trouwen?' schreef hij.

'Ja, ja, ja! Ik wil met je trouwen, Robert.'

Ik plakte de brief dicht en drukte hem op mijn hart voordat ik hem aan Nell meegaf.

Volgens Robert hadden we een bondgenoot nodig om ons te helpen bij ons plan. Nell gedroeg zich tegenover mij nog behoedzamer dan eerst, en gaf vrijwel zonder iets te zeggen of me aan te kijken de brieven door – met grotere regelmaat, nu Robert in de kerstvakantie thuis was. Weer werd de afstand tussen ons langzamerhand groter, tot ik het niet langer kon verdragen.

Toen ze op een dag langs mijn kamer liep, trok ik haar naar binnen.

'Nell, toe nou. Kijk niet zo ongelukkig. Dit is wat we willen, je broer en ik. Stel je eens voor hoe het zou zijn als James en jij niet met elkaar mochten omgaan, of hoe het zou zijn als jullie elkaar niet in het openbaar mochten ontmoeten.'

Haar schouders zakten zo ver naar beneden dat het leek alsof ze op haar ribben terecht zouden komen. Ik duwde haar mijn bed op en plofte naast haar neer. We hadden al jaren niet meer op gelijke hoogte gezeten, maar ik was bang dat ze zou omvallen als ik haar niet ondersteunde. 'O, liefje,' zei ze. 'Ik zit zo in over Robert, en ook over jou. Ik voel de angst híér helemaal.' Ze porde met haar vingers in haar maag en vertrok haar gezicht, alsof haar ingewanden werkelijk volkomen van streek waren. Ik herkende het, hoewel de onrust in de mijne vermengd was met een dosis vreugde, waardoor het nog uit te houden was. 'Je hebt zulke boosaardige mensen... Die zullen het er maar wat graag akelig en gevaarlijk op maken voor jullie. Dat het in Ohio wettig is, wil nog niet zeggen dat het er ook veilig is.' Ze veegde met een slip van haar schort haar tranen weg en wendde haar hoofd af, alsof ze zich schaamde.

Ik wilde haar ervan overtuigen dat we het best zouden redden, dat we, zodra we het certificaat hadden en een predikant het had ondertekend, niet anders waren dan elk ander getrouwd stel dat ze kende. Maar ik wist dat het een leugen was. Ik gooide het dus maar over een andere boeg. 'Nell, je bent als een zus voor me. Ik wil dolgraag dat je werkelijk mijn zus wordt – en dat gebeurt als Robert en ik trouwen.' Haar ogen werden groter en er lichtte een sprankje vreugde op in haar irissen, ook al beweerde ze dat ons plan niet kon slagen, of dat als het ons lukte te trouwen, niemand mijn beweegredenen zou begrijpen.

'En we zullen voor jou en je moeder zorgen. Dat beloof ik. Wat míjn moeder ook doet, wij zorgen voor jullie.' Ons huwelijk zou ongetwijfeld het ontslag van Nell en Cora tot gevolg hebben, en die konden zich niet in leven houden van alleen het inkomen van Albert. Robert en ik hadden afgesproken dat hij twee banen zou nemen om hun verlies te vergoeden. Ook ik zou gaan werken. Zijn moeder zou uiteindelijk wel ander werk vinden, en Robert had zelfs het idee dat broeder James zich geroepen zou voelen Nell eerder ten huwelijk te vragen – wat tóch al ophanden was. We hadden voor alle omstandigheden die we maar konden bedenken een plan klaar.

Haar schouders gingen een tikje omhoog. 'Ik maak me vooral zorgen om mama. James en ik redden het wel.'

Ik knikte. 'Ik zal van alles nodig hebben als ik ga trouwen,' zei ik. 'Wil je me helpen?'

Dit vergde meer van haar dan wat dan ook. Ik vroeg haar niet alleen om hulp; ik vroeg haar ook zich aan te sluiten bij datgene wat een kloof zou veroorzaken tussen onze families – al zou het ze aan één broos puntje bijeenhouden. Nell greep mijn hand en kneep erin.

18

Dorrie, heden

Het leidde me af van mijn eigen beslommeringen om te horen dat de jonge mevrouw Isabelle op die leeftijd er al zo zeker van was dat het allemaal goed zou komen. Het gaf me stof tot nadenken, ook al had ik het gevoel dat het verhaal niet gelukkig zou aflopen. Ze was nota bene even oud als mijn Stevie Junior toen ze samen met Robert zo'n beetje de wereld probeerde te verbeteren, terwijl Stevie op allerlei manieren probeerde zo snel mogelijk zijn leven te gronde te richten. Ik vermoed overigens dat toentertijd ook iedereen van mening was dat mevrouw Isabelle en Robert hun leven te gronde probeerden te richten. Ik was blij dat de tijden veranderd waren. Min of meer.

Toen we uit Nashville wegreden, eindelijk noordwaarts in plaats van oostwaarts, dacht ik terug aan mijn jeugd in dat kleine stadje in Oost-Texas. De scholen hadden op het allerlaatste moment de rassenscheiding afgeschaft, en we wisten allemaal dat de middelbare school vroeger de zwarte school was geweest, die niet meer dan enkele jaren voor mijn geboorte gesloten en gerenoveerd was. Er was nog steeds een duidelijke scheidslijn in de stad, of er nu borden stonden of niet. Je wist waar de zwarten woonden en waar de blanken, en hoewel er aan de rand van die gebieden misschien wel wat huizen afweken, stak niemand werkelijk de grens over.

In een zomer ging ik eens samen met mijn kinderen logeren in mijn ouderlijk huis, nog voordat mijn moeder naar de stad was verhuisd om dichter bij ons te zijn. Op een dag speelden we samen in het park. Een schattig blank meisje raakte op de speelplaats bevriend met Stevie Junior en nodigde hem uit voor de jaarlijkse vakantiebijbelschool, de volgende ochtend in de grote baptistische kerk. Mijn kaak schoot zowat uit de kom toen haar moeder het prima vond en vertelde dat zij de lerares was voor hun leeftijdsgroep, en dat ze Stevie met alle liefde wilde komen ophalen en meenemen als hun gast. Bebe was nog in de luiers en te jong om erheen te gaan. Toen Liz de volgende ochtend voor de deur van mijn moeder claxonneerde, stopte ik Stevie bij haar in de auto en tuften ze met z'n allen naar de kerk. Stevie had het er enorm naar zijn zin. Bij thuiskomst was hij kleverig van het snoep, besmeurd met vingerverf en glitter, en zo afgepeigerd dat hij voor het eerst in jaren weer een flink middagdutje deed. Toen we later nogmaals naar het park liepen, waren de kleine Ashley en haar moeder er ook weer. Maar ditmaal begroette Liz ons met een lang gezicht.

'Ik haat deze stad,' zei ze. 'Sinds we vanwege het werk van mijn man hiernaartoe zijn verhuisd, heb ik steeds het gevoel gehad dat er een onderstroom was, maar tot vandaag kon ik er maar niet de vinger op leggen.'

Ik vond het vervelender voor Liz dan voor mezelf. Ik wist wat ik te horen zou krijgen. Ik was hier opgegroeid. Ik vond het ook al te mooi om waar te zijn. 'Je hebt zeker te horen gekregen dat Stevie morgen niet welkom is op de vakantiebijbelschool?'

Haar mond viel open en ze deed hem met een boze klap van haar kaken weer dicht. De predikant was langsgekomen om haar te zeggen dat iemand anoniem het kantoor van de kerk had gebeld en had gedreigd iets afschuwelijks te doen als er op de vakantiebijbelschool nogmaals zwarte kinderen werden toegelaten. Maar dan in minder nette bewoordingen. De predikant zei dat het hem speet, maar dat hij machteloos stond. 'Jemig. Dit is belachelijk,' zei Liz. 'Ik kan het niet eens geloven. We leven toch niet in de middeleeuwen? Hadden we nu maar gehuurd in plaats van gekocht. Ik weet niet hoe gauw ik hier weg moet komen.'

'Nou ja, Stevie heeft zich vandaag kostelijk vermaakt. Ik ben blij dat je hem hebt uitgenodigd. Jammer dat het de rest van de week niet zal lukken, maar trek het je niet aan.'

'O, Dorrie. Het kan me niet schelen wat er gezegd wordt. Ik wil dat je Stevie toch laat komen.'

'Neuh,' zei ik. 'Daar krijg je op de lange duur te veel problemen mee. Dan sta je bekend als "dat mens". En neem maar van mij aan: je wilt hier niet "dat mens" zijn.'

Voor ik het wist stond ze te snuffen en welden er tranen op in haar ogen. Ik wist dat ze in tweestrijd stond tussen graag het juiste willen doen en erkennen dat ik gelijk had.

'Het geeft niet,' zei ik. 'Echt. Ik heb het hier al zo vaak meegemaakt, en het zal ook wel niet veranderen. Ik waardeer het dat je je best hebt gedaan.'

Ze gooide gefrustreerd haar handen in de lucht.

Toen ik Stevie Junior later uitlegde dat hij de volgende dag niet naar de vakantiebijbelschool mocht, barstte hij eerst in tranen uit en drong daarna net zo lang aan tot ik bezweek en me er niet meer met smoezen afmaakte. Ik nam aan dat hij met zijn zeven jaar oud genoeg was om de waarheid te weten, als hij ook oud genoeg was om er het slachtoffer van te zijn. 'Knul, sommige mensen vinden zwarten nog steeds minder dan blanken. Die mensen zeggen en doen lelijke dingen, waardoor we niet goed met elkaar kunnen opschieten.'

'Maar onze juffrouw Liz zei in de klas dat Jezus van álle kinderen op de wereld houdt. We hebben er een liedje over gezongen. Zwart en rood en geel en wit...' Hij zong de kleuren in willekeurige volgorde, en ondanks mijn hartzeer moest ik lachen. Ik herinnerde me dat ik als kind datzelfde liedje had gezongen. Het was niet politiek correct meer om te zeggen dat mensen rood of geel waren, en zelfs zwart lag soms al gevoelig, maar ik had het idee dat Liz het liedje had opgespit en afgestoft omdat Stevie te gast was. Het was vast in geen enkel nieuw onderwijsprogramma opgenomen.

'Je hebt gelijk, lieverd, dat is ook zo. Maar sommige domme mensen geloven dat nog steeds niet. Juffrouw Liz wel, en ze vindt het heel jammer dat je morgen niet meer mag komen. Maar ze wil nog wel graag dat je in het park met Ashley speelt.'

Zelfs tegenwoordig nog, in de uitgestrekte stedelijke agglomeratie van Texas waar mevrouw Isabelle en ik wonen, worden we met racisme geconfronteerd. Een jonge blanke vrouw die een tijdje als zelfstandige bij mij in de zaak een kappersstoel had gehuurd, had een dochtertje van gemengd bloed. Het meisje was regelmatig huilend uit school gekomen omdat ze noch bij de zwarte, noch bij de blanke kinderen aansluiting kon vinden. Op een keer was ze uitgenodigd om na school bij iemand thuis te komen spelen, maar toen de andere moeder de kinderen kwam ophalen, maakte ze zich ervan af met de smoes dat ze vanwege een onverwachte gebeurtenis het meisje niet mee naar huis kon nemen. De schoolsecretaresse belde Angie om haar te laten weten dat ze haar dochter bij de administratie moest komen ophalen, want de vrouw had haar daar nota bene achtergelaten.

Mijn eigen moeder wond zich erover op dat ik het haar deed van blanken. Ze begreep niet waarom ruim de helft van mijn klanten blank was. Ik legde uit dat ik op school had geleerd met alle soorten haar te werken, en dat ik in de loop der tijd had ontdekt dat ik gewoon goed was met blank haar. Ik was beslist niet van plan een klant af te wijzen vanwege zijn of haar huidskleur. Ik had altijd in zaken gewerkt die een overwegend blanke klantenkring hadden, en toen ik mijn eigen zaak begon, verhuisde het merendeel van mijn klanten met me mee.

Toen we zo over de snelweg reden, ik in gedachten verzonken en mevrouw Isabelle weer verdiept in haar kruiswoordpuzzelblad, was het ergste nog dat het me pijnlijk duidelijk werd dat ik net zo goed vooroordelen had.

De enige keer dat ik bij Teague thuis was geweest, had ik overal foto's van zijn kinderen zien hangen. Er zat oude een foto bij van hen met Teague en zijn ex, voordat die twee uit elkaar waren gegaan. Zij was blank. De kinderen waren goudkleurig. Ik weet niet hoe ik het anders moet omschrijven. Hun huid en haar stráálden bijna op die foto, en de ogen van zijn dochtertje hadden de kleur van een warme oceaan.

Hoe progressief ik ook beweerde te zijn, met mijn blanke klantenkring, ik was het eigenlijk helemaal niet, en wond me op over de blanke vriendin van mijn zoon, die misschien wel de toekomstige moeder van mijn halfblanke kleinkind werd. Ik vroeg me af of ik wel een goede stiefmoeder kon zijn voor kinderen met een blanke biologische moeder, mocht het ooit zover komen. Ik vroeg me al helemaal af wat zij er zelf van zou vinden. Natuurlijk, ze was ervandoor gegaan en had Teague het grootste deel van de tijd voor hen laten zorgen, maar hoe zou ze reageren als een zwarte vrouw – een érg zwarte vrouw – de moederrol ging vervullen in hun leven?

Stevies perikelen waren voor mij een extra reden om nu aan die angsten toe te geven. Ik bleef de sms'jes van Teague negeren, en toen de telefoon weer ging en ik zijn nummer zag, bracht ik het ding tot zwijgen en legde het met de voorkant naar beneden op het dashboard.

19

Isabelle, 1940

Op een kille zaterdag laat in januari, toen de middagzon vrijwel niet vanachter de wolken tevoorschijn kwam, ging ik met mijn boekentas van huis, onder het voorwendsel dat ik in de bibliotheek ging studeren. Moeder was de laatste paar maanden minder waakzaam geweest, te zeer in beslag genomen door de feestdagen om mijn komen en gaan in de gaten te houden. De bibliotheek was weer mijn domein geworden, wanneer ik dat wilde. Ik haalde vanonder een heg een koffertje tevoorschijn dat ik die ochtend toen iedereen nog sliep daar had verstopt, en op de lege plek legde ik de tas vol bibliotheekboeken neer. Ik bood juffrouw Pearce stilzwijgend mijn verontschuldigingen aan; tegen de tijd dat de boeken ontdekt zouden worden, zouden ze misschien wel beschimmeld zijn.

Nell had mijn nette jurken gewassen en gestreken, samen met de rest van het goed dat ik nodig zou hebben. Ik had mijn mooiste jurk zorgvuldig om een bijpassende hoed gevouwen voordat ik die in mijn overvolle koffer stopte, in de hoop dat hij niet onherstelbaar zou deuken. Ik hoopte maar dat ik tijd zou hebben om een openbaar toilet in te duiken en me daar te verkleden. Waarschijnlijk zou ik genoegen moeten nemen met wat ik nu aanhad – een heel aardige jurk – wanneer Robert en ik de trouwgelofte aflegden. Moeder zou meteen argwanend zijn geworden als ze me feestelijk gekleed naar de bibliotheek had zien gaan.

De maandag daarvoor hadden Robert en ik elkaar getroffen in het gerechtsgebouw van het district Hamilton, waar we de beambte – ondanks haar onmiskenbare wantrouwen – zover kregen dat ze onze aanvraag voor een huwelijkscertificaat in behandeling nam. Robert en ik gaven op de aanvraag allebei aan dat we achttien waren, hoewel ik nog maar net mijn zeventiende verjaardag achter de rug had. Toen de beambte de door ons ingevulde gegevens bestudeerde, hoopte ik vurig dat ze me niet zou vragen een bewijs te overleggen van mijn leeftijd. We hadden allebei beweerd inwoners van het district Hamilton te zijn. Robert gaf het adres van zijn werkgever op als woonadres en ik het adres van het pension waar we van plan waren te gaan wonen. Dit was niet de beambte die ik een tijdje daarvoor had gesproken. Deze vrouw was eerder bezorgd dan ontsteld. Ze nam ons nieuwsgierig op, een tikje meelevend zelfs, vond ik. Ik was bang dat ze meteen in de gaten zou hebben dat onze gegevens onjuist waren, maar ze verstrekte ons uiteindelijk toch het document. We hadden die dag zoveel leugens verteld dat ik er bij thuiskomst misselijk van was. Maar op zaterdag leken die leugens in het niet te vallen bij het bedrog dat ik moest plegen om Shalerville uit te komen en op weg te gaan naar Cincy.

Nadat ik met de ene bus naar Newport was gegaan en met de andere via de brug de stad in, trof ik Robert voor de ingang van een kerk. Een werkmaatje had hem verteld dat de predikant daar spoedhuwelijken voltrok. Robert was niet in de gelegenheid geweest om eerst nog met de man te praten. We hielden allebei onze adem in toen Robert op de deur van de zijingang klopte, naast de werkkamer van de predikant. Er was hem verteld dat de predikant vaak op zaterdagmiddag werkte om de preek voor de volgende dag bij te schaven – of misschien zijn schamele domineesinkomen aan te vullen met het honorarium dat hij opstreek van paartjes die onaangekondigd verschenen.

De man reageerde pas toen Robert nogmaals aanklopte, harder nu. Hij gluurde voorzichtig om het hoekje van de deur, keek van Robert naar mij en daarna in de verte. Ik wist dat hij een derde partij zocht – nog iemand anders dan een jonge zwarte man, die een blank meisje begeleidde.

Toen hij niemand zag, bulderde hij: 'Wie zijn jullie? Wat willen jullie?'

'Het spijt ons dat we u storen, dominee. We hebben gehoord dat u huwelijken voltrekt. Hebt u een ogenblikje?'

De man gaapte eerst Robert en toen mij aan. Zijn ogen boorden zich in de mijne, en vroegen of ik uit eigen vrije wil was gekomen. Ik knikte, en hij richtte zijn stuurse blik weer op Robert. 'Wie heeft je dat verteld? Er is een afspraak voor nodig, en die zou ik met jou niet eens maken.'

Robert slikte moeizaam en ging dapper verder. 'Ik werk in de haven. Daar heeft iemand het me verteld.'

'Nou, dan heeft diegene je verkeerd geïnformeerd. Ik heb nog nooit een blanke en een nikker in de echt verbonden. Dat zal ik ook nooit doen.'

Hij wilde de deur voor Roberts neus dichtdoen, maar Robert liet een in handschoen gehulde hand door de opening glijden, zodat de man geen andere keus had dan ofwel Roberts vingers te kneuzen, ofwel de deur op een kier te laten. Godzijdank koos hij voor het laatste.

'Neemt u me niet kwalijk, meneer, maar kunt u me zeggen waar we dan wel in de echt verbonden kunnen worden?' Ik stond versteld van Roberts stoutmoedigheid.

'Waarom probeer je het niet eerst bij je eigen soort?' vroeg de man smalend en met een zogenaamd wanhopige blik. Zijn toon liet er geen twijfel over bestaan wat hij van onze relatie vond, alsof die op de een of andere manier verdorven was. Ik voelde mijn wangen gloeien toen hij me een blik vol walging toewierp. Opeens leek hij zich echter te bedenken. Ik vertrouwde die omslag niet zo. 'Misschien in de St.-Paulskerk.'

'De St.-Paulskerk, meneer?'

'De Afrikaanse methodistisch-episcopaalse kerk, zoals jullie soort het noemt. En nu wegwezen. Ik heb wel iets beters te doen dan me met lui als jullie bezighouden.' Hij spuugde op het trottoir en smeet de deur dicht. Gelukkig had Robert op tijd zijn hand weggehaald.

We sjokten terug naar de halte van de trolleybus. De St.-Paulskerk was volgens Robert waarschijnlijk in West End, niet ver van het pension waar we zouden gaan wonen. Hij vroeg een zwarte krantenverkoper hoe we er moesten komen. Het was druk op straat, zelfs voor een zaterdagnamiddag, en hij bleef een halve pas achter me lopen, alsof hij een uit nood gekozen begeleider was in plaats van mijn toekomstige echtgenoot. Ik wist dat hij geen aandacht wilde trekken, maar ik hoopte dat we op een dag zij aan zij zouden kunnen lopen – vrijelijk, en niet alleen maar wanneer we diep in het bos waren.

Midden in een rustige wijk met aan weerszijden van de straat de sombere huizen die kenmerkend waren voor deze buurt – kale woningen met een smalle veranda, bedekt met teerpapier met een baksteenmotief of armoedige planken – rees de St.-Paulskerk op: een prachtig, oud, Italiaans aandoend bouwwerk van rode baksteen, afgezet met wit steen. Ik tuurde omhoog, blij dat ik op een mooie plek zou trouwen – als de boze predikant ons tenminste juist had geadviseerd. De andere kerk, saai, modderkleurig, had zich nauwelijks onderscheiden van de in januari zo naargeestige omgeving.

Op het brede trottoir voor de St.-Paulskerk was een stel zwarte kinderen aan het knikkeren en stuiteren met een bal. Ze gaapten ons aan toen we het gebouw stonden te bestuderen en ons afvroegen waar de ingang was. Een klein meisje stopte haar duim in haar mond en verschool zich achter een ouder meisje, maar stak haar hoofd uit om me met één oog te blijven begluren.

'Hallo, jongeman,' zei Robert tegen de grootste jongen van de groep, die als reactie op Roberts begroeting zijn hoofd introk en de neuzen van zijn schoenen bestudeerde. 'Kun je me zeggen waar we de dominee kunnen vinden? Is hij er ook op zaterdag?'

De jongen keek naar het oudste meisje. Ze veegde haar knikkers bijeen, liet ze in haar zak vallen en stapte naar voren. De peuter hing nog steeds aan haar rokken. 'Ik weet niet of hij vandaag in de kerk is, maar hij woont daar.' Ze wees naar een smal huis, opgetrokken uit dezelfde rode baksteen als de kerk en er zo dichtbij dat ze bijna een muur deelden.

'Dank je wel, jongedame.' Robert boog, wat het meisje een verlegen glimlachje ontlokte. Hij gebaarde dat ik maar moest voorgaan naar de voordeur van de eenvoudige woning.

'Waar hebt u hem voor nodig?' riep een andere jongen, minder verlegen dan de anderen. 'Gaan jullie trouwen?'

Het oudste meisje sloeg haar hand voor zijn mond en schudde driftig haar hoofd. 'Sst. Natuurlijk gaan ze niet trouwen. Zie je dat dan niet? Hij heeft een blank meisje bij zich.' Ze zei het zachtjes, maar ik hoorde het. Ik glimlachte, hoewel mijn maag samentrok.

'Ik heb hier best wel blanke meisjes gezien die met zwarten gingen trouwen. En andersom ook.' De jongen fluisterde dit zo luid dat de halve straat het had kunnen horen. Het meisje greep zijn hand en die van de peuter beet en sleurde ze met ferme pas de straat uit, maar ik zag dat ze me over haar schouder een verontschuldigende blik toewierp. Ik bewoog mijn vingers op en neer, waarop ze met een ruk haar hoofd weer omdraaide en haar optochtje voortzette, naar een smal stoepje aan het eind van de straat. De oudste jongen volgde op een afstandje en liet onder het lopen zijn honkbal stuiteren.

Robert tikte met de klopper op de deur. Algauw deed een vrouw open. Ze streek haar rok glad toen ze ons zag. Ze had blijkbaar kinderen verwacht; haar blik begon ter hoogte van ons middel en gleed toen omhoog naar ons gezicht. Ze deed een stap achteruit. 'O! Pardon. Ik dacht dat het die kleintjes weer waren. Die kloppen telkens maar op de deur, de hele zaterdag door, om te vragen of ze in de kerk ergens mee kunnen helpen. In werkelijkheid willen ze gewoon weten of ik iets lekkers voor ze gebakken heb.' Ze straalde, hoewel haar ogen regelmatig naar mij toe schoten. Ik merkte dat ze me probeerde te taxeren. Maar ze was die middag de allereerste volwassene die niet ontzet naar ons tweeën had gekeken. Ik vond haar meteen aardig.

'En, wat kan ik voor jullie doen?' vroeg ze.

'Is de dominee thuis?' Robert zette zijn pet af en hield die zenuwachtig tussen zijn handen, alsof alleen al het noemen van de man die ons misschien zou trouwen hem van streek bracht.

'Jazeker. Mag ik weten wie hem wil spreken? En misschien in het kort waarom?'

'Natuurlijk, mevrouw. We...' Hij wapperde met zijn pet naar mij. 'We willen hem spreken over een huwelijk.'

'Aha,' zei ze. 'Dat dacht ik al. Kom binnen, liefje.' Ze nodigde met een gebaar eerst mij en daarna Robert de piepkleine hal in. 'Ik haal mijn man even.'

Opgelucht wierp ik door een deuropening een blik in een kleine zitkamer. Het vertrek was niet chic, maar wel keurig en waarschijnlijk het mooist gemeubileerde van het hele huis.

De vrouw kwam terug. 'Hij komt zo bij jullie. Willen jullie niet even gaan zitten? Ik moet terug naar de keuken om het avondeten in de gaten houden, als je het niet erg vindt.' Ze wees naar de zitkamer, en Robert en ik gingen voorzichtig op het puntje van een hoekige, met groene wol beklede bank zitten, netjes een eindje uit elkaar.

We durfden elkaar even aan te kijken, eigenlijk voor het eerst die middag. Robert fronste zijn voorhoofd en boog zich naar me toe. 'Gaat het?' vroeg hij. 'Weet je zeker dat je dit wel wilt?'

'Ik ben nog nooit ergens zo zeker van geweest,' zei ik, hoewel ik ook nog nooit zo zenuwachtig en bang was geweest. Ook al wilde ik dolgraag Roberts vrouw worden en samenleven met deze knappe en zachtaardige jongeman die ik met de dag meer liefhad, de realiteit drong zich aan me op. Overal waar we kwamen kregen we, als we al niet werden uitgescholden, rare blikken toegeworpen of opmerkingen naar ons hoofd, zelfs van kinderen. Met name de kinderen hadden mijn illusie dat alles wel goed zou komen aan het wankelen gebracht.

'En jij?' vroeg ik. 'Wil jij dit wel doorzetten? Als ze...' Ik maakte de zin niet af. Er kwam een man binnen wiens buik de bewering van zijn vrouw dat de kinderen telkens iets lekkers kwamen halen bevestigde. Robert en ik sprongen op van de bank.

'Goedemiddag, mevrouw. Meneer.' Hij gaf Robert een hand. 'Dominee Jasper Day.'

'Ik ben Robert Prewitt. Dit is juffrouw Isabelle McAllister.'

'Aangenaam kennis te maken, juffrouw.' Hij maakte een buiginkje in mijn richting, maar stak niet zijn hand uit. Hij gebaarde dat we weer op de bank konden gaan zitten en trok een bijpassende stoel bij. 'Zo. Volgens Sarah zijn jullie hier vanwege een huwelijk. Klopt dat?'

'Ja, meneer,' zei Robert. Dominee Day keek mij aan, en ik knikte. Ik had nog steeds niets gezegd.

'Nou, dan zijn jullie naar de juiste plek gekomen. Jullie zullen wel gehoord hebben dat ik meer paartjes als jullie heb getrouwd, neem ik aan.' Zijn formulering 'paartjes als jullie' verschilde als dag en nacht van die van de andere predikant. Het kwam minder beledigend over – eerder alsof hij niet wist hoe hij het anders moest zeggen zonder bot te zijn. 'Maar let wel: ook al zal ik jullie trouwen als jullie dat echt willen, ik zal eerst proberen het jullie uit het hoofd te praten.' Hij lachte, maar in zijn lach klonk iets heel anders door dan de vreugde die bij een trouwdag hoorde.

Iets waarschuwends.

Ik wist niet of ik nu de moed moest verliezen of bang moest zijn.

Hij voerde de argumenten aan die Robert mij ook al had voorgelegd, hoewel zijn voorbeelden van wat er zou kunnen gebeuren misschien nog wel angstaanjagender waren dan alles wat wij ons al hadden voorgesteld. Hij beschreef hoe we behandeld zouden worden telkens wanneer we als echtpaar in het openbaar verschenen – en soms zelfs in de beslotenheid van ons eigen huis door mensen die we als vrienden hadden beschouwd, zwart of blank. Hij vertelde dat een jonge zwarte man onlangs gelyncht was door de familie van een blank meisje omdat hij had geprobeerd met haar te trouwen. Het meisje was op straat gezet, en kon alleen nog maar worden wat meisjes werden wanneer niemand hen meer wilde hebben. Ik huiverde, en Robert klemde met een ongewoon grauw gezicht zijn handen ineen toen de predikant het lot van de jongen beschreef.

Ik deed eindelijk mijn mond open. 'Mijn familie zal er niet blij mee zijn. Ze zullen uiteraard geschokt en teleurgesteld zijn. Kwaad, ongetwijfeld. Maar ik geloof nooit dat ze Robert zoiets zouden aandoen. Ze houden van Robert – zijn moeder heeft me grotendeels opgevoed en zijn zus beschouw ik als mijn eigen zus.'

Dominee Day knikte, maar legde uit dat zelfs degenen die beweerden 'als familie' te zijn zich vaak achter de vijandige linies terugtrokken wanneer iemand de familienormen overtrad. 'Het spijt me, juffrouw McAllister. Ik schep er geen genoegen in u bang te maken, maar ik moet zeggen waar het op staat. Niet dat ik vind dat u er fout aan doet om met meneer Prewitt te trouwen, maar ik zou u geen dienst bewijzen als ik me er niet eerst van overtuig dat u zich bewust bent van wat u zich op de hals haalt.'

Hij bestudeerde ons huwelijkscertificaat en vroeg of we in het gerechtsgebouw problemen hadden ondervonden. Naar zijn uitdrukking te oordelen mochten we van geluk spreken dat we voordat we bij zijn kerk en pastorie waren beland niet méér vijandigheid hadden ontmoet dan die van de andere predikant, en het leek hem te verbazen – en achterdochtig te maken – dat deze man ons naar zijn kerk had doorverwezen. Hij liet ons alleen, zodat we de knoop konden doorhakken.

Ik herhaalde mijn vraag aan Robert: 'Wil je dit wel doorzetten?' Zijn mening was belangrijker dan de mijne. Hij liep tenslotte de grootste kans dat hem iets zou worden aangedaan door degenen die kwaad waren vanwege onze daden en onze verbintenis.

Robert liep voor het raam heen en weer en staarde naar buiten. De kinderen waren teruggekomen, en ik zag door de glanzende ruiten achter hem dat ze nu een grotere bal naar elkaar toe lieten stuiteren en een liedje zongen dat ik niet kon horen. Af en toe tuurde een van hen met uitgestrekte hals naar de voorgevel van het huis, alsof ze door de muren heen zouden kunnen kijken.

Ik ging bij Robert voor het raam staan en richtte mijn ogen op het kleine meisje dat zich achter de oudste had verstopt. Haar huid was als die van Sarah Day – heel lichtbruin – en haar ogen leken van binnenuit verlicht te worden. Als Robert en ik kinderen kregen, zouden ze misschien wel op dit engeltje lijken. Het kon zijn dat ze een ouder of grootouder had die gelijkenis vertoonde met mij. Ik vermoedde dat dit soort dingen voorkwam, ook al werd het nooit besproken of goedgekeurd.

De schoonheid van haar gezichtje gaf voor mij de doorslag. Ik wilde bij Robert zijn. Ik wilde zijn kinderen krijgen. Ik was bereid de consequenties te aanvaarden.

Maar ik stond doodsangsten uit om hem. Ik kon hem niet vragen deze keus te maken.

'Robert, dit kun je niet doen,' zei ik, en ik draaide hem met zijn gezicht naar me toe. 'Ik zou het mezelf nooit vergeven als jou hetzelfde zou overkomen als die jongeman. Dan zou ik ook doodgaan. Dit is een vergissing.'

Robert richtte zijn blik op de hoek van de kamer, waarin een bijzondere, op maat gemaakte plank was aangebracht. Op die plank stonden foto's: de jonge predikant met zijn vrouw in hun chique trouwkleding en anderen, van wie ik aannam dat ze ouders, broers, zussen of andere familieleden waren. Robert liep ernaartoe. Een foto van een familiebijeenkomst had zijn aandacht getrokken: een verbleekte foto van een vroegere generatie, waarop een eenzame blanke vrouw met een baby op haar knie te midden van de anderen zat. Hij wenkte me en wees. Uit haar ogen sprak zowel vreugde als verdriet. 'Daarom trouwt hij mensen als wij.'

'Misschien. Maar het verandert niets, Robert.'

'Misschien kunnen we de wereld niet veranderen, Isabelle. Maar onze gevoelens voor elkaar kunnen we ook niet veranderen. Ik in elk geval niet.' Hij keek me in de ogen. 'Jij wel?'

Op dat moment wist ik dat ik nooit, maar dan ook nooit tegen hem zou kunnen liegen, wat er ook gebeurde. Ik schudde mijn hoofd. 'Je weet dat ik van je hou, Robert. Met heel mijn hart en ziel, en uit alle macht.'

Het was alsof we toen de trouwgelofte al aflegden, onze verbintenis op dat moment beklonken, hoewel dominee Day terugkwam en ons verzoek inwilligde. Ook zijn lieve vrouw begreep waar ik behoefte aan had. Ze vroeg of ik me wilde klaarmaken voor mijn huwelijk. Ze nam me mee naar een kleine slaapkamer op de bovenverdieping, waar ik mijn mooiste jurk uit mijn koffer haalde, mijn haar gladstreek en mijn hoed opzette. Ik staarde mezelf aan in de spiegel op de toilettafel, wetend dat ik de volgende keer dat ik mijn spiegelbeeld bestudeerde geen meisje meer zou zien, maar een getrouwde vrouw.

'Het is jammer dat je straks geen foto van je trouwdag hebt,' fluisterde Sarah Day toen ze me mee terugnam naar de zitkamer, waar Robert en haar man ons opwachtten. Ze gaf me een klopje op mijn arm. 'Maar je zult er een beeld van in je hoofd hebben. Dat is voldoende.'

'Maar wacht even,' zei ze, en ze liep snel naar een ander deel van het huis en kwam even later terug met een piepklein voorwerpje, dat ze aan haar man gaf. Ze fluisterde hem iets toe terwijl hij het in zijn zak stopte. Toen de dominee ons tijdens de plechtigheid vroeg of we een ring hadden als symbool van onze liefde, schudde Robert een beetje beteuterd zijn hoofd. Maar ik vond het helemaal niet erg. Hij had hard gewerkt om de eerste maand huur voor onze kamer, het huwelijkscertificaat en de inzegening te kunnen betalen; er was niets over.

'Het geeft niet,' zei ik.

Maar toen stak dominee Day zijn hand in zijn zak en haalde een zilveren vingerhoedje tevoorschijn, waarin een gecompliceerd patroon van in elkaar grijpende bloemen was gegraveerd. Rondom de bovenrand waren drie woorden aangebracht: GELOOF. HOOP. LIEFDE.

Het was prachtig, en glanzend opgepoetst, hoewel het oppervlak tekenen vertoonde van liefdevol gebruik; sommige deukjes op het dopje waren helemaal doorgesleten. Ik vroeg me af of het een erfstuk was; het was onmiskenbaar onderhouden en gekoesterd. 'We kunnen dit niet aannemen,' protesteerde ik.

Sarah wuifde mijn bezwaar weg. 'Ik neem het niet terug. Het is een kleinigheid.'

Dominee Day pakte daarop mijn hand, draaide die omhoog, trok Roberts hand er vlak onder en legde het vingerhoedje voorzichtig op mijn handpalm. Hij zei: 'Wat er ook gebeurt, waar dit leven dat je hebt gekozen je ook brengt, deze drie houden stand.'

Hij vouwde onze vingers stevig om het vingerhoedje en stapte opzij.

We waren getrouwd.

20

Dorrie, heden

Ik kreeg kippenvel op mijn hart van het verhaal van de eenvoudige huwelijksplechtigheid van mevrouw Isabelle. Terwijl ik door Zuid-Kentucky reed, zag ik weer voor me hoe ik zelf op een benauwde dag, bijna twee decennia geleden, voor de oude broeder Willis, mijn moeder en een paar vrienden had gestaan en plechtig had beloofd Steve lief te hebben. Mijn buik bolde al een beetje op: Stevie Junior woonde de bruiloft ook bij, hoewel we zijn gezicht pas maanden later zouden zien. Ik hield van Steve, maar ik zat er toen al over in of hij wel voor een gezin kon zorgen. Hij trok vaker op met zijn vrienden dan met mij. Zelfs tijdens onze huwelijksnacht verdween hij een paar uur, en hij kwam zo dronken terug dat ik hem wegduwde toen hij me probeerde te zoenen. Ik was al zwanger; wat deed het ertoe?

Maar de huwelijksplechtigheid van mevrouw Isabelle, die was echt, hoe simpel hij ook was, en hoe jong en alleen ze ook waren, zonder familie of vrienden behalve de aardige dominee Day en zijn vrouw Sarah. Ze waren om de juiste redenen getrouwd, wát anderen er ook van vonden.

De vrouwen die bij mij in de zaak kwamen, trouwden om allerlei redenen, en er waren er heel wat die voordat de inkt op het huwelijkscertificaat was opgedroogd al ontdekten dat ze een fout hadden begaan. Ze vertelden me dingen die ze niemand anders vertelden. Van sommige van die verhalen zou je de rillingen krijgen, en niet op een prettige manier: over echtgenoten en wat die af en toe uithaalden.

Ik was vaak de eerste die de bloeduitstortingen zag die schuilgingen onder bewust naar voren gekamd haar, of de korsten op plekken waar het haar met wortel en al was uitgetrokken. Ik kreeg brieven van de gemeente waarin werd uitgelegd dat ik weleens de eerste lijn kon zijn – dat ik klanten kon doorverwijzen naar instanties die hulp verleenden aan slachtoffers van huiselijk geweld. Dat het mijn verantwoordelijkheid was. Vandaar dat ik stapeltjes brochures in de wachtruimte en op mijn balie had liggen, waar klanten ze achteloos in hun tas of zak konden laten glijden. De in drieën gevouwen brochures verlieten zelden mijn zaak, maar de bovenste exemplaren waren beduimeld, en misschien – hoopte ik – uit het hoofd geleerd door degenen die de informatie nodig hadden. Ik mocht me gelukkig prijzen dat Steve nooit gewelddadig was geweest tegen mij of de kinderen, ook al bakte hij er niets van als echtgenoot en vader.

Huiselijk geweld was niet het enige geheim waarvan ik op de hoogte was. Sterker nog: als kapper was je min of meer een ongediplomeerde therapeut.

Als er een vrouw binnenkwam, zag ik aan het verdriet in haar ogen dat ze hoopte met een mooie nieuwe coupe of haarkleur haar ontrouwe man terug te kunnen winnen. Ik zei nooit dat het waarschijnlijk niet zou lukken. Ik hield mijn mond als vrouwen erover fantaseerden hun man weer om te turnen – als ze maar wat kilootjes afvielen, of hun borsten lieten vergroten, of hun buik strakker lieten maken, of wat dan ook lieten verhelpen dat volstrekt geen invloed had op het vermogen van een man om trouw te zijn. Ze weten het aan zichzelf dat hun mannen zich niet konden houden aan de beloftes die ze hadden gedaan. Ik had ook jarenlang de schuld bij mezelf gezocht. Tot ik verstandiger was geworden. Het enige wat ervoor zorgde dat een man zich aan zijn woord hield, was de man zelf.

Ik luisterde vooral. Maar zo nu en dan vroeg een klant me om mijn mening of om raad. Dan wond ik er geen doekjes om. Het maakte me blij als diezelfde vrouw een paar bezoekjes later bleek te stralen van zelfvertrouwen, na een beslissing te hebben genomen die haar zekerder van zichzelf en vastberadener had gemaakt, of dat nu inhield dat ze haar partner steviger aanpakte of een splinternieuw leven begon, waarin ze misschien wel echte liefde zou vinden.

Maar de klanten die echt mijn hart braken waren degenen die op een benauwde fluistertoon vertelden dat ze een knobbel in hun borst hadden ontdekt. Het kwam ook wel voor dat ik moest zeggen dat ik een donkere, schilferende plek had bespeurd op een schedel of een nieuwe, griezelig uitziende moedervlek op een hals of schouder. Ik was soms de enige die deze stukken huid geregeld zag. Ik was soms ook de enige die van geheime vervolgafspraken voor mammografieen wist – ze durfden het hun man en kinderen niet te vertellen, want als je het vertelde, zou een mogelijkheid weleens werkelijkheid kunnen worden. Bij mij voelden ze zich veilig.

Als ze terugkwamen met de uitslag waren we samen blij of huilden we samen, of het nu goed of slecht nieuws was. Ik paste hun kapsel aan om te compenseren dat hun haar met bossen tegelijk uitviel, en meer dan eens schoor ik een hoofd kaal en prachtig glad als een vrouw besloot dat ze liever brutaal haar nieuwe identiteit omarmde dan toekeek hoe die streng voor streng en pluk voor pluk tevoorschijn kwam.

Ik mocht dan een ongediplomeerd therapeute, maatschappelijk werkster en diagnosticus zijn, mijn eigen gezin overeind houden of ertoe besluiten een andere man te vertrouwen kon ik niet.

Ik geef het nu toe: ik was doodsbang.

De zeventienjarige Isabelle was ontzettend dapper geweest, vastbesloten haar hart te volgen en de rest van haar leven door te brengen met een man die ongetwijfeld de ware was geweest – een man die voor haar zou zorgen en haar en hun kinderen naar zijn beste kunnen zou liefhebben, wát het leven hun ook toewierp. Hoe had die vrouw – dat kind, eigenlijk – dat in 's hemelsnaam geflikt?

Ik wilde nu aandachtig luisteren, om erachter te komen hoe ze was omgegaan met de ellende die ze door dat huwelijk ongetwijfeld over zich had afgeroepen. Ik wilde een elegante manier vinden om ons door de rampzalige situatie heen te loodsen waarin Stevie Junior terecht was gekomen omdat ik dat mogelijk had gemaakt. Ik wilde er ook achter komen of het zootje dat ik telkens weer van mijn eigen liefdesleven wist te maken op de een of andere manier te redden viel.

Als iemand wist hoe dat moest, dan was het mevrouw Isabelle wel, en als zij het kon, kon ik het misschien ook.

21

Isabelle, 1940

Sarah Day diende ons een vroeg avondmaal op van de overvloedige hoeveelheid gebraden varkensvlees en aardappelen die ze had klaargemaakt. 'Jullie moeten het vieren. De meeste mensen komen hier met vrienden of familieleden, en houden na afloop misschien ergens een feestje. Maar jullie zijn maar alleen. Je moet blijven, hoor. Wij vieren het wel met jullie!'

Ik was dankbaar. Haar uitnodiging zorgde voor een buffer tussen de plechtige ondertekening van ons huwelijkscertificaat en het moment waarop Robert en ik alleen zouden zijn. Ik was opeens verlegen. Ik wist nauwelijks wat ik kon verwachten wanneer we in ons pension waren aangekomen. Praatjes onder de meisjes die ik kende vormden mijn enige voorbereiding op mijn huwelijksnacht.

Toen we klaar waren met eten, wilde dominee Day niet hebben dat we alleen vertrokken. Hij stond erop dat ik de eerste keer dat we ons als echtpaar buiten waagden begeleid werd door een andere vrouw. Bij het invallen van de duisternis werd het meestal rumoerig in de wijk waarin Robert en ik onze kamer huurden, omdat zowel zwarten als blanken dan de niet bepaald nette zaken bij ons in de buurt bezochten. Hij zou ons samen met Sarah begeleiden naar onze nieuwe woning.

Robert en ik protesteerden in koor, maar dominee Day hield voet bij stuk. 'We hebben wel zin in een avondwandelingetje, hè Sarah?'

De glimlach van Sarah legde haar angst bloot, maar ze ging er niet tegenin. Op haar gezicht stond de waarheid te lezen: hun avondwandelingetjes gingen meestal niet zo ver als mijn nieuwe buurt. Toch zei ze: 'Voor deze ene avond willen we graag zeker weten dat jullie veilig op je bestemming aankomen.'

Ze trokken hun jas aan en wij haalden de onze, samen met onze bagage. Toen we hun warme, knusse huis uit gingen, stond Sarah erop dat wij tweeën voor onze echtgenoten uit liepen. *Echtgenoot*. Het woord verraste me; het was de eerste keer dat iemand het had gebruikt in verband met mij. Ik had het wel gedroomd, maar hardop uitgesproken klonk het toch anders.

We waren moe toen we bij het pension aankwamen, hoewel er tijdens ons tochtje niets was gebeurd, afgezien van een paar nieuwsgierige blikken van mensen die we voorbij liepen. Het speet me dat de Days moesten omkeren en diezelfde afstand weer moesten teruglopen.

Ik gaf Sarah spontaan een knuffel, hoewel ik haar nog geen twaalf uur kende. Ze trok me tegen zich aan en fluisterde: 'Als je iets nodig hebt – wat dan ook – weet je me te vinden. Je hebt een zware weg te gaan, maar ik zal elke dag voor je bidden. Knoop dat maar in je oren.'

Robert wachtte met dominee Day bij het trapje dat naar ons nieuwe huis voerde. Hij schudde de dominee de hand en boog zich om onze koffers te pakken.

Een zwarte vrouw deed open. Ze nam me verrast op, maar bracht ons naar een eenvoudige, maar schone kamer op de bovenverdieping. In het hele huis hing de vage geur van eten dat te lang op het fornuis had staan sudderen.

'Geen vuur, geen kaarsen, zelfs niet als de elektriciteit uitvalt – en dat is vaker dan je zou verwachten. Dit is oud hout, en ik wil niet dat iemand mijn huis platbrandt. Woensdags neem ik wasgoed aan, maar daar moet je wel extra voor betalen. Ik verzorg geen maaltijden op zondagen, dus morgen moet je het zelf uitzoeken, en voor de rest van de week is het ook te laat: ik heb al boodschappen gedaan. Let erop dat je het kookplaatje na gebruik uitzet. Ben ik nog iets vergeten?' Ze wachtte een halve seconde en liep toen haastig de deur uit en de trap af. Onze nieuwe hospita was blijkbaar een zakelijke vrouw – wat ik prima vond – maar ze had ook iets stugs. Ik miste Nell en Cora nu al. Maar Nell en Cora waren nu echt familie van me. Ik verlangde ernaar hen gauw weer te zien en hoopte maar dat ze niet al te kwaad zouden zijn op Robert of op mij.

Mijn kersverse echtgenoot wees me op lege laden en hangruimte waarin ik mijn spullen kon opbergen, en nu leek het al helemaal weinig. Ik had welgeteld één minuut nodig om mijn jurken op te hangen en mijn andere kledingstukken in de krakende, naar mottenballen ruikende ladekast te stoppen. Ik liet de lade op een kier staan, hopend dat de geur zou vervliegen en mijn kleren de volgende ochtend niet te veel naar chemicaliën zouden ruiken. Ik wilde niet klagen of Robert het idee geven dat hij geen goede woonruimte voor ons had gevonden.

Terwijl ik op onderzoek uitging, keek hij toe vanaf een stoel bij een klein tafeltje dat voor een inbouwvoorraadkast stond. Op een houten kastje daar vlakbij vond ik een eenpits elektrisch kookplaatje, een emaillen pan en het meest noodzakelijke kookgerei. De kast bevatte geschilferde aardewerk borden, kommen en kop en schotels, van elk twee, en dof metalen bestek. Ik wist al voordat ik de kamer rondkeek dat ik geen koelruimte zou aantreffen. We zouden zuivelproducten en andere bederfelijke etenswaren vrijwel meteen na aankoop moeten opeten. Ons gezin was een van de eerste in Shalerville geweest die een koelkast hadden aangeschaft. Ik was verwend.

Maar ik zou me wel redden.

Van Cora en Nell had ik de belangrijkste huishoudelijke vaardigheden afgekeken, en hoe je het thuis gezellig maakt. Wat ik van mijn moeder had geleerd daarentegen – borduren, decoratief naaldwerk, bloemschikken – zou hier nutteloos zijn.

'Kan het ermee door?' vroeg Robert, die mijn inspectie van de kleine ruimte onderbrak. Het bed was een paar kleine stappen verwijderd van het eetgedeelte, en in de overgebleven hoek van de kamer prijkte één leunstoel, hoewel de veren daarvan er niet al te veerkrachtig uitzagen.

'Het is ons huis; ik vind het prachtig.' Met een nerveus lachje probeerde ik hem gerust te stellen.

Robert schraapte zijn keel. 'De, eh... badkamer en de wc zijn verderop in de gang. Die delen we met twee andere huurders.' Hij hief verontschuldigend zijn handen, maar het zou me hebben verbaasd als het anders was geweest. In mijn ouderlijk huis hadden de slaapkamers op de bovenverdieping ook maar één gezamenlijke badkamer. Dit was best te doen. We hadden nog geluk dat de badkamer niet in een buitengebouwtje zat.

'Natuurlijk,' zei ik. 'Dacht je soms dat ik een suite in het Palacehotel had verwacht?' Ik kende zelfs niemand die ooit in dat chique hotel in het centrum had gelogeerd.

Robert trok me naar zich toe, zodat ik naast hem op de rand van het bed kwam te zitten. 'Goed zo, meisje,' zei hij. 'Nu dan...'

Zijn stem stierf weg, en het werd duidelijk dat het meubelstuk waarop we zaten er de oorzaak van was dat hij plotseling beteuterd zweeg. Ik wachtte. Net zo goed als ik niet wist hoe ik hem op zijn gemak moest stellen, wist hij niet hoe hij onder woorden moest brengen wat hij wilde zeggen.

'Isa. Je weet dat ik van je hou.'

Ik knikte. Mijn ogen werden groot en de spieren van mijn wangen en kin koud en stijf, alsof ze te weinig gebruikt werden, maar ik wist dat ze alleen maar lamgelegd waren door angst voor het onbekende. Toch had ik nog nooit zoveel van hem gehouden als op dat moment. Hij streek met zijn hand over de sprei. 'Het is voor ons allebei een lange dag geweest. Je zult wel uitgeput zijn. We kunnen het wat dit onderdeel betreft langzaamaan doen. Als je dat wilt.'

Ik waardeerde zijn bezorgdheid. Ik was dankbaar voor zijn geduld. Hij was een echte heer, meer dan alle andere mannen die ik in mijn leven had gekend – hoewel ik nog steeds geloofde dat ook mijn vader een heer was, en dat zou bewijzen zodra hij had ontdekt dat ik was weggelopen om te trouwen. Ik antwoordde Robert met een langgerekte zoen op zijn lippen, en maakte hem daarmee ondubbelzinnig duidelijk – hoopte ik – dat ik alles wat bij ons huwelijk hoorde ten volle wilde meemaken.

Hoe sneller het achter de rug was, hoe beter.

Ik nam een klein bundeltje – nachtkleding, haar- en tandenborstel, tandpasta en een ruwe handdoek uit de lade – mee naar de gezamenlijke badkamer verderop in de gang, waar ik me klaarmaakte voor het slapengaan en voor Robert. Toen ik terugkwam wachtte hij me in de verduisterde kamer op. Hij had de plafondlamp uitgedaan, maar op het nachtkastje brandde nog een leeslamp.

Ik vond het jammer dat ik geen geschikt negligé had dat ik tijdens mijn huwelijksnacht kon dragen, maar Nell had mijn mooiste zomernachtjapon gewassen en gestreken. Die was van fijn geplooide batist, met als bandjes smalle linten die mijn schouders nauwelijks bedekten. Nell had hem in rozenwater gespoeld, en voor zover dat kon onder die omstandigheden voelde ik me toch een bruid. Wat had ze gedacht toen ze dat kledingstuk voor me had klaargemaakt? Had haar gezicht gestraald toen ze bedacht waarvoor het bestemd was – en al helemaal omdat het toebehoorde aan de bruid van haar broer? Ik snoerde mijn oude, versleten peignoir dicht. Die had meer ruimte ingenomen in mijn koffer dan ik eigenlijk had willen afstaan, maar nu was ik blij dat ik dat toch had gedaan. Onze kamer was kil, en ik was blij met het extra laagje.

Robert had de sprei naar beneden getrokken, en ik gleed tussen de lakens, nog steeds gehuld in de peignoir, maar te verlegen om die uit te trekken. Robert ging de gang op, en toen hij terugkwam trok hij zijn broek en overhemd uit en stapte naast me in bed, slechts gekleed in zijn witte onderbroek en hemd. Hij rook naar zeep en water.

We lagen samen in het zwakke lamplicht, en ik vroeg me af of Robert beter onderlegd was in de liefde bedrijven dan ik. Ik nam aan dat hij op een gegeven moment wel de gelegenheid had gehad om ervaring op te doen, maar ik had zo'n idee dat hij die niet had aangegrepen. Hij was bezeten geweest van zijn droom medicijnen te gaan studeren; misschien had hij het zo druk gehad dat hij die gelegenheden aan zich voorbij had laten gaan. Ik kon me hem ook nauwelijks voorstellen in het gezelschap van het soort vrouwen dat zich daarvoor aanbood. Hij was er in de donkere steeg in Newport zo snel bij geweest om mijn eer te beschermen dat ik vermoedde dat hij alleen maar met meisjes was omgegaan die meer op mij leken – ook al hadden ze dan een andere huidskleur gehad.

'Robert,' zei ik ten slotte, bijna fluisterend. 'Heb jij... Heb jij weleens...' Ik kon de vraag niet afmaken.

'Nee.' Zijn eenvoudige antwoord was zowel geruststellend als angstaanjagend. Ik had half gehoopt dat één van ons enig idee zou hebben hoe het in zijn werk ging. Toch slaakte ik ook een zucht van opluchting, want ik zou me er nooit druk om hoeven maken dat hij vóór mij met iemand anders was omgegaan.

'Maar,' zei hij, 'ik, eh... ik heb er wel met anderen over gepraat. Niet met meisjes, maar met een paar van mijn beste vrienden. Ik denk dat ik het wat de techniek betreft wel onder controle heb.'

Ik grinnikte om zijn omschrijving, en dat stelde ons allebei op ons gemak.

Opeens ging Robert rechtop zitten en liet zich naast het bed op zijn knieën vallen. Hij kon met zijn lange armen nog steeds bij me, en hij schoof zijn handen voorzichtig onder me en trok me meer naar het midden van de matras. Hij bleef even rustig zo zitten en streelde mijn haar en mijn schouders onder de peignoir. Hij liet een vinger onder de versleten stof glijden en raakte de huid van mijn schouder aan, die alleen bedekt werd door het smalle lint dat er dwars overheen liep. Ik huiverde.

Hij keek me in de ogen. 'Ik wil je een belofte doen, Isabelle Mc– eh, Prewitt!'

Ik glimlachte om zijn verbetering. Ik wachtte.

'Ik hou meer van je dan van wie of wat ter wereld ook. Ik had nooit durven dromen dat ik zoveel van een vrouw zou houden als van jou. Ik denk dat het zo'n beetje begon die avond in Newport, toen we daar samen liepen en jij je niet voor me schaamde en me naast je wilde hebben, in plaats van achter je. Zo had ik een blanke vrouw zich nog nooit zien gedragen.' Nu was het zijn beurt om te grinniken.

Me voor hem schamen? Ik was zo dankbaar geweest dat hij daar was verschenen dat ik het niet in mijn hoofd zou hebben gehaald om me te schamen. Ik viel hem bijna in de rede, maar hield mijn mond en liet hem verdergaan.

'Geloof het of niet, maar ik ben dankbaar voor alle rare streken die je hebt uitgehaald, ook al kon ik je af en toe wel wurgen. Ik wil dat je trots op me bent. Ik wil je gelukkig maken en goed voor je zorgen. Ik wil je beschermen en veiligheid bieden. Ik wil je geen pijn doen. Niet nu, niet vanavond. Nooit.'

Hoe kon ik deze man waard zijn? Mijn adem stokte, en ik deed mijn best om de tranen te bedwingen die tijdens zijn mooie woorden waren opgeweld. Ik wilde hem niet de indruk geven dat ik bang was, of erger nog: spijt had van mijn keus. Toch wist er één traan te ontsnappen, die traag over mijn gezicht gleed, tot Robert hem met zijn vinger opving en wegveegde.

Ik trok zijn gezicht naar het mijne toe, zodat hij gedwongen was op te staan en weer bij me in bed te komen. Door de zwaarte van zijn lichaam tegen mijn ribben en heupbeenderen werd ik herinnerd aan de vingerhoed, die ik de hele avond bij me had gedragen, eerst in de zak van mijn jurk en nu in een piepklein, verborgen zakje in de zoom van mijn nachtjapon. Ik haalde de vingerhoed tevoorschijn en gaf hem aan Robert. Hij legde hem op het nachtkastje neer, waar hij glansde in het zwakke schijnsel van de lamp en er een scala aan kleuren op het oppervlak weerspiegeld werd.

Robert deed de lamp uit en reikte over me heen om het verduisteringsgordijn voor het raam op te trekken. Mijn ogen pasten zich aan het maanlicht aan, en bij dat licht bestudeerde ik uiteindelijk het contrast tussen onze ineengestrengelde handen. Nuanceverschillen tussen onze huidskleur – de vele tinten bruin, roze en crème – waren nu onwaarneembaar; alles was zwart of wit, met weinig schakeringen ertussen. Precies zoals de wereld ons zou zien. Maar ik genoot van onze verschillen, ondanks de uiterst lichte rilling die door me heen ging toen Robert met me begon te vrijen.

Ik zuchtte toen zijn huid over de mijne streek, glad en zijdeachtig, en het donzige haar op zijn benen mijn gladde benen streelde, die bloot waren komen te liggen nadat hij de ceintuur van mijn peignoir had losgemaakt en de beide voorpanden van de jas zacht uiteen had geschoven.

Ik stond versteld van het oneindige aantal zenuwuiteinden dat geprikkeld werd toen hij zijn vingers en handpalm over elke centimeter van mijn huid liet glijden, die hij had ontbloot door zacht mijn armen te bevrijden uit mijn nachtjapon en deze over mijn hoofd uit te trekken.

Er ontsnapten kreetjes van genot, pijn en opnieuw genot aan mijn keel toen hij die geheime plek van mijn lichaam binnending met het instrument waarvan ik me zelfs in de verduisterde beslotenheid van mijn oude slaapkamer geen voorstelling had durven maken, om ons voor altijd te verenigen.

Het leed nu geen twijfel meer: ik was de zijne, en hij was de mijne.

22

Dorrie, heden

'O, mevrouw Isabelle, wat was dat romantisch.' Ik had een brok in mijn keel toen we voortreden over de snelweg van zuidelijk Kentucky. Door haar ontroerende verhaal over haar huwelijksnacht had ik opeens spijt van nogal wat domme beslissingen die ik als tiener had genomen. De tijden waren veranderd, dat stond vast, maar misschien hadden al die mensen die spraken over onthouding wel gelijk. Desalniettemin hoorde je je kinderen wel te vertellen hoe ze zich moesten beschermen.

Voor mij was het te laat, en voor Stevie Junior duidelijk ook. Die had de afgelopen paar dagen talloze grenzen overschreden, en de meeste daarvan waren in mijn ogen veel erger dan seks voor het huwelijk.

Ik had nog steeds niet besloten hoe ik Teague het nieuws zou vertellen dat Stevie degene was die me bestolen had. Het leek me stug dat hij me al had opgegeven, hoewel hij nu minder vaak sms'te en belde. Uiteindelijk zou hij helemaal ophouden met bellen – daar rekende ik op – maar ik moest toegeven dat ik ergens hoopte dat hij zou volhouden terwijl ik alles op een rijtje zette.

'Ik ben inderdaad blij dat we onze romantische huwelijksnacht hebben gehad.' De stem van mevrouw Isabelle onderbrak mijn gedachten. Ik wierp een blik opzij. Haar ogen leken opeens fletser te worden: het zilverblauw werd wat grijzer. 'Die heeft beslist mijn leven en het zijne veranderd.'

'Wat gebeurde er daarna? En hoe zat het met jullie families? Ik durf te wedden dat uw moeder volkomen over de rooie ging.'

'Dat kun je rustig stellen.' Mevrouw Isabelle bracht haar kruiswoordpuzzelblad dichter bij haar leesbril. Ze leek zich het hoofd te breken over een plek waar nog steeds een paar letters ontbraken, alsof ze moeite had de omschrijving te combineren met de letters die er al stonden en het juiste antwoord te vinden. Ze slaakte een zucht, wendde haar hoofd af en staarde een tijdje uit het raam. Ik zette uiteindelijk de radio wat harder om duidelijk te maken dat ik het verhaal niet hoefde te horen als ze het niet wilde vertellen. Ik maakte me zorgen om haar. We waren op weg naar een begrafenis, en alsof die gelegenheid niet al verdrietig en pijnlijk genoeg voor haar was, legde ze ook nog haar hele ziel en zaligheid bloot door me deelgenoot te maken van een verhaal dat ze vermoedelijk nog nooit in zijn geheel aan iemand had verteld. Ik voelde me vereerd dat ze het mij toevertrouwde. Maar ik was bang dat het haar geen goed zou doen.

Blijkbaar was alles op een gegeven moment ingrijpend veranderd voor mevrouw Isabelle en Robert: op de foto's die bij haar thuis op de tafels stonden en aan de muren hingen, was elk gezicht blank – dat van haar man, haar zoon en overige familieleden. Er zat niet één foto bij van een zwart persoon. Er was vast iets ergs gebeurd. Het verbaasde me dat mevrouw Isabelle desondanks zo ruimhartig was en zo positief in het leven stond. Als ik mijn zielsverwant was kwijtgeraakt – ik twijfelde er niet aan dat Robert en mevrouw Isabelle zielsverwanten waren geweest en dat ze elkaar waren kwijtgeraakt – weet ik zo net nog niet of ik wel in staat zou zijn geweest om door te gaan, zoals zij. Ik wilde dolgraag weten wat er was gebeurd tussen die ene avond en het moment dat ze de enige echtgenoot van wie ik had geweten was tegengekomen en met hem was getrouwd.

Maar ik kon geduld hebben, omwille van mevrouw Isabelle. Mocht ik er nooit achter komen – tja – dan zou ik me daarbij neerleggen.

Na een poosje vroeg ik of ze er al behoefte aan had om te stoppen voor de lunch, maar ze wilde liever doorgaan. Ze bestudeerde haar wegenatlas en kwam tot de conclusie dat we Elizabethtown konden halen. Het leek wel alsof alle dorpen en steden in Kentucky naar een persoon waren vernoemd. Ze schatte in dat we daarna nog ruim honderdvijftig kilometer te gaan hadden – een uur of anderhalf – en in Cincinnati een hapje konden eten voordat we naar bed gingen. Mij maakte het niet uit. Door al mijn gepieker over Stevie Junior was de eetlust me vergaan. Wat mij betrof konden we niet snel genoeg in Cincinnati aankomen; des te eerder kon ik alles op een rijtje zetten en bedenken wat ik in vredesnaam moest doen.

Met radiomuziek op de achtergrond bekeek ik het landschap. Tot mijn verrassing hadden Arkansas, Tennessee en Kentucky tot dusverre erg op Oost-Texas geleken. Ik had nog nooit zo'n verre autotocht gemaakt, en ik had min of meer verwacht dat alles er anders uit zou zien. Er waren natuurlijk veel bomen, maar dat was even ten westen van mijn geboorteplaats al het geval geweest. Ik weet niet precies wat ik dán had verwacht. Ik dacht geloof ik dat het *bluegrass* dat hier overal groeide daadwerkelijk blauw zou zijn. Mevrouw Isabelle had uitgelegd dat het alleen maar blauw leek als je het een halve of hele meter hoog liet worden – alsof iemand dat ooit zou doen. Het lieflijk golvende landschap om ons heen strekte zich ten oosten en westen van de snelweg uit, maar ik hoopte op iets exotischers. Iets ouders, misschien. Een beetje meer historie. Een beetje meer wat dan ook. Ik bespeurde een paar houten boerenhekjes, met als gevolg dat ik weerstand moest bieden aan het onnatuurlijke verlangen om te stoppen en een paar foto's te nemen. Ik glimlachte. Ik ben er nooit dol op geweest om waar dan ook foto's van te nemen, en al helemaal niet van landschappen. Ik bezat niet eens een camera.

'Naar verluidt is er daarna het volgende gebeurd,' zei mevrouw Isabelle opeens, waarmee ze abrupt een einde maakte aan mijn gemijmer over die kleur gras en foto's nemen.

'Verluidt?' Ik deed alsof ik naar het blad op haar schoot tuurde. 'Is dat er een uit uw puzzel?'

'Nee. "Naar verluidt" betekent: volgens anderen. Ik heb uiteindelijk van Sarah Day en anderen gehoord wat er gebeurd is.'

Sarah Day? Een angstkriebel kroop vanuit mijn buik omhoog naar mijn hart. Ik had minstens gehoopt op een enigszins gelukkige afloop, hoe onwaarschijnlijk ook, voor mevrouw Isabelle en Robert na die mooie huwelijksnacht. Maar ik had weer zo'n gevoel dat hun iets was overkomen waardoor mijn problemen met Stevie Junior en Teague opeens een peulenschil zouden lijken.

Ik greep het stuur steviger vast.

23

Isabelle, 1940

Toen ik op de avond dat ik trouwde niet thuiskwam, wilde papa meteen de politie inlichten. Moeder vermoedde wat er werkelijk was gebeurd.

Cora en Nell waren zondag vroeg gekomen om het avondeten
klaar te maken, en toen Nell in de eetkamer de tafel dekte, dreef mijn
moeder haar in het nauw. Ze bleef Nell hardnekkig ondervragen,
maar die deed alsof ze van niets wist.

Moeder haalde mijn kamer overhoop. Nell keek toe, als de dood dat
mijn moeder iets zou ontdekken waaruit zou blijken dat ook zij erbij
betrokken was. Ze sloop weg en vertelde Cora wat we hadden gedaan.
Cora nam haar mee naar boven, waar ze stotterend alles opbiechtte.
Cora hoopte waarschijnlijk dat moeder hun banen zou sparen. Ik had
een briefje achtergelaten op het bureau in de werkkamer van mijn vader, en Robert had er een voor zijn ouders bij Nell achtergelaten. We
hadden niet vermeld waar we zouden gaan wonen, alleen dat we in
Cincinnati iemand hadden gevonden die ons wilde trouwen en dat we
uiteindelijk wel contact zouden opnemen. Nell gaf het briefje aan
moeder – een briefje waarin Robert de kerk had genoemd waarin we
van plan waren te trouwen. Hij had Cora willen laten weten dat we
voor de ogen van God zouden trouwen, en niet alleen voor de wet.

Moeder zond mijn vader en broers er onmiddellijk heen, en de
vijandige predikant stuurde hen natuurlijk meteen door naar de St.-
Paulskerk.

Dominee Day was net klaar met zijn zondagsdienst. Hij zat rustig met zijn vrouw aan de warme maaltijd toen ze bij hem arriveerden. Sarah liep snel naar de keuken om de rommel op te ruimen die na het koken was achtergebleven en liet haar man opendoen. Het kwam regelmatig voor dat gemeenteleden op zondagmiddag onaangekondigd kwamen aanzetten, met toetjes of problemen die niet tot maandag konden wachten. Ze waste snel de potten en pannen af en veegde het aanrecht schoon om klaar te zijn voor gasten, maar ze verstijfde toen ze boze stemmen hoorde in de hal.

Een van mijn broers beval dominee Day te zeggen of hij Robert en mij op zaterdag had getrouwd. De dominee probeerde hun vragen te ontwijken, maar hun stemmen werden luid en nijdig.

Sarah gluurde om het hoekje van de keukendeur en zag dat mijn broers vlak bij haar man kwamen staan, met hun vuist voor zijn gezicht, en dreigden dat ze hem iets zouden aandoen als hij niet de waarheid sprak.

Mijn vader probeerde tussenbeide te komen. 'Jongens, dit is niet de juiste manier. Dominee, u ziet dat we er erg ontdaan over zijn dat mijn dochter verdwenen is. Ze is nog maar zeventien en had geen toestemming om te trouwen. We willen haar alleen maar opsporen en zien wat dit allemaal te betekenen heeft. We willen haar mee naar huis nemen.'

'Paps, laat ons dit maar opknappen. Wij weten wel hoe we deze nikker aan het praten moeten krijgen.' Jack – dat weet ik omdat Sarah hem later beschreef als de kleinste, stevigste van de twee – trok zich niets van mijn vader aan en bleef dominee Day bedreigen. Het was een opluchting voor me om te horen dat mijn vader dominee Day had geprobeerd te overreden, in plaats van hem te intimideren. Het maakte me diepbedroefd dat hij niet krachtiger was opgetreden tegen mijn broers, maar ik had eigenlijk wel kunnen weten dat hij hun geen weerstand zou bieden – zelfs toen niet, zelfs niet voor mij. Als kind had ik gezien hoe hij zich hoofdschuddend afwendde wanneer hij de lijfjes vond van uiteengereten insecten die mijn broers in hun kielzog achterlieten, of de overblijfselen van jonge konijntjes die ze voor de lol hadden gevild en daarna achteloos in het gras hadden gegooid. Ik had mijn vader huilend gesmeekt mijn broers te

straffen, hen net zo te laten lijden als de beestjes die ze hadden gekweld, maar mijn moeder had eenvoudigweg gezegd: 'Zo zijn jongens nu eenmaal, John. Laat hen spelen.' Zoals altijd had hij gebogen
voor haar wil.

Vanuit zijn ooghoek zag dominee Day Sarah, en met een dringen-
de blik gaf hij haar te kennen dat ze Robert en mij moest gaan waarschuwen.

Hij hield hen zo lang mogelijk op. Mijn broers ranselden hem af.
Ze sloegen hem in zijn gezicht en stompten hem in zijn buik, terwijl
mijn vader er hulpeloos bij stond en vergeefs protesteerde. Maar
toen ze dreigden Sarah te zullen verwonden, gaf de dominee zich
over. Hij gaf hun het adres van het pension – en hoopte vurig dat Sarah ons op tijd zou hebben bereikt.

Robert en ik hadden een lome ochtend in bed doorgebracht, en
geluierd of geprobeerd nog beter te worden in datgene waar we, zo
hadden we ontdekt, samen erg goed in waren. Maar rond het mid-
daguur waren onze magen gaan knorren. Robert trok met tegenzin
een broek en een overhemd aan. Hij ging de gang op om zich op te
frissen en kwam terug om me een laatste zoen op mijn lippen te geven. Ik lag nog in bed, genietend van de droom waarin ik leefde. 'Blijf
liggen, hoor,' zei hij. 'Voor je tot drieënzestig kunt tellen, ben ik weer
terug, en dan gaan we picknicken, gewoon hier op de matras.' Ik
slaakte een zucht en lachte. Hij vertrok, maar gooide even later de
deur weer open om naar binnen te kijken en me nog een kus toe te
werpen. Ten slotte verwijderden zijn voetstappen zich, de gang door
en de trap af. Ik zweefde tussen slapen en waken. Ik wist dat ik zo
meteen zou moeten opstaan om mijn haar te fatsoeneren en mijn
tanden te poetsen, maar ik was te voldaan om me te verroeren en
sukkelde weer in slaap.

Later kwam ik erachter dat het Robert moeite had gekost om een
winkel te vinden die open was; we waren in al onze gelukzaligheid
vergeten dat het zondag was. Hij had er spijt van dat hij de vorige
avond niet was ingegaan op het aanbod van Sarah Day om ons wat
kliekjes mee te geven. Uiteindelijk vond hij een café-restaurant waar
kon worden geluncht en gaf hij te veel geld uit aan een maaltijd die
duur was als je hem meenam. Hij wilde niet met lege handen terug-

komen op de eerste volle dag van ons leven als getrouwd stel.

Een nerveus klopje haalde me met een schok uit mijn slaap, en ik was meteen klaarwakker. Ik wist dat het niet Robert was. Ik trok snel mijn peignoir aan en strikte hem onhandig dicht terwijl ik naar de deur liep.

'Wie is daar?' vroeg ik bijna fluisterend.

'Sarah Day. Doe snel open.'

Ik werd ijskoud vanbinnen toen ik haar stem hoorde. Ik was meteen bang dat Robert iets was overkomen. Om de een of andere reden wist Sarah ervan, en ze kwam me op de hoogte stellen. Mijn tweede gedachte – dat mijn familie dominee Day had gevonden en hem aan het praten had gekregen – was natuurlijk de juiste.

Ik trok Sarah naar binnen. Het schort onder haar overjas wakkerde mijn angst aan. Ze had niet de moeite genomen het uit te trekken voordat ze van huis ging – en ik wist instinctief dat Sarah Day nooit in het openbaar een schort zou dragen. Ik greep haar armen beet. 'Wat is er? Is met Robert alles in orde? Wat is er gebeurd?'

'O, liefje, je moet snel handelen. Je broers, je vader, waren bij mij thuis, en zullen inmiddels wel op weg zijn hiernaartoe. Ze weten van de bruiloft. Ik ben gekomen om je te waarschuwen – er is vast niet veel tijd meer.'

Ik had haar woorden wel gehoord, maar in mijn ontzetting en angst zakte ik domweg op de matras neer. 'Wat moet ik doen? Robert is iets te eten gaan halen. Wat kan ik doen, Sarah? Ik weet niet wat ik moet doen.'

'Het is waarschijnlijk maar goed dat Robert weg is. Die broers van jou vertrouw ik niet. Ze waren kwaad toen ik wegging, en bedreigden mijn man. Ik kan misschien maar beter op zoek gaan naar Robert en hem onderscheppen. Ze zouden hem wel ik weet niet wat kunnen doen – áls ze hem al hier laten.' Ik wist dat we allebei het beeld voor ogen hadden van de jongen die de dag daarvoor door de dominee was beschreven. 'Je vader stond er alleen maar bij en wilde geen moeilijkheden veroorzaken, maar ik geloof niet dat hij tegen die jongens opgewassen is.'

Ze had gelijk. Omdat mijn moeder altijd had aangedrongen op toegeeflijkheid, waren ze verwend en overdreven zelfverzekerd geworden. Ik wist dat ze er niet voor terugdeinsden om te vechten of iedereen die hen dwarsboomde iets aan te doen – zelfs hun eigen vader.

'Je hebt gelijk. Ga alsjeblieft, Sarah. Ga Robert zoeken. Zeg dat hij niet mag terugkomen tot... ik weet niet tot wanneer. Ik reken wel af met mijn broers.'

Bij de deur aarzelde ze. 'Liefje, volgens je vader ben je nog maar zeventien. Klopt dat?'

Ik knikte en schaamde me voor mijn leugen.

Ze schudde haar hoofd. 'O, liefje, je hebt niet bepaald verstandig gehandeld. Je hebt gelogen, niet alleen tegen je ouders, maar ook tegen ons. Het is maar de vraag of je huwelijk daartegen bestand is, om nog maar te zwijgen over alles waarmee je verder nog geconfronteerd zult worden.'

Ik kromp snikkend ineen, en ze liet zichzelf uit. Ik had ook ten overstaan van God gelogen. Al mijn plannen waren nu zinloos. Wat ik tot dusverre had gedaan, was alles wat in mijn vermogen lag. Ik hoopte vurig dat Robert te ver weg was om mijn broers tegen het lijf te kunnen lopen, en dat Sarah hem zou vinden en op tijd zou waarschuwen. Robert wist dat mijn broers mij niets zouden aandoen, ook al waren ze nog zo kwaad. Ik wist zeker dat hij verstandig zou zijn en zo lang weg zou blijven als nodig was.

Ten slotte trok ik de jurk aan die ik had gedragen voordat we trouwden en ruimde ik de kamer op, zodat die er niet zou uitzien alsof ik de halve dag met een man in bed had doorgebracht. Ook al was dat wel zo. Ook al was hij mijn echtgenoot en had ik er het volste recht toe.

Ik had kunnen vertrekken. In de overgebleven momenten nadat ik onze kamer op orde had gebracht, had mijn hart me kunnen ingeven dat dit de aangewezen weg was. Zo veel mogelijk spullen bij elkaar pakken, Robert zien te vinden, en ijlings naar een plek toe waar we opnieuw konden beginnen, waar we in alle rust als man en vrouw konden leven.

Bestond zo'n plek wel?

Maar in mijn achterhoofd wist ik dat vluchten geen zin had. Ik wist dat als mijn broers mij niet vonden, ze uiteindelijk ons allebei zouden vinden, en dat zou nóg erger zijn. Ik wist ook dat ze, als ze ons niet vonden, dominee Day iets zouden aandoen of – God verhoede – Sarah, zoals ze hadden gedreigd, en ik wilde er beslist niet verantwoordelijk voor zijn dat lieve en gulle mensen als de Days zulk leed werd berokkend. Bij daglicht werd het me allemaal helder: het ging niet alleen maar om ons beiden. Het ging om Cora. Het ging om Nell. Het ging om een hele kring mensen die we respecteerden en liefhadden.

Ik zat in de leunstoel te wachten tot er opnieuw op de deur zou worden geklopt, ditmaal niet bedeesd.

Het klopje werd een dreun. Mijn broer trapte de deur in, waarschijnlijk om zijn zus maar zo snel mogelijk te redden van het monster dat Robert in hun ogen was. Waarom zou een zwarte anders denken dat hij het recht had om met een blanke vrouw te trouwen?

Ik zat bang maar vastberaden in mijn stoel. Dankbaar toen ik hen alle drie zag – en niet meer dan zij drieën. Mijn broers vulden dreigend de deuropening. Mijn vader stond achter hen, niet bepaald verontschuldigend. Hij had misschien ook wel het recht om kwaad op me te zijn, want ik was zonder toestemming het huis uit gegaan en had een keuze gemaakt die onherroepelijk alles zou kunnen veranderen wat hij met zoveel inspanning had opgebouwd.

Als zij alle drie hier waren, betekende dat waarschijnlijk dat Robert veilig was – ervan was afgebracht naar de kamer terug te keren. Ik hoopte dat Sarah zo verstandig zou zijn hem niet meteen alles te vertellen, maar bijvoorbeeld te doen alsof ze hem toevallig was tegengekomen en hem een tijdje aan de praat te houden voordat ze hem de waarheid vertelde. Ik was ergens nog steeds bang dat hij zich geroepen zou voelen naar onze kamer terug te gaan om mij te beschermen, terwijl hij juist degene was die dan in gevaar zou zijn.

'Ben je niet goed bij je hoofd, meid?' brulde mijn oudste broer. 'Waar is die jongen? Waar is die nikker? Zodra ik hem zie grijp ik hem bij zijn strot en knijp ik net zo lang tot hij het niet meer voelt.'

Ten slotte stapte mijn vader naar voren. 'Rustig, Jack. Dat is niet nodig. We hebben Isabelle gevonden. We kunnen haar nu mee naar huis nemen.' Hij legde een hand op Jacks arm, maar Jack duwde hem weg.

'Die jongen heeft onze zus bezoedeld, papa. Uw kleine meid is bezoedeld door een nikker. Daar laten we hem niet mee wegkomen, hè Pat?' Hij keek mijn jongste broer aan. Patrick schudde zijn hoofd en wierp me een minachtende blik toe. 'Als hij protesteert, heb ik nog wel iets beters dan mijn handen.'

Mijn adem stokte toen Jack een pistool uit zijn jaszak haalde. Ze wilden bloed zien. Ik kon het bijna ruiken. Toch was ik nu heel benieuwd of mijn moeder hen goedkeurend had laten vertrekken terwijl ze wist wat Jack in zijn zak had zitten.

'Vergeet niet dat jullie nu in Cincinnati zijn, jongens,' zei mijn vader. 'Het gaat er hier anders aan toe. Hier kun je misschien niet ongestraft doen wat je thuis wel mag. Willen jullie hierom in de cel belanden? Luister allebei: we nemen Isabelle nu gewoon mee en gaan naar huis. Kom op, Isabelle.' Papa's ogen smeekten me hem te gehoorzamen.

'Ik ga niet weg. Papa, ik hou van hem.'

Jack en Patrick stapten naar voren. Ze keken me aan alsof ze me een beest vonden nu ik dit met zoveel woorden had bekend. Maar ik wist wel beter: zíj waren de beesten.

'Isabelle, liefje, je hebt geen keus. Je bent minderjarig. Je huwelijk is ongeldig. En je komt met ons mee naar huis.' Mij bood hij het hoofd, terwijl hij het altijd had vertikt om anderen het hoofd te bieden. En ik was nog wel degene van wie hij het meest hield. Hoe kon hij?

Dus wat moest ik? Mijn broers waren bereid, of misschien wel erop belust, hierom bloed te vergieten, en mijn vader was niet van plan tussenbeide te komen. Op dat moment was ik ervan overtuigd dat rustig weggaan, zonder scène te maken, het beste was wat ik voor Robert kon doen. We zouden er iets anders op moeten bedenken om samen te kunnen zijn. We waren nu getrouwd, in elk geval voor de ogen van God. We stonden in ons recht.

Maar ik vergiste me. Ik had moeten weigeren mee te gaan. Ik had als een haas moeten vluchten, ver weg van degenen die altijd hadden beweerd dat ze van me hielden.

24

Dorrie, heden

Ik kon me niet voorstellen hoe mevrouw Isabelle zich moet hebben gevoeld nadat ze de kamer had verlaten waarvan Robert en zij hadden gedacht dat het hun thuis zou worden. Robert zal wel gek van ongerustheid en verdriet zijn geweest toen hij later terugkwam in die lege kamer en bedacht wat Isabelle in haar ouderlijk huis te wachten stond. Maar God mocht weten wat er zou zijn gebeurd als hij niet was weggegaan om iets te eten te halen, en die pummels waren verschenen met hun vuisten en een pistool. (*Pummels*, tweeënzestig verticaal. De omschrijving had net zo goed kunnen luiden: 'Jack en Patrick McAllister.') En ik had haar vader zo graag aardig willen vinden. Ik had de indruk gehad dat hij een billijke man was – een man die ontzettend veel van zijn dochter hield. Ik neem aan dat hij min of meer machteloos stond vanwege de moraal in die tijd, en veruit in de minderheid zou zijn geweest als hij hen had geprobeerd te helpen. Maar ik had ook een hekel aan hem, omdat hij die akelige broers van haar ongestraft hun gang had laten gaan.

We waren Elizabethtown straal voorbijgejakkerd terwijl mevrouw Isabelle aan het woord was. Ik had haar niet durven onderbreken. Er kwam een afslag aan naar het zoveelste dorp – uiteraard weer naar iemand vernoemd. 'Bent u al toe aan eten?' vroeg ik, hoewel de timing niet van fijngevoeligheid getuigde.

Mevrouw Isabelle slaakte een zuchtje, alsof de terugkeer naar die dag haar had uitgeput. Ik hoopte weer dat ik er niet verkeerd aan had gedaan haar te laten vertellen. Maar wat moest ik dan? Ze was geen kind meer en als ze mij haar verhaal wilde toevertrouwen, kon ik haar niet tegenhouden.

'Ik heb inderdaad honger.' Ze klonk verbaasd.

Geconfronteerd met de gebruikelijke drie of vier dorpsrestaurants aan de rand van de snelweg, kozen we voor een ontbijtrestaurant van een vertrouwde restaurantketen, ook al hadden we die ochtend volop ontbeten. De gastvrouw gaf ons snel een tafeltje.

Toch waren er ruim zeventig jaar na de trouwdag van mevrouw Isabelle nog steeds mensen die moeite met ons hadden, en je zou ervan staan te kijken wie dat zoal waren. Neem nou die oudere man en zijn vrouw die aan het tafeltje naast ons zaten te eten. Voordat we zelfs maar waren gaan zitten, begon hij al te staren, en telkens wanneer hij dacht dat ik niet keek, gaf hij met zijn teen de voet van zijn vrouw een por en knikte hij verwoed met zijn hoofd naar ons om haar aandacht te trekken. Ze wierp even een blik op ons, klakte afkeurend met haar tong en richtte hoofdschuddend haar aandacht weer op de pannenkoekjes, maar die stompzinnige man van haar bleef maar met open mond naar mevrouw Isabelle en mij kijken, alsof we allebei een extra neusgat hadden ontwikkeld.

Het zou misschien het beste zijn geweest als we hem gewoon hadden genegeerd en waren gaan eten. Maar mevrouw Isabelle en ik waren allebei nogal gespannen nadat ze me had verteld hoe haar broers haar hadden gedwongen bij Robert weg te gaan. Als we niet zo van streek waren geweest, zou alles wat er vervolgens gebeurde waarschijnlijk niet zijn voorgevallen.

Ik denk dat ze misschien een beetje projecteerde.

Maar ik kon toch onmogelijk een bijna negentigjarige, boze vrouw ervan weerhouden een volkomen gerechtvaardigde opmerking te maken?

'Jongeman,' zei ze, en ik barstte bijna in lachen uit. De man was minstens zestig, maar een jonkie vergeleken met mevrouw Isabelle. 'Heb je niets beters te doen dan anderen aangapen?'

Hij nam haar nog eens van top tot teen op en keek toen naar zijn vrouw, die duidelijk haar best deed de hele toestand te negeren. Ze stopte het volgende pannenkoekje ter grootte van een dollar in haar mond en streek met haar tong langs haar lippen om de druipende stroop op te vangen. Meneer Puiloog keek peinzend naar zijn eigen eten, terwijl de ober ons ijswater en de menukaarten kwam brengen. Maar het duurde niet lang of hij was weer aan het gluren en zich in allerlei bochten aan het wringen om ons gesprek af te luisteren – dat niet veel voorstelde, aangezien we allebei moe en leeg waren.

Toen de ober onze bestelling kwam opnemen en weer vertrok om die boven de grill op te hangen, zat de man ons weer openlijk aan te gapen. Ik denk dat mevrouw Isabelle hem toen misschien wel zou hebben genegeerd, ware het niet dat hij achteroverleunde in de kunstleren stoel, met een tandenstoker in zijn mondhoek en zijn benen zo wijd uit elkaar in zijn strakke spijkerbroek dat ik de omtrek van zijn onderbroek had kunnen zien als ik aandachtig genoeg had gekeken – waar ik feestelijk voor bedankte – en op luide fluistertoon tegen zijn vrouw zei: 'Ik heb nog nooit een zwarte meid en een oude blanke vrouw samen in een restaurant gezien. Zou ze haar dienstmeid zijn?' Hij lachte spottend. 'Mee uit genomen door de mevrouw omdat ze jarig is of zo? Anders zou ik niet weten waarom...'

Mevrouw Isabelle kwam overeind in de smalle ruimte tussen onze tafeltjes. Het duurde uiteraard even voordat ze zich lang had gemaakt. Ik had in elk geval tijd genoeg om te denken: o, nee, het is niet waar. Dat had die sufferd níét moeten zeggen. Maar wat kon je eraan doen? Ik wachtte op het vuurwerk.

'Nee, ze is niet mijn dienstmeid. Ze is mijn kleindochter.' Mijn mond viel vast net zo ver open als die van de man. 'Bovendien ben ik bijna honderd, en ik sta er versteld van dat ze idioten als jij nog steeds op aarde laten rondlopen. Voor het geval het aan je voorbij is gegaan: het is tegenwoordig volkomen geaccepteerd dat blanken en zwarten met elkaar omgaan. Dat ze vrienden of familie zijn. Of minnaars.'

Onze ober hing nog bij ons in de buurt rond, en mevrouw Isabelle wenkte hem. 'Meneer, we willen ons eten graag meenemen. Ik wil geen minuut langer meer in dit gebouw blijven.'

De ober stond er met wapperende handen bij, niet wetend hoe hij deze onmiskenbaar penibele situatie moest aanpakken. Mevrouw Isabelle dolf haar creditcard op uit haar tas en gebaarde dat ik haar moest volgen. We zaten in de wachtruimte tot de ober ons dampende meeneembakjes en afgedekte piepschuim bekers bracht.

'Ik bied u mijn verontschuldigingen aan, mevrouw. Ik weet niet precies wat er is gebeurd, maar het spijt me vreselijk. Weet u zeker dat we u niet een tafeltje kunnen aanbieden op een andere plek, zodat u daar uw maaltijd kunt gebruiken?'

'Ach, beste man, u kunt er niets aan doen,' zei mevrouw Isabelle. Ze keek langs hem heen naar de manager, die zich op de achtergrond hield. Die vrouw zag waarschijnlijk al voor zich dat ze aan een kruisverhoor onderworpen zou worden door de medewerker van het bedrijf die zich bezighield met interraciale betrekkingen. 'Maar mag ik voorstellen dat jullie een briefje aan de deur hangen met de tekst: ONVERDRAAGZAMEN WORDEN NIET BEDIEND. ONGEACHT HUN HUIDSKLEUR?'

De ober stopte de bakjes met ons eten in een draagtas. Hij gaf mevrouw Isabelle haar creditcard terug. 'We brengen u niets in rekening. Het spijt ons vreselijk.'

'Och, ik wil best voor het eten betalen, hoor,' zei ze, maar dat wuifde hij weg.

Een paar straten verderop vonden we op het dorpsplein een kleine picknickplek die bezaaid was met monumenten en gedenkstenen. Het plein, dat omringd werd door oude gebouwen, was zonder meer pittoresk (elf horizontaal) en volstrekt anders dan de pleinen die ik kende van thuis. De dunne piepschuim bakjes waren onhandig om uit te eten, en het werd een kliederboel. Mevrouw Isabelle kookte van woede, maar na een tijdje slaakte ze een zucht en ontspande haar schouders.

'Het spijt me, Dorrie. Ik had geen scène moeten maken, maar het geeft nu eenmaal geen pas om dergelijke...'

'Sst! U bent van nu af aan definitief mijn heldin.' Het was waar. Ik had het haar niet kunnen verbeteren. 'Ik sta er soms versteld van hoe mensen zich gedragen, zelfs zwarten. Sommigen denken kennelijk dat het verraad is om met blanke mensen om te gaan. Als u er niets van had gezegd, zou ík het wel hebben gedaan.' Nou en of. Die lui leken ook zó op me. Als je maar op de juiste manier door je wimpers had getuurd, had ik voor hun dochter kunnen doorgaan. Hierdoor schoot het me weer te binnen: 'Kleindochter, mevrouw Isabelle?' Ze had die kerel natuurlijk gewoon voor de gek gehouden, maar ik moest het toch vragen. Was er een belangrijker reden waarom ze me had uitgenodigd dit reisje met haar te maken? Een reden die niet eens bij me was opgekomen?

'Ik kon geen betere manier bedenken om de afkeuring op het gezicht van die kwibus – excusez le mot – weg te vagen. En ik mag je toch zeker wel mijn kleindochter noemen? Je bent nu eenmaal degene die me tegenwoordig nog het meest na staat.'

Het compliment van mevrouw Isabelle raakte me, maar maakte me ook bedroefd. Ik dronk mijn cola light op, in de hoop dat mijn geëmotioneerdheid voorbij zou gaan.

'O, kijk me niet zo aan, Dorrie. Ik weet wat je denkt, en dat is allemaal verleden tijd. Je hebt wel wat anders om je zorgen over te maken dan een oude vrouw en haar voltooid verleden tijd. Ik zou weleens willen weten wat je met Stevie Junior van plan bent. Heb je daar al een besluit over genomen? En hoe zit het met je vriend? Hou je die gewoon maar aan het lijntje tot hij het opgeeft? Is dat wel verstandig?'

Ik slaakte een zucht en schraapte mijn krachten bijeen. 'Ik denk er nog over na. Ik neem er ditmaal de tijd voor, in plaats van uit mijn vel te springen en op de eerste de beste manier die me te binnen schiet de boel proberen recht te breien. Tenzij Stevie besloten heeft dat geld toch maar uit te geven en alles nog erger te maken dan het al is – God verhoede het – mag hij wat mij betreft rustig nog een paar uur tobben over alle rot- nárigheid die hij zich op de hals heeft gehaald. En Teague – tja – die zal me inmiddels wel hebben opgegeven.'

'Ik weet het niet,' zei mevrouw Isabelle. 'De fatsoenlijksten willen je nog weleens verrassen. Die blijven soms langer hangen dan je zou verwachten – nadat ze het eigenlijk hadden moeten opgeven.'

We waren klaar met eten, hoewel mevrouw Isabelle maar ongeveer de helft van haar clubsandwich en verse meloenballetjes had opgegeten. Ik propte ons afval in de tas en gooide die in de vuilnisbak naast de tafel. We wandelden terug naar de auto, beiden in gedachten verzonken.

25

Isabelle, 1940

Ik had ons huis vroeger al een gevangenis gevonden, maar nu was het nog een streng beveiligde ook. Sterker nog: ik kreeg eenzame opsluiting. Toen mijn broers me als premiejagers bij mijn moeder hadden afgeleverd, pakte ze mijn koffer en nam me mee naar boven. Ze gebaarde naar de badkamerdeur, wachtte tot ik mijn behoefte had gedaan en volgde me naar mijn kamer, waar ze mijn koffer bij het voeteneind van mijn bed liet neerploffen en zonder een woord te zeggen weer vertrok. De deur had een dubbelzijdig sleutelgat. Ik hoorde metaal in het slot ronddraaien en vervolgens haar voetstappen gedecideerd de trap af gaan.

Patrick was buiten al aan het werk. Hij trok het latwerk van de zijgevel van het huis en snoeide de broze takken van de hoge ceder die het dichtst bij mijn raam stond. Die flinterdunne takken proberen af te dalen zou gekkenwerk zijn geweest. Misschien dachten ze ook dat ik gek was, en ze zouden er toen niet ver naast hebben gezeten. Het verbaasde me niet dat ik algauw de ladder langs mijn vensterbank hoorde schrapen. Ik gluurde naar buiten. Mijn broer hamerde lange, dikke spijkers in de raamlijst, zodat ik het schuifraam niet meer open kon doen.

In de verte waren mijn moeder en mijn vader aan het ruziën. Haar stem was vast en schel, de zijne gedempt en smekend. Ik had altijd gedacht dat papa stilzwijgend de baas was over ons huishouden, dat hij ervoor had gekózen om het bestieren ervan aan mijn moeder over te laten. Nu wist ik hoe het werkelijk zat.

Aanvankelijk bracht moeder me drie keer per dag eten op een blad en wachtte ze bij de badkamerdeur terwijl ik in bad ging of mijn behoefte deed. Ik leerde niet te veel water of thee ineens te drinken, aangezien ik verplicht was de meest basale en intieme levensbehoeften volgens haar schema af te handelen. Ik nam kleine slokjes, tot kort voor het moment waarvan ik wist dat ze zou verschijnen om me de zoveelste maaltijd te brengen en me naar de wc te laten gaan, want ik vertikte het om haar te roepen.

Na een tijdje mocht ik van haar af en toe beneden eten, maar alleen wanneer mijn broers er ook bij waren, die ongetwijfeld van haar de opdracht hadden gekregen me achterna te gaan als ik de benen zou nemen. Alsof ze daaraan herinnerd hoefden te worden. Moeder keek me uitdrukkingsloos aan; zij keken me nog steeds vol walging aan – áls ze al aandacht aan me schonken. Ik at het liefst boven.

Ik had nog geen plan. Toen mijn moeder eindelijk tegen me praatte, was het om me ervan te verzekeren dat als ik ook maar één poging deed om contact op te nemen met Robert, zij ervoor zou zorgen dat hij en zijn familie strenger gestraft zouden worden dan ik zelfs maar voor mogelijk hield. Nell was verdacht afwezig, en ik zag Cora telkens maar een paar tellen, wanneer ze haastig de eetkamer in en uit liep om koffie te schenken of schalen bij te vullen. Ze keek me nooit aan. Ik probeerde zelf ook nauwelijks oogcontact te maken, zo schaamde ik me voor alle moeilijkheden die ik haar gezin had bezorgd.

Het enige waarmee ik tijdens die weken nog net wist te voorkomen dat ik mijn verstand verloor, was de ene na de andere brief schrijven aan Robert, hoewel ik geen idee had of hij ze ooit zou lezen. Toen ik tot de ontdekking kwam dat ik in de haast om mijn spullen bijeen te pakken het vingerhoedje op het nachtkastje in het pension had laten liggen, zakte ik op de vloer neer en huilde ik urenlang. Ik had geen enkel tastbaar aandenken aan Robert. Alles was weg. Ik hoopte vurig dat Robert het vingerhoedje gevonden en bewaard had. Ik maakte me ook ongerust. Misschien had ik, doordat ik het had vergeten mee te nemen, onbedoeld de boodschap overgebracht dat ik Robert verstootte. Ik betreurde het nu dat ik niet de tegenwoordigheid van geest had gehad om een briefje voor hem achter te laten. Ik vroeg me af of Cora hem had verteld hoe ik hier gevangen werd gehouden.

Ik kreeg eindelijk de kans met mijn vader te praten toen moeder even naar de keuken was gegaan en Jack en Patrick, die al klaar waren met eten, op de voorveranda zaten te roken. Sinds mijn gevangenneming klaagde mijn moeder niet meer over hun gerook en stuurde ze hen ook niet meer naar de achtertuin; ik denk dat ze hen vanwege hun heldendaad nu als mannen beschouwde.

Ik smeekte mijn vader me uit te leggen waarom hij had toegestaan dat ze me daar weghaalden, waarom hij ons niet met rust had gelaten toen hij had ontdekt dat ik van Robert hield. 'Het is oneerlijk. Het is vréselijk oneerlijk. Ik dacht dat u het beste met me voorhad, papa. Dat u wilde dat ik gelukkig werd. En dat u ook het beste voorhad met Robert. We houden van elkaar. Hij kan nog steeds arts worden. Ik zou hem kunnen helpen, papa. U hebt altijd gezegd dat ik een uitstekende doktersassistente zou zijn. Hoe kon u haar dit laten doen?' Ik ratelde maar door in mijn wanhoop, gooide alles eruit wat ik had opgespaard tot we alleen waren.

'Isabelle, meisje van me...' Hij haalde zuchtend zijn schouders op, alsof ik het hoorde te begrijpen. Ik begreep in elk geval dat hij de anderen had toegestaan over het lot van mijn huwelijk te beschikken – ongeacht het feit dat hij Robert respecteerde, hem jarenlang had vertrouwd, zijn ontwikkeling had gestimuleerd en zijn opleiding had betaald.

'Ik ben uw meisje niet meer, vader,' zei ik, en ik wendde mijn blik af. We hebben daarna heel lang niet met elkaar gesproken. Ik heb hem nooit meer 'papa' genoemd.

Op een andere dag lukte het me met Cora te praten. Vader was bij me – moeder zou me nooit alleen hebben gelaten – maar hij was haastig vertrokken nadat Cora haar hoofd om het hoekje van de eetkamerdeur had gestoken om een spoedgeval te melden. Mijn broers waren er niet. Ik pakte wat borden bij elkaar en droeg ze naar de keuken om te doen alsof ik haar hielp afruimen – iets wat ik in het verleden vaak had gedaan.

Toen ik de klapdeuren door kwam, schrok Cora. Ze keek op van schuimend afwaswater en zag mij met mijn stapel borden. Ze wendde haar blik af en het enige teken van herkenning dat ze gaf, was dat ze haar kin uitstak om aan te wijzen waar ik de borden moest neerzetten. Maar ik bleef het porseleinen serviesgoed vasthouden om de indruk te wekken dat ik net was gearriveerd, voor het geval er iemand binnenkwam. Ik wist niet zeker waar moeder was gebleven. Ze had over hoofdpijn geklaagd; ik had aangenomen dat ze naar bed was gegaan.

'Is met Robert alles in orde?' vroeg ik zacht en gehaast. Maar ik gaf Cora niet de kans te antwoorden en sprak in vliegende vaart mijn verontschuldigingen uit, bang dat dit mijn enige kans zou zijn. 'Het spijt me allemaal vreselijk. Het spijt me dat ik jou en je gezin zoveel moeilijkheden heb bezorgd. Maar ik hou van hem, weet je. Alleen daarom heb ik het gedaan. Ik hou van hem, Cora.'

Ze droogde een hand aan haar schort en hief die om iets bij haar oog weg te vegen. Misschien had ze jeuk, maar het kon evengoed een traan zijn geweest. 'Ik kan er niet over praten, liefje. Ga nu maar, pas goed op jezelf. Maak je om ons geen zorgen.'

'Maar Robert...'

Cora draaide haar hoofd om. 'We maken het nu allemaal nog goed, maar als je broers er lucht van krijgen dat je met me probeert te praten, zullen ze hun dreigementen in praktijk brengen. De dag nadat ze jou thuis hadden gebracht, kwamen ze bij ons langs, op zoek naar Robert, en het is ze ernst. Als hij je nog één keer aanraakt of een van ons met je probeert te praten, zullen ze hem iets aandoen wat hij waarschijnlijk niet zal overleven. En het blijft niet bij Robert. Ze hadden het over ons huis en de kerk, over toevallige schade, de boel in brand steken. Juffrouw Isabelle, je moet ons met rust laten.'

Ze wendde zich af. Ik kon haar gezicht niet zien, maar haar adem stokte, alsof ze haar emoties in bedwang probeerde te houden. Mijn handen trilden. Ik zette de borden op het aanrecht neer. De erop achtergebleven klodders jus stolden al, en ik werd misselijk van de geur ervan, terwijl mijn hart mijn keel in werd geperst door de woorden die Cora had gesproken.

Moeder vroeg of ik maandverband nodig had. Haar bezorgdheid verbaasde me. Maar bij het horen van het subtiele gestoot en geschraap van de metalen prullenbak over de badkamertegels ging me een licht op. Ze wachtte op een teken – een teken dat mijn lichaam niet zodanig veranderd was dat het mijn familie zichtbaar te schande zou maken.

Toen ik op een dag tegen haar zei dat ik maandverband nodig had, slaakte ze een hoorbare zucht, en het was duidelijk dat ze zich van opluchting van top tot teen ontspande. Ze stak binnen enkele minuten een doos door de deuropening. Ik voelde dat ik een kleur kreeg. We hadden over het gebruik ervan nooit uitgebreider gesproken dan noodzakelijk was; ze zal wel aangenomen hebben dat ik me schaamde.

Maar ik bloosde niet van schaamte. Ik bloosde van woede.

26

Dorrie, heden

Ironie was het antwoord voor tweeënveertig verticaal, en toen we aan het laatste stuk naar Cincinnati begonnen, trof het me opeens. Mijn Stevie Junior die in paniek was en domme dingen deed omdat zijn vriendinnetje zwanger was. De moeder van mevrouw Isabelle die in paniek was en domme dingen deed omdat Isabelle weleens zwanger zou kunnen zijn.

De gedachte aan Stevie leverde als bij toverslag een telefoontje van hem op. Ik was nog niet echt klaar voor een gesprek, maar wat je vandaag kunt doen moet je nu eenmaal niet uitstellen tot morgen. We zaten op een recht stuk weg, dus ik groef mijn telefoon op en drukte op de opneemtoets. Hij was al aan het kakelen voordat we verbinding kregen.

'Oké, mam, het zit zo. Bailey is echt aan het flippen. Ze heeft me gezegd dat ik er maar voor heb te zorgen dat ze het geld morgen heeft, want anders gaat ze haar moeder alles vertellen, en dan vertelt haar moeder het weer door aan haar vader, en dan komt haar vader me in elkaar slaan. Of erger nog...'

'Ho! Even wachten.' Ik herinnerde mezelf eraan hoe je ademhaalt – inademen, uitademen, inademen – en probeerde mijn ogen op de weg en mijn handen aan het stuur te houden, hoewel ik niets liever wilde dan twee tienernekjes opsporen en ze omdraaien. Dat was inmiddels een regelmatig terugkerend verlangen, en niet bepaald gezond.

'"Even wachten", mam? Je hebt geen flauw idee waarmee ik te maken heb!'

'O nee? Bedoel je soms dat ik geen flauw idee heb hoe het is om met een tienerzwangerschap te maken te krijgen? Nou, daar heb je gelijk in!'

Uit zijn korte stilte bleek dat de subtiele verwijzing naar zijn eigen geboorte hem niet was ontgaan, maar daarna ging hij gewoon verder. 'Oké, mam, maar je moet me toestaan dat geld te gebruiken. Anders heb je kans dat haar vader me vermoordt of zo. Ik betaal je wel terug. Ik beloof het. Ik neem het eerste het beste baantje dat ik kan krijgen. Mam. Toe nou.'

'"Je moet"?' Dat ik inmiddels witheet was, was nog zwak uitgedrukt. Ik overwoog langs de kant van de weg te gaan staan voordat ik een ongeluk veroorzaakte, maar ik wilde ook heel graag Cincinnati bereiken, zodat we ons konden installeren voor de nacht. We waren moe van het reizen en je wist maar nooit wat we nog zouden moeten afhandelen voordat de volgende dag de begrafenisactiviteiten begonnen. Dus ik bleef rijden, en was me er maar half van bewust dat de snelheidsmeter omhoogkroop. 'Jongen, dat was mijn geld. Ik heb het verdiend. En jij hebt het van me gestolen. Denk je nou echt dat ik je een schouderklopje zal geven en je het geld zal laten houden?'

Hij viel tegen me uit, brulde dat ik een rotmoeder was omdat ik zijn leven in gevaar bracht, en dat het eigenlijk mijn schuld was dat hij in de nesten zat omdat ik nooit iets anders deed dan werken, werken en nog eens werken, en hem verwaarlozen en Bebe verwennen, terwijl hij alleen maar iemand probeerde te vinden die van hem hield en...

Een politieauto voegde in en kwam achter me rijden. Het zwaailicht verhevigde alleen nog maar het rode waas dat ik al voor mijn ogen had.

Ik stak mijn hand uit naar mevrouw Isabelle, met het mobieltje plat op mijn handpalm. Ze pakte het, bestudeerde het en fronste haar voorhoofd om de boze geluiden die het nog steeds uitbraakte. Ik had de verbinding moeten verbreken voordat ik het haar gaf – ik had haar die dag al een keer in actie gezien – maar het was te laat.

'Jongeman?' zei ze. De herrie uit de telefoon verstomde abrupt. Ik reed langzaam naar de kant van de weg en deed mijn uiterste best om niet op mijn beurt hém een reeks krachttermen naar het hoofd te slingeren.

'Je moeder is een engel,' zei ze. 'Een engel van barmhartigheid. Al dat geschreeuw en gescheld van je levert niets op. Je moeder heeft je juist een dienst bewezen door te voorkomen dat de politie je heeft afgevoerd naar de gevangenis omdat je haar geld hebt gestolen. Denk daar maar eens over na en praat pas weer met haar als je bent afgekoeld. Ze heeft op het ogenblik iets anders aan haar hoofd.'

Ik was inmiddels gestopt op de vluchtstrook. Ik hield met één oog de agent in de gaten die op mijn raampje afkwam, en met het andere mevrouw Isabelle, die erachter probeerde te komen hoe ze moest ophangen. 'Het rode knopje,' zei ik, en daarna draaide ik mijn raampje omlaag en liet mijn hoofd tegen de hoofdsteun vallen.

'Hebben we haast, mevrouw?' vroeg de agent.

'O, u moest eens weten.' Ik schudde mijn hoofd. Een toonbeeld van zelfbeheersing.

'Mag ik uw rijbewijs en verzekeringsbewijs zien?'

Ik haalde mijn rijbewijs uit mijn portefeuille, terwijl mevrouw Isabelle het velletje papier van de verzekeringsmaatschappij opspoorde. We wachtten zwijgend af terwijl hij naar zijn auto terugliep om te controleren of ik een strafblad had. Na een tijdje verscheen hij weer bij mijn raampje.

'Ik geef u een bekeuring wegens overtreding van de maximumsnelheid. U reed 140 in een 110-kilometerzone.' Hij staarde me aan alsof te hard rijden een ongebruikelijke overtreding was. 'Verder geef ik u een waarschuwing, omdat uw rijbewijs twee weken geleden verlopen is. U moet dat meteen in orde maken. Misschien dat u in Texas even respijt krijgt, maar hier in Kentucky zou ik u kunnen inrekenen.' Hij keek langs me heen naar mevrouw Isabelle, alsof zij de enige reden was waarom hij had besloten dat niet te doen.

Mijn gezicht gloeide en mijn handruggen tintelden alsof ze afgeranseld waren. Ik keek woedend naar het plastic pasje dat ik voornamelijk gebruikte om smakelijk om de foto te kunnen lachen. Mijn verjaardag was zo geruisloos mogelijk voorbijgegaan, en dankzij debitcards kon ik me niet heugen wanneer iemand me voor het laatst om mijn identiteitsbewijs had gevraagd. De Texaanse overheid verstuurde herinneringsbrieven voor van alles en nog wat – waarom dan in vredesnaam niet voor de verlenging van je rijbewijs? Agent Geschokt en Ontzet gaf het elektronische klembord aan me door, zodat ik mijn exponentiële domheid kon bevestigen. (Je kunt wel raden waar ik *exponentiële* vandaan heb, al weet ik niet meer of het nu verticaal of horizontaal was.) Hij wenste ons een prettige avond – bah! – en ik kreunde toen hij wegliep.

'Het spijt me, mevrouw Isabelle. Ik kan er niet over uit dat ik u met een verlopen rijbewijs heb rondgereden. En Stevie Junior kan doodvallen. Reken maar dat hij ook deze bekeuring gaat betalen zodra hij dat baantje heeft gevonden waar hij waarschijnlijk totaal niet hard naar op zoek is.' Ik keek haar aan. 'Wat doen we nu? Gaat u achter het stuur?'

'Och, liefje, mijn rijbewijs was drie jaar vóór het jouwe al verlopen, dus ik denk dat we beter af zijn als jij rijdt. Doe het rustig aan, dan redden we het wel.' Ze gaf me een klopje op mijn hand. 'En voor het geval je het je afvraagt: ik heb er geen spijt van dat ik Stevie de waarheid heb gezegd.'

Ik schudde mijn hoofd en gromde. 'Iemand moest het doen.'

Ik gaf met het knipperlicht aan dat ik de weg weer op wilde, en mijn borst verkrampte van paranoia, zoals altijd nadat ik door een agent was aangehouden, alsof er een verborgen camera op de auto zat die je nauwlettend in de gaten hield om er zeker van te zijn dat je het goed deed – en nóg nauwlettender als je niet paste in het door hogerhand vastgestelde ideaalbeeld van een brave burger. Waarom had ik daarnet toch mijn mond opengedaan? Het was onvoorspelbaar. 'De enige reden waarom die agent me niet heeft afgevoerd naar de gevangenis, was dat ik een blanke vrouw naast me had zitten, mevrouw Isabelle, dat garandeer ik u.'

Mevrouw Isabelle keek me aan. Ze keek me alleen maar aan. Maar haar blik zei datgene wat te vaak door te veel mensen in te veel situaties was gezegd: *Mensen van jullie ras denken ook altijd dat we het op jullie gemunt hebben.* Ik was bang dat ik weer over de rooie zou gaan. Ik wist dat ik de auto uit moest, omdat ik anders misschien iets zou doen waar ik later veel spijt van zou krijgen. Ik stopte aan de kant van de weg, en mevrouw Isabelle keek met open mond toe terwijl ik mijn tas van het dashboard griste, de auto uit vluchtte en het portier zo hard achter me dichtsloeg als ik dat zware brok metaal maar kon dichtslaan. Ik beende weg over de vluchtstrook en haalde onder het lopen mijn pakje sigaretten en aansteker uit mijn tas. Ik wist niet hoe snel ik die peuk moest aansteken, en nam een flinke teug zodra hij vlam vatte. Ik slingerde mijn tas over mijn schouder en bleef lopen tot het nummerbord van de Buick niet meer dan een piepklein stipje achter me was; daarna liep ik nog een eindje door, terwijl ik die onuitgesproken woorden keer op keer door mijn hoofd liet gaan.

Toen ik jong was, werkte er in de namiddag of 's avonds een bewaker bij het complex sociale huurwoningen waar mijn moeder en ik woonden: een agent buiten dienst die in mijn woonplaats was opgegroeid en er nog steeds woonde. Hij sloot vriendschap met de kinderen in het complex – met degenen die de politie niet al wantrouwden, die niet al een keer gearresteerd waren wegens kinderachtigheden als graffiti aanbrengen op vuilnisbakken of auto's bekrassen met een sleutel. Of veel ernstiger zaken. Ik mocht hem graag. Ik vertrouwde hem. Hij hield me vaak staande als ik na school kwam aansjokken, mijn rugtas afgezakt over mijn schouder. Ik moest altijd maar afwachten in wat voor toestand ik mijn moeder zou aantreffen als ik de deur door kwam. Gelukzalig verliefd? Gedeprimeerd en in slaap? Of voor het eerst die week bezig met ons avondeten?

'Hoe was het op school, jongedame?' vroeg hij dan. 'Moet je vandaag nog lang aan de studie? Laten de onderwijzers je wel hard genoeg werken?' Hij stelde vragen die een ouder zou stellen, hoewel dat meestal wel het laatste was waar mijn moeder aan zou denken. Het interesseerde haar vaak meer of ik met een vriendinnetje had afgesproken samen huiswerk te maken – niet of ik daadwerkelijk huiswerk hád, maar of ik bezig zou zijn, zodat zij de hort op kon. In de hoop dat de moeder van het vriendinnetje me wel te eten zou geven.

'Ik heb altijd huiswerk,' zei ik dan tegen hem.

Hij knikte. 'Wat vind je het leukst? Ik had een hekel aan biologie, maar ik was steengoed in rekenen.'

Ik kreunde. Rekenen was nooit mijn sterkste vak geweest. 'Wat bent u een rare. Ik hou wel van aardrijkskunde. Ik vind het leuk om te leren hoe de mensen in andere streken leven?' Ik maakte er een vraag van en lette op zijn reactie. De meeste mannen die ik kende – met uitzondering van de paar op school, meestal gymleraar of administratief medewerker – waren vriendjes van mijn moeder of hingen bij de alleenstaande vrouwen in ons complex rond. Ze hadden weinig belangstelling voor me getoond, tot ik dat jaar opeens borsten en ronde heupen als die van mijn moeder had gekregen, en nu wist ik meestal niet hoe snel ik een smoes moest bedenken om hen te ontvluchten.

Maar zo was agent Kevin niet. Hij leek oprecht geïnteresseerd te zijn in wat ik dacht. En ik betrapte hem er nooit op dat hij me van top tot teen opnam, mijn borsten en heupen keurde alsof ik een bes was die rijp was voor de pluk. 'Aardrijkskunde was leuk. Als je naar de middelbare school gaat en uitgebreider aardrijkskunde krijgt, wordt het wel lastiger, hoor. Dan moet je hard studeren. Ben je wel van plan om hard te studeren op de middelbare school, juffrouw Dorrie?'

'Ja, meneer,' antwoordde ik, maar niet zoals ik 'ja, meneer' zei om van de stalkende bedrijfsleiders in de supermarkt af te komen – die mannen die me de hele tijd achtervolgden, vroegen of ik het allemaal wel kon vinden, en me aankeken alsof ik inmiddels al koopwaar achter in mijn spijkerbroek had gepropt. Ik zei het tegen agent Kevin alsof ik het meende. Ja, meneer, ik was van plan om hard te studeren. Ja, meneer, ik was van plan om, zodra het kon, te maken dat ik mijn geboorteplaats uit kwam. En ja, meneer, als ik dat met hard studeren kon bereiken, dan ging ik aan de slag. Net als alle andere tien-, elf- en twaalfjarige meisjes uit mijn complex. Tot de jongens gingen spelen met ons hart. Ik had het tot dan toe langer volgehouden dan sommige anderen.

Op een keer vertelde agent Kevin me dat hij het extra geld dat hij verdiende met het bewakingswerk opzijlegde om een aanbetaling te kunnen doen voor een mooier huis voor hem en zijn vrouw en kinderen. Ik maakte me daar graag een voorstelling van. Ze woonden natuurlijk aan de blanke kant van de stad, maar hun huis was niet meer dan een sjofel starterswoninkje. Hij had vier kinderen, en ik stelde me voor dat ze met al hun speelgoed en drukte uit het huis puilden. Hij wilde een mooi groot huis voor hen bouwen op het platteland – waar ze de ruimte zouden hebben om te spelen, en misschien zelfs een echt zwembad, in plaats van zo'n pvc- of opblaasgevalletje, dat ze elke zomer bij de bouwmarkt kochten. Ik had zo'n ding eigenlijk best willen hebben, maar dat zei ik niet hardop. Agent Kevin was aardig en ik vond het leuk dat hij met me praatte – alsof ik een echt mens was, en niet een delinquent in opleiding. Ik vermoedde dat hij niet van zeurpieten hield.

Maar toen ik op een middag thuiskwam van school, stond hij naast een auto van de plaatselijke politie. Mijn moeder zat op de achterbank. Ik rende naar de auto en liet mijn rugtas op het trottoir vallen.

'Zie je nou wat je zogenaamde vriendje heeft gedaan?' gilde mijn moeder door het raampje van de politieauto toen ik dichterbij kwam. 'Zie je nou wat er gebeurt als je blanken vertrouwt?'

Agent Kevin leunde tegen de auto terwijl de wijkagent hem een verklaring afnam. Hij stond met zijn rug naar me toe en zijn handen diep in zijn zakken, alsof hij zich voor me schaamde. En misschien ook voor zichzelf.

Mama bleef maar tekeergaan, en ik probeerde haar te sussen. 'Mama, schreeuw alsjeblieft niet zo.' Alle buren hingen met open mond over hun hek. Een dergelijke gebeurtenis was niets nieuws in ons complex, maar nooit eerder was zij de bron van vermaak geweest. Ze hield zich over het algemeen netjes aan de wet, ook al was ze niet de meest oplettende ouder. 'Wat is er gebeurd?' vroeg ik.

'Agent Kevin,' zei ze, met een knikje naar de man van wie ik tot dan toe had aangenomen dat hij mijn vriend was, maar die nu deed alsof hij me niet eens kende, 'heeft de politie op me af gestuurd, omdat ik volgens hem in bezit was van een verdovend middel. Ik heb hem gezegd dat het niet van mij was. Het was niet van mij, Dorrie. Echt waar.'

'Als er marihuanarook uw ramen uit zweeft, is het spul nagenoeg van u, mevrouw,' zei de wijkagent. Mijn moeder snoof.

'Het was van mijn vriend. Wat moet ik daartegen beginnen? Ik heb zijn doen en laten niet in de hand.'

'O, mama, ik heb je nog zo gezegd dat je hem dat niet in huis moest laten doen.' Ik wist niet op wie ik nu het kwaadst moest zijn: mijn moeder, omdat ze de zoveelste idioot in huis had gehaald en een stommiteit had laten begaan, of op agent Kevin. Natuurlijk, het was zijn werk, maar als ze mijn moeder afvoerden naar de gevangenis, wat moest ik dan? Hoe kon ik hard studeren als ik geen idee had wat er zou gaan gebeuren? Ik had al visioenen van pleeggezinnen. Mijn moeder sprak waarschijnlijk de waarheid: de hasj wás waarschijnlijk van haar vriend, want zij kon zich die niet veroorloven. Maar het zou me niet hebben verwonderd als ze er wel een trek van had genomen.

En waar was die vriend nu? 'Waar is Tyrone?'

'Weg. Hij was 'm gesmeerd, nog geen vijf minuten voordat agent Rotzak de wijkpolitie belde om me te laten oppakken. Het zou me niks verbazen als jouw agent Kevin het precies zo had getimed. Hij zit al een tijdje te wachten op een aanleiding om me in de problemen te brengen, me het huis uit te laten zetten. Hij heeft jou gebruikt om mij in de gaten te houden. Neem dat maar van me aan.'

Ik kon het niet geloven. Waarom had agent Kevin nota bene mijn moeder verlinkt, zonder haar zelfs maar de kans te geven de situatie uit te leggen? Er waren in ons complex dag in dag uit drugsactiviteiten, en het was niet bepaald zo dat mijn moeder in een heroïneroes buiten ronddoolde. Goed, misschien had ze een trekje genomen van een joint. Wet is wet, uiteraard, maar waarom míjn moeder en niet een van die criminelen? Misschien had hij die dag padvinderspunten nodig en was ze een makkelijk doelwit.

Naar aanleiding van de bekentenis die mijn moeder aflegde, werd de aanklacht afgezwakt tot een lichte overtreding. Ze bracht drie nachten in de cel door omdat ze de boete niet kon betalen. Maar we werden ook voor een jaar uit onze woning gezet. Met een gedocumenteerd drugsprobleem mocht je niet teren op de gastvrijheid van de overheid. Mama moest deelnemen aan een drugsontwenningsprogramma onder toezicht, en we moesten intrekken bij haar drankzuchtige oude vader – mijn opa, hoewel ik hem eigenlijk nooit als zodanig heb beschouwd, want we waren niet bepaald dol op elkaar – in een vervallen hutje aan de rand van de stad tot we weer in aanmerking kwamen voor een sociale huurwoning.

De dag dat ze uit de gevangenis kwam vertelde mama me dat agent Kevin had gewacht tot Tyrone vertrokken was en toen had aangeklopt en had gezegd dat hij haar niet zou aangeven als ze hem in ruil daarvoor een kleine dienst bewees. Ze weigerde, waarop hij de politie belde.

Mijn gezicht gloeide. Mijn agent Kevin? Degene die ik had vertrouwd? Degene die me met rust liet terwijl die andere griezels me wellustig bekeken? Degene die ik me had voorgesteld in zijn huis, samen met zijn leuke vrouw en vier schattige kindjes?

Ik wist niet of ik haar kon geloven. Maar ze was mijn moeder. Haar bewering moest toch minstens een kern van waarheid bevatten. Ik leerde ervan dat ik anderen nooit moest vertrouwen alleen maar omdat ze aardig tegen me waren. De kans was groot dat ze gewoon als een slang in het gras op de loer lagen om me pootje te lichten. Dat was het jaar waarin ik voor het eerst niet harder studeerde dan nodig was om met mijn hakken over de sloot over te gaan.

Oké, misschien heb ik gelogen toen ik zei dat ik nooit iemand beoordeelde op basis van zijn huidskleur. Ik probeerde het in elk geval; meestal wist ik mezelf ervan te overtuigen dat ik naar aanleiding van de daden van één persoon geen oordeel kon vellen over een heel ras. Maar soms wekte een bepaalde gebeurtenis die oude herinnering op. Die borrelde dan omhoog, zodat ik alleen maar agent Kevin zag als ik naar een ander blank gezicht keek. Mijn hart gaf me in op mijn hoede te zijn. Mijn hart gaf me in dat ik aan dit blanke gezicht niet veel zou hebben. Mijn hart gaf me in dat ik mannen of mensen met een blank gezicht niet kon vertrouwen.

En nu had ik al lopend het verdriet dat ik jarenlang had opgepot en diep in mijn hart had weggestopt in talloze brokjes uitgebraakt, in de richting van mevrouw Isabelle.

Toen mijn sigaret tot een stompje was opgebrand ging ik eindelijk terug. Al was ik nog steeds kwaad, ik voelde me ook wreed toen ik bij de auto aankwam. Daar zat mevrouw Isabelle, wit weggetrokken. Haar hart ging zo tekeer dat haar blouse ervan trilde, alsof er onder de stof een vogeltje verborgen zat.

'Het spijt me,' zei ik, terwijl ik wegreed van de vluchtstrook. 'Ik was niet van plan u in de steek te laten. Ik moest alleen de auto uit om te voorkomen dat ik iets doms deed. Iets doms zéi.'

'Ik dacht ook niet dat je me in de steek zou laten. Ik wist dat je even tot jezelf moest komen. Maar waarom was je nu zo kwaad op me?'

'U dacht dat ik maar wat zei, mevrouw Isabelle, wat betreft dat schuldig zijn alleen al omdat je bestaat – u weet wel: "Pas op, kleurling achter het stuur." U hebt geen idee hoe het is om altijd maar onder die wolk van verdenking te leven. Er staat altijd wel iemand klaar om je om het minste of geringste op te knopen, alsof je zojuist hebt bewezen wat ze van begin af aan al vermoedden.'

'Dat dacht ik helemaal niet, Dorrie. Maar je hebt gelijk. Ik weet niet hoe het is. En het maakt me verdrietig dat we in deze wereld elkaar dat nog steeds aandoen.'

Weer gloeide mijn gezicht, zoveel jaren later. Ik haalde me haar blik van daarnet voor de geest. Ik was voorbarig geweest. Had me gebaseerd op een veronderstelling. Ik had waarschijnlijk gelijk wat de agent betrof, maar misschien had ik mevrouw Isabelle verkeerd beoordeeld. Misschien had ik haar echt verkeerd beoordeeld.

Eindelijk ontspanden mijn schouders. De plaats waar we hadden gegeten lag inmiddels zo'n vijftig kilometer achter ons. We waren in een lus om Louisville heen gereden en een verkeersbord tegengekomen waarop stond dat het nog honderdzestig kilometer was naar Cincinnati. Nog ruim een uur, en we waren er.

Hoewel...

Er barstte geratel en gegier los, dat vóór uit de auto kwam. Dit werd gevolgd door gebonk, en het stuur begon te trillen in mijn handen alsof er een aardbeving was.

'Goeie genade, wat is dat voor herrie? Je kunt maar beter naar de kant gaan,' zei mevrouw Isabelle.

Ik bedwong de neiging om haar sarcastisch 'U meent het' toe te bijten. Ik stuurde de auto voorzichtig naar de vluchtstrook, zette de motor af, snuffelde, luisterde en keek of er rook of vlammen onder de motorkap vandaan kwamen.

Niets. We stonden tenminste niet op het punt de lucht in te vliegen.

Ik draaide me naar haar toe. 'En nu?'

27

Isabelle, 1940

Ik was woedend op mijn moeder – om voor de hand liggende redenen, maar vooral omdat ze zo nauwkeurig in de gaten hield of ik menstrueerde. Ik had gelogen toen ik had gezegd dat ik maandverband nodig had. Ik telde zorgvuldig de dagen af en vroeg na het verstrijken van de juiste hoeveelheid tijd om een nieuwe voorraad. Telkens wanneer ik naar de wc ging hield ik mijn adem in – ervan overtuigd dat ik zou zien wat ik niet wilde zien – en liet die even later weer ontsnappen, blij en tegelijkertijd doodsbang. Ik wikkelde het maandverband zorgvuldig in wc-papier, alsof het werkelijk bevuild was met het bloed dat mijn moeder als haar redding beschouwde.

Het zou een zware weg worden als mijn moeder eenmaal de waarheid had ontdekt. Maar ik was dolblij dat ik in elk geval één aandenken had aan mijn tijd met Robert. Een klein stukje van hem dat ik koesterde in mijn ziel en uiteindelijk – als mijn buik het niet vroegtijdig opgaf – in mijn armen. Een levende, groeiende herinnering aan het feit dat ik ooit vrijelijk had gehouden van de man die ik altijd in mijn hart zou meedragen, of we ooit weer samen zouden zijn of niet.

Moeder liet me weten dat mijn huwelijk nietig was verklaard. Het viel heel eenvoudig te bewijzen dat ik minderjarig was, geen toestemming had gehad om te trouwen, en uit een omgeving kwam waar onze verbintenis toch niet werd erkend.

Aanvankelijk voelde ik me dood vanbinnen na het horen van haar nieuws, en woog mijn droefheid als lood. Maar ze kon me mijn huwelijk niet afpakken, ook al waren de papieren vernietigd. We hadden de trouwgelofte afgelegd. Dat was voldoende.

En nu had ik nog iets wat ze niet ongedaan kon maken. Als de baby geboren was, zou ze me wegsturen. Ze zou me niet meer in haar huis willen hebben, niet dagelijks geconfronteerd willen worden met haar falen. Ze zou me het huis uit zetten. Dan zou ik Robert gaan zoeken en zouden we opnieuw kunnen beginnen, ditmaal gebonden door het lieve schepseltje dat voortgekomen was uit onze verbintenis.

Uiteindelijk werd moeder natuurlijk toch argwanend. De misselijkheid waartegen ik toen vocht werd niet zozeer veroorzaakt door mijn zwangerschap als wel door de gedachte dat ze de inhoud van de afvalbak aan een nauwkeurig onderzoek onderwierp. Ik zei niets en wachtte met een uitdrukkingsloos gezicht tot ze in woede ontstak.

Maar ze vertrok.

Later ruzieden ze erover in de gang. Hun stemmen waren weliswaar gedempt, maar stroomden toch als olie en water onder mijn deur door – die van mijn moeder aanzwellend, die van mijn vader zacht.

'Jij kent mensen die ons kunnen helpen, John. Mensen die er hun mond over zullen houden.'

'Ik weiger het te doen, Marg. Doordrammen heeft geen zin.'

'Hoe pakken we het dan aan? En wat moeten we als ze zover is om te bevallen? Dit kan zo niet verder.'

Mijn vader bleef bij de deur van de badkamer staan en suste haar. De deurlijst kraakte op dezelfde plek waar hij altijd kraakte, en ik stelde me voor dat hij ertegenaan leunde en wachtte tot mijn moeder hem in de gelegenheid stelde zijn vaste handelingen voor het slapengaan te verrichten. Ten slotte slaakte ze een zucht, en toen ze naar hun slaapkamer liep schraapten haar schoenen over de vloer, alsof ze geen zin had om haar voeten fatsoenlijk op te tillen.

Wat wilde ze dat mijn vader deed? Wie waren die mensen over wie ze het had, die zouden helpen en hun mond zouden houden? Er liep een rilling over mijn rug, die mijn nek deed tintelen.

Eén ding wist ik wel: ook al zou mijn vader haar niet helpen, moeder wilde onder geen beding dat ik Roberts baby kreeg.

Ik wist weinig over de achtergrond van mijn moeder – alleen dat ze straatarm was geweest, was opgegroeid in een doorsneedorpje in Kentucky, en was verwekt door de plaatselijke dronkenlap. Hij had mijn grootmoeder zwanger gemaakt en zichzelf prompt ontheven van de vaderlijke verantwoordelijkheid door van een brug te vallen terwijl hij zijn roes uitsliep. Op documenten die ik had opgesnuffeld stond aangegeven dat mijn grootmoeder wasvrouw van beroep was, maar het feit dat moeder er niet over wilde praten, en vooral dat ze de eerstgeborene van vier was, deed vermoeden dat het werk van haar moeder een breder terrein besloeg dan alleen wasgoed aannemen.

Moeder rondde de lagere school af en verhuisde toen naar Louisville, waar ze zichzelf veranderde en verkoopster werd in een hoedenzaak tot ze in een café-restaurant mijn vader leerde kennen. Hij had net zijn medicijnenstudie afgerond en was van plan de praktijk over te nemen van de huisarts in Shalerville, die met pensioen ging. Ik stelde me voor hoe mijn moeder zichzelf opnieuw veranderde, en nu in een artsenvrouw. Ze had het al opmerkelijk ver geschopt; mijn vader zal wel gedacht hebben dat ze halsoverkop verliefd op hem was geworden. Ik zag nu in dat haar halfzuster – mijn geliefde tante Bertie – de door moeder zo zorgvuldig opgebouwde positie van ons gezin in de hogere kringen van Shalerville bijna te gronde had gericht. Ook tante Bertie was aan hun treurige leven ontsnapt door na haar schooltijd bij ons te komen wonen. Ze werkte hard, maar was zorgeloos en kon de verlokking van wereldse zaken niet weerstaan. Toen moeder de onfatsoenlijkheid van tante Bertie niet langer kon verbergen, vroeg ze haar te vertrekken. Haar uiteindelijke lot – in andermans auto de afgrond in storten – was een zwaardere straf dan ze had verdiend.

Het leek alsof moeder altijd balanceerde op het hachelijke randje van achtenswaardigheid, maar als ze had gedacht dat het de opstandigheid van tante Bertie was die de balans zou laten doorslaan, dan had ze zich vergist.

Ik was degene die het hele kaartenhuis weleens zou kunnen laten instorten. Het beeld dat ze jarenlang had gecultiveerd en aan de buitenwereld had gepresenteerd was in gevaar, en nadat ik haar gesprek met mijn vader had afgeluisterd, vroeg ik me af waartoe ze zich wel niet zou verlagen om de McAllisters in Shalerville op hun voetstuk te houden.

Op een middag aan het eind van de lente zag moeder hoe ik bukte om een boek op te pakken dat ik had laten vallen. De stof van mijn jurk spande om mijn middel en buik, en het was zonneklaar dat ons geheimpje binnenkort onmogelijk meer te verbergen was. Mijn vader had altijd gezegd dat ik de bouw van een mus had. Het had niet lang geduurd voordat mijn zwellende buik uitstak uit de smalle ruimte tussen mijn heupen. De volgende ochtend diende in plaats van Cora een onvriendelijke, magere, blanke vrouw het ontbijt op. Ze droeg een zelfgemaakt, kleurig schort over haar eigen versleten jurk, in plaats van zo'n keurig uniform dat moeder Cora en Nell had verstrekt. Ze kon niet radicaler van hen verschillen.

'Waar is Cora?' vroeg ik. De vrouw snoof en vervolgde haar bezigheden. Ze schonk koffie en roerde het roerei nog eens om, zodat er damp afkwam en het pas op het bord leek te zijn gelegd.

'Waar is Cora?' vroeg ik aan mijn moeder, die na mij de kamer in was gekomen. Mijn vader slofte als laatste naar binnen, op pantoffels onder zijn zwarte broek. Gewoonlijk ging hij 's zaterdags vroeg op pad om nog een paar huisbezoeken af te leggen. Kennelijk had men hem deze ochtend niet nodig gehad, of had moeder gewild dat hij bleef, om de indruk te wekken dat ze één front vormden.

'Dit is mevrouw Gray. Zij doet nu voor ons het huishouden,' zei moeder.

Mevrouw Gray? Het was een toepasselijke naam. Maar ik was minder geïnteresseerd in haar aanwezigheid dan in de afwezigheid van Cora. 'Maar... wat is er met Cora gebeurd?' vroeg ik, terwijl ik aandachtig van moeder naar vader keek. Hij ging op zijn gebruikelijke plekje zitten, bladerde door de ochtendkranten, nu met zijn leesbril op zijn neus, en was onmiddellijk verdiept in de beursverslagen. Bestudeerd onwetend.

'Cora heeft een nieuwe betrekking.' Moeders blik schoot heen en weer tussen mijn vader en mij. Ik was ervan overtuigd dat ze loog; de afwezigheid van Cora was het zoveelste neveneffect van mijn daden. Ze was ontslagen zodra mijn moeder een geschikte vervangster had gevonden. Ik vroeg me af of ze werkelijk in staat was geweest op tijd ander werk te regelen – of ze wel van tevoren was gewaarschuwd.

Opeens schoten de ogen van mijn moeder naar mijn middel, en toen drong de waarheid tot me door: het vertrek van Cora hing samen met mijn veranderende silhouet. Ze mocht geen getuige zijn van de ontwikkeling van mijn zwangerschap. Had ze bij haar vertrek enig idee gehad dat Robert vader zou worden? Ik had haar sinds ons laatste gesprek nauwelijks meer gezien. Ik had haar met rust gelaten, zoals ze had gevraagd.

Mijn moeder was van plan mijn toestand verborgen te houden.

Ik had er wanhopig naar verlangd op de een of andere manier contact te leggen met Robert of Nell, en erachter te komen hoe het met hen ging. Werkte Robert nog in de haven, ter vervanging van het inkomen dat Nell en hij – en nu Cora – waren kwijtgeraakt? Was hij weggegaan uit onze huurkamer en had hij de herinnering aan die bitterzoete nacht en dag achter zich gelaten? Of was hij gebleven, omdat hij liever een volwassen leven leidde dan terugging naar zijn ouderlijk huis? En wat was er gebeurd met het dierbare vingerhoedje dat ik had vergeten mee te nemen? Maar de waarschuwingen van Cora hadden luider weerklonken dan mijn verlangen om dat allemaal te weten.

Ik besefte nu dat mijn moeder me niet het huis uit zou zetten, zoals ik had aangenomen toen ik mijn prille zwangerschap nog had verzwegen. Ik was inmiddels in de vierde maand; dan zou ze het al lang hebben gedaan. Ik was nog wel bang dat ze er op de een of andere manier voor zou zorgen dat we de baby kwijtraakten, maar naarmate de dagen verstreken raakte ik er vaster van overtuigd dat ik het kind ter wereld zou mogen brengen.

Mijn oorspronkelijke plan – vluchten zodra de gelegenheid zich voordeed – werd verdrongen door het moederinstinct. Zolang ik thuisbleef, zou mijn ongeboren kind de voeding en bescherming krijgen die hij of zij nodig had, ook al waren de omstandigheden kil en star. Bovendien was mijn vader een bron van medische zorg. Als ik vertrok zonder uitvoerbaar plan en me niet bij Robert kon voegen, zou mijn baby dat allemaal niet hebben.

Blijven waar ik was leek voorlopig de enige oplossing. Mijn moeder, die zich bewust werd van mijn berusting, liet haar waakzaamheid verslappen en stond me toe overal in huis vrij rond te lopen. Ik had totaal geen zin om me buiten te wagen. Mijn broers liepen met een boog om me heen en wierpen beschuldigende blikken op mijn buik; mijn zwangerschap zal in hun ogen wel een perversiteit zijn geweest.

In het begin telde ik de dagen en de weken, later alleen nog de slepende maanden, toen ik een log figuur kreeg en mijn zwaartepunt verschoof.

Mevrouw Gray zei zelden iets – behalve wanneer ze er voor haar fatsoen niet omheen kon. Als ik haar tegenkwam stond ze vaak keer op keer dezelfde snuisterijen af te stoffen, zonder van haar plaats te komen. Het was zonneklaar dat mijn moeder haar niet zozeer had ingehuurd om haar huishoudelijke vaardigheden als wel om haar discretie.

Ook al stond de tijd stil, de zomer deed zijn intocht, en bracht meedogenloos, onvoorspelbaar weer met zich mee. Het ene moment was het zo warm en vochtig dat ik me, zwaar en loom als ik was, als door een droom bewoog. Het volgende moment maakten donderklappen en bliksemflitsen me met een schok overdreven alert.

Op een middag barstte de warmte uit in onweer, alsof de hemel plotseling een onverklaarbare woedeaanval kreeg. Ik liep maar heen en weer, aanvankelijk in mijn slaapkamer. Ik had elk boek dat ik bezat – en de paar boeken die moeder uit de bibliotheek had gehaald – herlezen, tot ik ervan overtuigd was dat ik gek zou worden zowel van verveling als van het toenemende ongemak dat de baby me bezorgde door mijn longen, ribben en ingewanden weg te drukken. Ik ijsbeerde door de gang en bleef alleen even staan om door een raam naar het onweer te kijken en me af te vragen of het net zo snel zou verdwijnen als het gekomen was, of de hele avond zou blijven hangen, met af en toe een opwelling van humeurigheid.

Beneden zat mijn moeder in de voorkamer de correspondentie van de liefdadigheidscommissie van de kerk te adresseren. Tijdens hun wekelijkse bijeenkomsten penden de vrouwen opgewekte briefjes aan mensen die de deur niet meer uit kwamen: broze weduwen en ongeneeslijk zieken. Mijn moeder nam de briefjes mee naar huis om ze te adresseren en op de post te doen. Ik stelde me voor de grap weleens voor hoe haar zogenaamde vriendinnen zouden reageren als ik voor hun volgende bijeenkomst stiekem een extra briefje in de mand deed, een briefje waarin ze medeleven betuigde met mijn niet-benijdenswaardige toestand en verbanning. Ik was ervan overtuigd dat moeder een of ander verhaal had verzonnen ter verklaring van mijn afwezigheid: dat gebeurde altijd wanneer jonge meisjes blakend van gezondheid weggingen en met een ingevallen gezicht en droevige ogen terugkeerden. Dan werd er gezegd dat ze langdurig bij verre familie logeerden om, bijvoorbeeld, een bejaard familielid te helpen. Ik vroeg me af of iemand mijn moeder in twijfel trok, verbaasd dat ik tijdens mijn laatste schooljaar was weggestuurd om ergens te gaan helpen. Ik nam aan dat ze allerlei smoezen had uitgedacht.

Hoeveel van die meisjes waren net als ik gevangenen in hun eigen huis geweest? Hoeveel waren in plaats daarvan naar instellingen gestuurd waar hun baby's hun werden afgenomen en werden uitgedeeld aan nieuwe gezinnen, alsof het om eieren of melk ging?

Ik betwijfelde of velen van hen voor hetzelfde dilemma stonden als wij: dat zodra ik van mijn baby beviel, de raciale afkomst van de vader duidelijk zou worden. Misschien bedongen die instellingen bij aankomst van de meisjes dat het kind acceptabel moest zijn voor elk jong stel dat graag een pasgeborene wilde adopteren. Wat deden ze met baby's met onverwachte eigenschappen? Zoals een lichamelijk gebrek – een hazenlip? – of exotisch naar boven gedraaide ogen die deden vermoeden dat er levenslang toezicht nodig zou zijn? Of een baby met een donkere huid, ter wereld gebracht door een jonge blanke vrouw? Wat gebeurde er met die baby's?

Ik was voorzichtig opgelucht dat ik niet het huis uit was gezet of ergens heen was gestuurd. Nog niet.

Na een stuk of tien van mijn eindeloze rondjes kwam moeder de trap op. Toen ze de bovenste tree naderde klonken haar stappen al net zo log en dodelijk vermoeid als de mijne.

'Hou alsjeblieft op met ijsberen,' zei ze toen ik terugkwam van mijn laatste pauze bij het raam, waar ik naar de straat en het bos daarachter had staan turen. Er stonden plassen op straat; het met grind bedekte oppervlak was niet opgewassen tegen de stortvloed die de hemel uit was gestroomd, en ik vroeg me af of de steunmuur die Robert de vorige zomer had versterkt het zou houden.

'Ik ben rusteloos, moeder. Ik kan er niets aan doen.'

'Ik wou dat je dat had bedacht toen je...' Ze zweeg abrupt.

'Toen ik wat, moeder? Toen ik verliefd werd? Toen ik met hem trouwde voordat ik me deze zwangerschap op de hals haalde? Toen ik uw zorgvuldige plannen in de war gooide?'

Ze schudde haar hoofd. Ik stond versteld van mijn eigen onbeschoftheid; mijn teleurstelling kwam voort uit de wetenschap dat het geen enkel verschil zou maken. Het leek onmogelijk haar dusdanig beschaamd te maken dat ze medeleven zou tonen, dat ze zich om meer zou bekommeren dan alleen haar reputatie.

Mijn woorden waren verspilde energie, en ik had de laatste tijd al zo weinig fut. Maar ik ging onverbiddelijk door. 'Hebt u uw brieven af?' vroeg ik. 'Al die oude vrouwtjes en zieken vinden u een modelburger. Het is verbazingwekkend, zoals u zich bekommert om degenen die lijden. En als ze nou eens wisten dat u me hier verborgen hield alsof ik melaats ben?'

Ze dacht niet lang na. 'Je weet wat ze zouden denken. Je weet waar we wonen en hoe iedereen ertegenover zou staan als ze de waarheid zouden weten. Waarom begrijp je maar niet dat het allemaal voor je eigen bestwil is?'

'Als u zich er niet tegenaan had bemoeid, zou ik nu nog met Robert samen zijn. We zouden maling hebben aan wat iedereen ervan dacht.'

'O, Isabelle. Je zou niet meer dan veevoer zijn. Je zou inmiddels fijngemalen en die smerige rivier in gespuugd zijn. Je broers zouden het niet hebben geduld. Robert zou waarschijnlijk niet meer leven.'

'Alleen maar omdat u hebt toegestaan dat dit dorp hen gehersenspoeld heeft. En u bent gehersenspoeld door uw eigen angst.'

Ze was na haar laatste woorden op weg gegaan naar haar slaapkamer, maar mijn opmerking bracht haar terug. Om op adem te komen greep ik de balustrade vast, die boven aan de trap de hoek om ging.

'Mijn angst?' Ze kwam langzaam dichterbij. Hoewel ze haar best deed om neutraal te blijven, verried haar gezicht wat ze probeerde te ontkennen, want haar voorhoofd en de huid rond haar mond spanden zich.

'Wat zou er gebeuren als uw liefdadigheidscommissie de waarheid wist? Als ze wisten dat uw dochter met een zwarte man getrouwd is? Zijn kind zal baren? Welke geheimen zouden ze dan verder nog aan het licht brengen, moeder?'

Ze kwam zo dicht bij me staan dat ik haar bedorven adem rook. Ze hijgde. 'Zo is het welletjes. Je hebt geen idee wat je zegt, Isabelle. Je moest eens weten hoezeer je ons gezin te schande hebt gemaakt.'

'Uw vader: een dronkaard die uw moeder zwanger heeft gemaakt, en daarna van een brug viel. Een moeder die alles deed wat nodig was om eten op tafel te kunnen zetten voor u en de anderen die na u kwamen, van wie de vader niet aangegeven staat op hun geboortebewijs. U houdt iedereen om u heen onder de duim om te voorkomen dat dit bekend wordt. Maar ik ken ál uw geheimen, moeder. En voor mij kunt u niemand anders verantwoordelijk stellen dan uzelf.'

Ze hapte naar adem. 'Isabelle, hou op! Waarom doe je dit? Je hebt niet het...'

Toen ik haar confronteerde met mijn openhartige kritiek, leek ze voor mijn ogen te verschrompelen. 'Het is toch zo, moeder?' Ook ik voelde me klein toen ik mikte op haar kwetsbare plek, maar daarnaast had ik het gevoel dat ik voor het eerst de touwtjes in handen had. 'U bent bang voor wat er zal gebeuren als men erachter komt. Wat er met u zal gebeuren, niet met mij.'

Ik was te ver gegaan. Ze greep het lijfje van mijn jurk beet – dat om mijn ribben slobberde omdat ik gedwongen werd afgedankte jurken van haar te dragen die nog over mijn zwellende buik pasten – en ze schudde me door elkaar. Mijn voet gleed om de balustrade heen en verloor houvast. Mijn lichaam volgde de voet, viel in het niets en klapte op de ene tree na de andere, tot ik met een plof op de overloop belandde die afboog naar de laatste paar trappen.

Later herinnerde ik me stellig dat ik omhoog had gekeken naar mijn moeder, die daar nog met de blauwgebloemde stof van haar oude jurk in haar hand had gestaan, het stuk dat met een bijna menselijke gil was afgescheurd toen ik viel. Ik herinnerde me dat ik had geprobeerd vast te stellen of ze haar hand had uitgestoken om mijn val tegen te houden of me gewoon had laten gaan, zodat het kale hout en de scherpe hoeken niet alleen mij maar ook mijn ongeboren kind zouden havenen tijdens onze val. Was de angst op haar gezicht om mij? Of om haarzelf, door wat ze had gedaan?

Toen de pijn in mijn buik opvlamde, toen er vocht tussen mijn benen stroomde, snel en warm als de zomerregen die de straat blank zette, hoorde ik gejammer. Het was ontstaan in mijn borst en kwam uit mijn keel, als dat van een weeklagend kind.

28

Dorrie, heden

De stem van mevrouw Isabelle trilde, terwijl ik met stomheid gesla-gen was. Ze huilde niet, maar haar verdriet hing als een sluier tussen ons in.

We zaten al bijna een uur aan de kant van de weg te wachten op een monteur, maar toch was ik blij dat de wegenwacht bestond. Me-vrouw Isabelle had grabbelend in haar tas haar lidmaatschapskaart gevonden, en ik had het gratis nummer gebeld om te melden dat we panne hadden. Ze hadden beloofd dat er iemand zou komen om de schade op te nemen. De kans was groot dat we teruggesleept zouden worden naar de buitenwijk van Louisville waar we voorbij waren ge-reden. Inderdaad: terug. We zouden de verkeerde kant op gaan, maar we zouden ons tenminste niet de hele nacht nagelbijtend op de snel-weg zitten afvragen wat we moesten doen. Ik kwam er zo langzamer-hand achter dat het soms een zegen was om goed voorbereid te zijn. Ik had altijd alles op de bonnefooi gedaan. Dat was het goedkoopst. Tenzij je een probleem had – dan was het duur.

'Zou je hen nog eens willen bellen om te vragen of het nog lang duurt voordat ze komen?' vroeg mevrouw Isabelle met een vermoei-de, gemelijke en nu ook ietwat klagerige stem. (*Gemelijk:* 'misnoegd, knorrig.') Dit was niet haar gebruikelijke, deftige toon. Het onder-brak mijn gepeins over haar moeder.

Ik drukte op de nummerherhalingstoets van mijn telefoon, maar dat was dezelfde toets waarmee je opnam als je gebeld werd. Ik had net genoeg tijd om de flard Marvin Gaye en de naam op het scherm-pje tot me te laten doordringen toen ik op de toets drukte. Teague. Nu?

Maar wat moest ik? Ophangen? Ik deed mijn ogen dicht, haalde diep adem en zei hallo.

'Dorrie! Eindelijk! Meisje, ik heb me de hele dag ongerust over je gemaakt. Ik dacht: misschien ben je wel ergens gestrand, of gewond, of weet ik veel. Besef je wel wat je me hebt aangedaan?'

We lieten tegelijkertijd een opgelaten stilte vallen.

'Het spijt me,' zei hij ten slotte. 'Dat ging te ver. Ik maakte me zorgen omdat, eh... ik om je geef, Dorrie.' Hij slaakte een zucht. Ik kromp ineen. Ik vond het vreselijk dat ik hem in spanning had laten zitten, terwijl ik alleen maar mijn eigen trots probeerde redden, onder het mom hem niet te willen belasten met mijn sores. Bovendien had ik nog nooit meegemaakt dat iemand me zijn excuses aanbood omdat hij grenzen had overschreden. Sterker nog: ik geloof zelfs dat ik pas op dat moment, toen iemand toegaf ze overschreden te hebben, besefte dat ik het recht had om ze te trekken.

Ik dwong mezelf te glimlachen en hoopte dat dat doorklonk in mijn stem. 'Ik vind het niet erg. We zíjn eerlijk gezegd ook gestrand, maar de wegenwacht kan elk moment komen. Waarschijnlijk een riem of zo – niets ernstigs. We kunnen vast in een mum van tijd weer verder.'

'Dorrie?'

Mijn glimlach verflauwde. Ik wist wat er kwam. Grenzen of geen grenzen, hij zei het op zo'n speciaal toontje. Hij wilde me weer een vraag stellen over de inbraak.

'Waarom wilde je niet dat de politie zich met de inbraak bemoeide?'

Ik had nog er steeds geen goed antwoord op. Als ik hem de waarheid zei, zou hij zich sneller terugtrekken uit mijn leven dan hij erin gekomen was. Dat zou meer pijn doen dan gewoon niet reageren en hem in de waan laten dat het allemaal met mij te maken had, tot hij het opgaf en vertrok. Hij zou hoe dan ook de benen nemen.

Ik hield mijn stem in bedwang. 'Je hebt ze dus teruggebeld? Gezegd dat ze het moesten laten zitten? Stemden ze daarmee in?'

'Ja, maar...'

'En de deur?'

'Die is stevig gebarricadeerd tot je terugkomt, en ik ben van plan elke dag even langs te gaan om de boel te controleren, maar Dorrie...'

'Dat stel ik heel erg op prijs. Echt waar, en... O, hé, ik zie in de verte een sleepwagen aankomen en ik durf te wedden dat die voor ons is, dus ik moet ophangen. Ik spreek je... later wel, oké? Nogmaals bedankt, Teague.'

Ik verbrak de verbinding en waagde een blik te werpen op mevrouw Isabelle. Ze schudde bijna onmerkbaar haar hoofd. 'Wat is er nou?' vroeg ik, en ik wees naar achteren, waar een sleepwagen met grote snelheid naderde. Hij reed om ons heen en parkeerde op de vluchtstrook.

'Niets, Dorrie,' zei mevrouw Isabelle. 'Niets.'

Haar zwijgen sprak boekdelen.

Na een tijdje riep de monteur onder de motorkap vandaan: 'Ja, hoor. Ik zal hem moeten wegslepen. En ik weet zeker dat ik die riem niet op voorraad heb. Ik zal er morgenochtend een moeten zien op te sporen, maar de reparatie wordt een fluitje van een cent. Sorry, dames.' Hij liet de motorkap dichtvallen en veegde zijn handen af.

Hij bracht ons naar een hotel vlak bij zijn garage en beloofde de volgende ochtend vroeg te zullen bellen. Mevrouw Isabelle zat zich te verbijten van de zenuwen, terwijl ik de kamer betaalde – ditmaal geholpen door meneer de áárdige manager – en onze koffers de gang door reed. Ze was bang dat we de volgende avond te laat zouden zijn om de rouwkamer te bezoeken. Maar ik verzekerde haar dat we ruim op tijd zouden aankomen, als de man de auto inderdaad zo snel zou repareren als hij had beloofd. Als we eenmaal weer reden, zouden we in een wip de rivier over en bij Cincy zijn – zelfs ik was die stad in gedachten Cincy gaan noemen, nadat ik mevrouw Isabelle die naam ettelijke keren had horen bezigen.

In een buurtwinkel kocht ik ons avondmaal. Na een paar uur tv-kijken ging ik de kamer uit om de sigaret op te steken waarvan ik me had voorgenomen dat ik hem niet zou roken, nam contact op met mijn moeder en praatte even met Bebe. Ik nam niet de moeite naar Stevie Junior te vragen. We gingen vroeg naar bed; er was niets anders te doen. Ik nestelde me in de prikkende kussens en sluimerde al toen mevrouw Isabelle een zucht slaakte.

'Maakt u zich maar geen zorgen. We komen er wel,' mompelde ik over de afstand van nog geen meter tussen ons in.

'Dat weet ik, alleen...' Toen ze weer een zucht slaakte, werd ik zenuwachtig. Zelfs toen de arts mevrouw Isabelle had gedwongen te stoppen met autorijden, had ze de indruk gemaakt de situatie volledig onder controle te hebben. Ze had zich aangepast. Maar nu maakte haar onvermogen om haar zorgen van zich af te zetten me ongerust. Mijn woede-uitbarsting van een poosje geleden was waarschijnlijk ook niet bevorderlijk geweest.

'Mevrouw Isabelle. Vertrouwt u me?' vroeg ik.

'Ja. Ik ben moe, dat is alles.' Dat was beter. Even later grinnikte ze zelfs. 'Hmm. Wat zou Teague wel niet zeggen als hij jou hoorde praten over vertrouwen? Hallo pot, ik ben de ketel, dan weet je het maar vast? We zijn allebei zwart.' Haar bed schudde toen ze geluidloos lachte om haar eigen mislukte grapje. Volledig herstel – of misschien lichte hysterie.

Ik ging op mijn andere zij liggen en trok het extra kussen voor mijn ogen om het licht van de straat te blokkeren, dat fel naar binnen scheen door de kier tussen de stoffige verduisteringsgordijnen. Juist als je een haarspeld nodig had, was die ver te zoeken.

De enige die ik moest vertrouwen, was mezelf. De andere weg had te veel bochten, en ik wilde recht vooruit kunnen kijken.

29

Isabelle, 1940

Moeder riep mevrouw Gray, en samen slaagden ze erin me mee te voeren naar het claustrofobische kamertje achter de keuken, waar we een oud ledikant hadden staan. Cora had daar weleens de nacht doorgebracht wanneer het zo laat was geworden dat ze niet veilig meer naar huis kon lopen en mijn vader niet beschikbaar was om haar met de auto te brengen – hoewel niemand dat ooit zal hebben toegegeven.

Mevrouw Gray spreidde een laken uit over de bobbelige matras. Ik viel op mijn zij en trok mijn knieën hoog op, kreunend van de weeën, die elkaar nu steeds sneller opvolgden. Ik hoorde moeder in de keuken een telefoonnummer draaien en met iemand praten. Korte tijd later kwam er een vrouw de kamer in. Mijn pijn had een hoogtepunt bereikt. Als dat me niet al de adem had benomen, zou de aanblik van haar gezicht het hebben gedaan.

Een zwarte vrouw.

Een vroedvrouw, die me kwam helpen bij de bevalling. Blijkbaar was een kleurling goed genoeg nu de baby kwam. Ik zou erom hebben gelachen, ware het niet dat mijn ingewanden kookten als gesmolten lava dat uit de vulkaan die mijn lichaam was probeerde te spuiten.

Ik deed mijn ogen dicht, blij dat er iemand was die enig idee had hoe ze me erdoorheen moest slepen. Later drong het tot me door dat al die tijd dat ik in dat kleine kamertje opgesloten had gelegen mijn vader nergens te bekennen was geweest. Als arts had hij moeten controleren of alles wel goed verliep, vooral gezien het feit dat de baby zich veel te vroeg aandiende. Misschien was hij in de keuken gebleven en gaf hij de vroedvrouw raad, omdat hij het te gênant vond om zijn eigen dochter te onderzoeken.

Ze drukte met haar vingers hier en daar op mijn lichaam en legde vriendelijk elke stap uit. Ik werd zo in beslag genomen door de pijn dat ik geen schaamte voelde. Ze verzekerde me dat de baby tevoorschijn zou komen zoals het hoorde – ook al had ik het gevoel dat ik doormidden zou splijten – en dat het niet lang zou duren.

Maar haar bezorgde ogen verraadden dat ze er een hard hoofd in had. Misschien voelde ze intuïtief aan dat ik weleens geen moeite meer zou willen doen om de baby eruit te krijgen als ze haar ongerustheid over de duur van de bevalling zou uitspreken. Ik moest me nu al tot het uiterste inspannen om haar aanwijzingen op te volgen, omdat ik werd afgeleid door angst om de baby en boosheid op mijn moeder, die telkens oplaaide wanneer ze de kamer in kwam. Moeder bleef op een afstandje staan terwijl de vroedvrouw haar op de hoogte stelde van mijn toestand, en ging dan de kamer weer uit. Ten slotte zei de vroedvrouw dat ze moest blijven. Ik zou zo meteen moeten gaan persen, en dat zou meer resultaat opleveren als zij als anker functioneerde.

Mijn moeder nam plaats bij mijn knie, haar gezicht een mengelmoes van woede en bezorgdheid. Ik keek weg en concentreerde me op de gelaatstrekken van de vroedvrouw, die me afwisselend opdroeg te persen, te wachten en weer te persen. Mijn onderlichaam leek inmiddels een eigen wil te hebben gekregen, losgekoppeld te zijn van míjn wil, en hoewel ik wel probeerde te doen wat ze me opdroeg – wachten en mijn krachten verzamelen voor de volgende golf – had ik opeens de onbedwingbare neiging om de baby eruit te persen.

De rest ging in een waas voorbij. De vroedvrouw meldde dat het hoofdje eruit was, daarna de schouders en het lijfje, en deze reeks gebeurtenissen die ik niet kon zien of begrijpen leverde een in badstof gewikkeld bundeltje op, dat snel de kamer uit werd gebracht. Ik luisterde ingespannen of ik gehuil of gejammer hoorde, of wat dan ook waaruit ik zou kunnen opmaken dat mijn baby leefde. Het bleef oorverdovend stil.

De vroedvrouw liet me alleen met mijn moeder. Ik begon te rillen; ondanks de verzengende hitte om me heen had ik het opeens koud. Mijn lichaam was weer vreemd en nieuw. De schok maakte dat ik het koud kreeg.

'De baby?' vroeg ik. Moeder zweeg.

Ik stelde die vraag verschillende keren, en telkens wendde ze zich af, tot ik volkomen overstuur raakte en smeekte om een eenvoudig antwoord. Ten slotte nam ze me op met een blik waaruit een heel klein beetje medelijden leek te spreken. 'Het was te vroeg,' zei ze schouderophalend. 'Het is maar beter zo.'

Weer verkrampte mijn buik van de pijn, die ditmaal leek samen te hangen met de mededeling dat mijn baby weg was, alsof mijn lichaam treurde om het verlies nog voordat ik er zelfs maar van wist. Diep in mijn borst welde een jammerkreet op die in volle sterkte mijn mond uit kwam. Al wilde ik tot elke prijs voorkomen dat mijn moeder getuige was van mijn leed, ik kon me niet inhouden.

'Nee!' riep ik, en daarna nog een keer. 'Nee! ik wil mijn baby. Mijn baby.' Ik wendde mijn gezicht af van het hare en jammerde in het kussen. Tranen vermengden zich met het zweet van de bevalling. Moeder ging de kamer uit.

De vroedvrouw kwam weer aan het voeteind van mijn bed zitten. Ze drukte op mijn buik, alsof ze het verdriet mijn lichaam uit probeerde te drijven, en gaandeweg bedaarde mijn gesnik, tot het helemaal ophield. Ze legde uit dat de nageboorte afgestoten was. Ze nam die mee en toen ze terugkwam greep ik haar arm beet. Mijn ogen stelden de vraag die ik niet meer kon verwoorden.

Ze schudde heel even haar hoofd en keek weg. Mijn ogen vulden zich opnieuw met tranen, maar ditmaal huilde ik in stilte.

'Was het een jongen of een meisje?' vroeg ik. Ik zag dat ze met die vraag worstelde, en haar ogen schoten naar de deur, maar die was stevig dicht.

'Een meisje,' fluisterde ze.

'Ik wil haar zien.' Ik richtte me moeizaam op, maar de vrouw duwde me weer neer – teder weliswaar. Haar handen en armen waren sterk, en bedreven in de verzorging van nieuwbakken moeders. Maar wat was ik, zonder mijn baby?

'Blijf nu maar rustig liggen, liefje. Ik moet het een en ander controleren en je opfrissen. En...' Ze aarzelde, keek weer naar de deur en schudde haar hoofd. 'Ik zal doen wat ik kan.'

'Moeder!' brulde ik, en de vrouw schrok van de intensiteit en het volume van mijn schreeuw.

Moeder deed de deur net ver genoeg open om zichzelf binnen te laten.

'Ik wil mijn baby zien,' zei ik, nu met doodkalme stem.

'Dat zou niet verstandig zijn, Isabelle,' zei mijn moeder.

'Misschien heel even, mevrouw?' zei de vroedvrouw. 'Alleen maar om afscheid te nemen? Dat wil weleens helpen.'

'Het zou het er alleen maar moeilijker op maken. En het zijn uw zaken niet.' Ook de stem van mijn moeder was vlak, en haar gezicht was harder dan ik het ooit had gezien. Het was onvoorstelbaar dat ik ooit háár pasgeboren dochtertje was geweest.

Toen ze de kamer weer uit was, klampte ik me aan de vroedvrouw vast. 'Wat gaan ze met haar doen? Ik moet weten waar ze naartoe gaat.' Ik wist dat mijn moeder het me nooit zou zeggen. Als iemand me toevallig zou zien rouwen, zou dat het einde betekenen van ons geheim.

'Ze zal op een goede plek terechtkomen, maak je maar geen zorgen.' Ze zweeg om naar de regen te luisteren, die nog steeds op het dak roffelde. 'Veilig en droog... en in Gods handen. Op een dag zul je haar terugzien. Dat weet ik.'

Haar platitudes hielpen niet. Ik begon weer te gillen, en ging daar nog lang nadat moeder de kamer uit was gelopen mee door, al die tijd dat de vroedvrouw me waste en met warme doeken suste alsof ik een gewond kind was, al die tijd dat ik onderzocht werd en de scheurwond werd geheeld die weken nodig zou hebben om volledig te genezen, en die voortdurend klopte als een afzonderlijke hartslag en me herinnerde aan wat ik verloren had.

30

Dorrie, heden

De reparateur kwam ons de volgende ochtend ophalen van het hotel en wenste ons goede reis. Mevrouw Isabelle had niets losgelaten over de dag dat ze bevallen was van de baby, maar toen we eenmaal weer op koers lagen, zo'n anderhalf uur rijden van Cincinnati, had ik haar rustig gevraagd wat er was gebeurd nadat ze van de trap was gevallen.

Mijn vragen leken wreed, maar ik had steeds meer de indruk gekregen dat ze er behoefte aan had dit verhaal te vertellen en zich te verlossen van een deel van haar verdriet voordat we haar geboortestreek bereikten. Alsof ze tijdens het vertellen een soort helingsproces doormaakte.

Toen ze me vertelde dat ze van haar moeder haar baby niet had mogen zien, verried haar monotone stem haar verdriet. Ditmaal dropen er tranen uit mijn ooghoeken toen ze stilviel. Ik knipperde zo lang mogelijk en bracht toen achteloos een vinger omhoog om ze weg te vegen, in de hoop dat ze zou denken dat mijn ogen traanden omdat de lateochtendzon fel door de voorruit scheen.

'Hoe is ze zo geworden?' vroeg ik met gesmoorde stem, omdat ik een brok in mijn keel had. 'Ik ben zo bang dat ik mijn kinderen in de steek laat, mevrouw Isabelle.'

Ik dacht aan Stevie Junior, alleen thuis met zijn domme fouten, en geconfronteerd met ultimatums van beide partijen, allemaal even cruciaal, of ze nu goed of verkeerd waren. Hoe moest dat kind daarmee omgaan?

Ik had die ochtend even met hem gepraat. Hij was gelaten, en schaamde zich erover dat mevrouw Isabelle getuige was geweest van zijn woede-uitbarsting. Hij bood er zijn excuses voor aan dat hij tegen me was uitgevallen, en dat stemde me hoopvol. Ik zei dat ik me ervan bewust was dat ik bij hem hoorde te zijn, en het ook wílde, nu we allebei een beetje gekalmeerd waren, maar hij beweerde er niet mee te zitten en beloofde nog een paar dagen niets te ondernemen. Bailey was ermee akkoord gegaan haar ouders nog niet in te lichten en geen overhaaste dingen te doen – in elk geval die paar dagen tot ik thuiskwam. Stevie had het geld ter bewaring gegeven aan Bebe, en hoewel ze hem zover had proberen te krijgen te vertellen waar het vandaan kwam, had hij alleen maar gezegd dat ze het op een veilige plek moest opbergen die hij niet kende. Daar moest ik een beetje om grinniken. Mijn moeder was bij hen in huis, maar Bebe was degene wie je het geld kon toevertrouwen. Dat wisten we allemaal.

'Het enige wat je kunt doen is te werk gaan zoals je zou willen dat zij te werk zouden gaan,' zei mevrouw Isabelle nu. 'Ze zullen naar jou kijken en dan zelf beslissingen nemen. En dan moet jij maar duimen en God bidden dat ze de juiste beslissingen nemen. Maar je laat hen niet in de steek, Dorrie. Evenmin als alle andere onvolmaakte moeders die hun kinderen liefhebben boven zichzelf.'

'Maar hoe komt het dat zij de grens heeft overschreden? Waarom heeft uw moeder u zo vreselijk in de steek gelaten?'

'Het was een andere tijd, Dorrie. En ook ik had een onvergeeflijke grens overschreden... naar toenmalige begrippen. Hoewel het moeilijk te geloven is, zouden alle andere moeders die we kenden net zo gereageerd hebben. Bovendien hoor je het verhaal van mijn kant – de kant van mij als zeventienjarige. Het is ironisch dat jonge mensen voornamelijk in zwart-wit denken, Dorrie. Alles of niets. Soms hebben ze jaren ervaring nodig om zich werkelijk een volledig beeld te kunnen vormen, ook al zijn ze nog zo veranderingsgezind. Toch denk ik dat mijn moeder nooit goed had geleerd hoe ze fatsoenlijk van me moest houden. Toen zij klein was, werden haar primaire behoeften nauwelijks vervuld, en het enige wat ze als volwassene kon doen was zich vastklampen aan de status waarvan ze dacht dat die haar redding was. Ik denk echt dat het allemaal terug te voeren was op angst. Ze maakte zich zo druk over wat de mensen om ons heen ervan zouden vinden dat ze niet dacht aan... mij.'

Ik leed met haar mee. Al had mijn eigen te jonge, te onwetende alleenstaande moeder er nog zo'n potje van gemaakt, en al werd ik er tegenwoordig nog zo gestoord van dat ze afhankelijk van me was, haar liefde heb ik nooit, maar dan ook nooit in twijfel getrokken. Ik heb altijd geweten dat ze op die vreemde, onbetrouwbare, impulsieve, belachelijke manier van haar van me hield. Ik heb de trots in haar ogen gezien toen ze me met mijn eigen kinderen zag, of me wonderen zag verrichten met het haar van een klant – ook al begreep ze mijn methodes niet en had ze geen affiniteit met mijn onafhankelijkheidsdrang. Natuurlijk, mama had me vaak genoeg in de steek gelaten, maar nooit zoals Isabelles moeder tekort was geschoten tegenover Isabelle.

Rechts voor ons, in de nu zichtbare verte, omspanden een stel bruggen de rivier de Ohio en rees er aan de overkant daarvan een kluit wolkenkrabbers op, waardoor de indruk ontstond dat we binnenkort zouden oversteken naar een eiland, al had ik onderweg uit de landkaart opgemaakt dat dat niet het geval was.

Mevrouw Isabelle kreeg een uitdrukking in haar ogen die ik niet goed kon thuisbrengen. Als een kluwen elastiekjes van verschillende kleur en samenstelling, waren de emoties in haar ogen een wirwar.

En daar was eindelijk Cincinnati.

Volgens mevrouw Isabelle ook wel de Stad van Zeven Heuvels genoemd. Het waren er meer dan zeven, als je goed telde.

31

Isabelle, 1940

Mijn huid was jong en elastisch. Ik was tijdens mijn zwangerschap niet veel zwaarder geworden; mijn depressie en later ook de vochtigheid en warmte hadden me de eetlust benomen. Dat, gecombineerd met de vroegtijdige geboorte van de baby, had ervoor gezorgd dat mijn zwangerschap nauwelijks zichtbaar was geweest. Mijn heupen waren al snel weer bijna zoals ze voor de zwangerschap waren geweest. Als je goed keek en een ervaren oog had, kon je mijn vage zwangerschapsstriemen bespeuren, maar er was toch niemand die ze zag. Misschien waren mijn borsten voller, maar de vroedvrouw had me opgedragen ze strak met lappen in te binden als mijn melk op gang kwam, en omdat ik geen baby zoogde, waren ze geen baken van mijn moederschap. Het duurde niet lang of mijn oude jurken pasten me weer.

Toen ik uit de cocon van mijn slaapkamer tevoorschijn kwam, zei moeder dat ik kon gaan en staan waar ik wilde – onder één voorwaarde: ik mocht nooit opbiechten dat ik gewoon in Shalerville was geweest al die tijd dat zij iedereen had wijsgemaakt dat ik uit logeren was. Verder toonde ze geen belangstelling voor waar ik uithing of wat ik deed. Het was vermoedelijk een opluchting voor haar dat ze de weerzinwekkende taak om zich van mijn baby te ontdoen achter de rug had.

Haar wens inwilligen ging me makkelijk af. Ik had geen zin om wie dan ook uitleg te geven over de afgelopen zeven of acht maanden. Ook had ik er aanvankelijk geen behoefte aan om te vertrekken. Niet zozeer omdat ik het wel best vond thuis te blijven en te lezen, te slapen, of – vaker nog – uit het raam te staren, maar vooral omdat ik als verdoofd was. Ik was ongemotiveerd, ongeïnspireerd.

Gebroken.

Maar toen ik zo ongeveer een maand voornamelijk maar wat had gelummeld en de warmte afnam, werd ik onrustig.

Ik weet niet hoe die ommezwaai tot stand kwam. Ik werd me opeens weer bewust van het leven, ook al hield dat in dat ik de pijn in alle hevigheid voelde terwijl ik met ideeën en plannen speelde. Opeens was elke minuut in het huis waar ik berecht, veroordeeld en gevangen gehouden was voor de misdaad dat ik mijn hart had gevolgd er een te veel. Bovendien kon mijn moeder na mijn achttiende verjaardag dat najaar weinig meer doen om me onder de duim te houden, ook al had ze het gewild.

De Reds stonden voor het eerst in eenentwintig jaar op het punt de World Series te winnen, en iedereen was bezeten van honkbal. Niemand besteedde aandacht aan mij toen ik dagreisjes naar de stad begon te maken. Ik kocht koffie of thee in ruil voor een zitplaats in een café-restaurant, waar ik afgedankte kranten uitkamde. Ik bladerde snel langs de beduimelde sportpagina's tot ik bij de al even beduimelde advertentiepagina's aankwam. Discussies over de finesses van de meest recente overwinning of nederlaag vormden mijn achtergrondgeluid terwijl ik naar baantjes zocht die beschikbaar waren voor een intelligente jonge vrouw zonder concrete opleiding of specifieke talenten – maar niet het soort baantjes waardoor ik zou veranderen in een spookachtige vroegoude vrouw, zoals de vrouwen die ik fabrieken uit had zien stromen nadat de sirene had geklonken die het eind van de werkdag aangaf. Mijn ziel voelde stokoud, maar ik zou een sterk, gezond lijf nodig hebben als ik mezelf voor onbepaalde tijd moest onderhouden. Als ik Robert niet kon hebben, wilde ik geen enkele andere man, en ik had geen zin om nog langer van mijn familie afhankelijk te zijn. Ik zou wel voor mezelf zorgen.

Maar ik hield één oog op het krantenpapier en één oog op het drukke trottoir gericht, in de hoop dat ik op een dag een glimp van hem zou opvangen.

Na een tijdje voelde ik me dapper genoeg om langs het pension te lopen waar we onze huwelijksnacht hadden doorgebracht. Ik deed dat verscheidene keren, op verschillende dagen, met het wanhopige verlangen hem na afloop van een werkdag de trap naar het portiek op te zien lopen. Maar ik zag hem niet. Uiteindelijk was ik zo brutaal om zelf de trap op te lopen. De hospita deed een stap achteruit en maakte de indruk geschrokken of misschien zelfs bang te zijn toen ze ontdekte dat ik voor de deur stond. Ze tuurde langs me heen – waarschijnlijk om te zien of ik alleen was of vergezeld werd door die nijdige kerels die haar huis en pension waren binnengevallen.

'Wat wil je?' vroeg ze. Ik vroeg of Robert nog bij haar woonde. Ze schudde haar hoofd en ontweek mijn blik. 'Hij is sinds die dag niet meer teruggekomen,' zei ze. 'Hij is bepakt en bezakt vertrokken en nooit meer teruggekomen. Ik heb hem gezegd dat ik de vooruitbetaalde huur niet kon teruggeven, maar dat maakte hem niet uit.' Ze hield haar hoofd scheef. 'Daar ben je toch niet voor gekomen? Zo ja, dan kan ik niets voor je doen.'

Ik verzekerde haar dat ik niet op geld uit was, maar ik vroeg wel naar het vingerhoedje. Ze beweerde dat ze het tijdens het schoonmaken niet op het nachtkastje of onder het bed had zien liggen. Ik hoopte dat dit betekende dat Robert het had opgepakt en samen met zijn andere spullen bij zijn vertrek had meegenomen. De vrouw deed de deur voor mijn neus dicht zodra ik haar de kans gaf.

Sarah Day nodigde me uit met haar mee te gaan naar de keuken, klakte met haar tong en nam me in haar armen. Hoewel ik niets zei over de baby, kreeg ik de indruk dat ze het wist, te oordelen aan de manier waarop ze me voorzichtig losliet en mijn heupen en boezem opnam wanneer ze dacht dat ik het niet merkte. Maar haar verhaal was precies hetzelfde: dominee Day en zij hadden Robert geen van beiden meer gezien sinds de dag na ons huwelijk, toen zij hem had onderschept terwijl mijn vader en broers me mee naar huis namen.

Ik probeerde de moed te verzamelen om bij het huis langs te gaan in de kleine gemeenschap waar Robert en Nell met hun ouders hadden gewoond, de moed om naar de kerk te lopen, naar het prieel waar ik hem altijd had ontmoet en waar we elkaar voor het eerst hadden gezoend, maar ik was verlamd van angst. Ik wist niet hoe Cora of Nell zou reageren als ze me zag. Ik was bang dat ik niet opgewassen zou zijn tegen hun woede om het feit dat ik hun hun baan had gekost. Ik wist niet eens zeker of Robert me wel wilde zien. Ik vroeg me af of hij kwaad was geweest omdat ik niet had geprobeerd contact met hem op te nemen. Ik vroeg me af of hij wist dat mijn moeder me gevangen had gehouden. Ik vroeg me af of hij enig idee had dat ik in verwachting was geweest van zijn kind... en haar was kwijtgeraakt.

Hoewel ik erover nadacht wat ik het best kon doen, hoewel ik hoopte dat een onverwachte wending – door toeval of hemels ingrijpen – ons weer bij elkaar zou brengen, berustte ik erin om in mijn eentje een leven op te bouwen. Ik had al genoeg moeilijkheden veroorzaakt.

Op een dag werd er een personeelsadvertentie gepubliceerd waarin niet veel meer details werden vermeld dan dat het om een nieuw bedrijf ging dat nog één vaste werknemer nodig had. Ervaring was niet vereist. Tot dan toe was me terstond de deur gewezen als ik kwam informeren naar werk. Mijn tengere postuur zal potentiële werknemers wel hebben afgeschrikt – om nog maar te zwijgen van mijn gebrek aan ervaring, terwijl het werkloosheidscijfer nog steeds niet hersteld was van de crisisjaren. Het viel niet te voorspellen hoeveel mensen meedongen naar één enkele baan. Ik nam aan dat deze bedrijfseigenaar precies zo zou reageren.

Maar dat viel mee. Hij nam me op, vroeg of hij mijn handen mocht zien, beoordeelde hoe ik een paar kleine instrumenten hanteerde en vertelde me vervolgens over zijn nieuwe onderneming.

Een populaire camerazaak had een nieuwe film geïntroduceerd die prachtige kleurendia's opleverde. In de prijs van de film was niet alleen de ontwikkeling inbegrepen, ook kreeg de klant de dia's ingeraamd en wel terug, klaar om vertoond te worden. De mensen vonden het leuk om te pronken met dia's van vakanties of familiebijeenkomsten, maar vervelend om zelf hun ouderwetse dia's in te ramen. Dit was iets heel nieuws en geweldigs, enorm tijdbesparend, maar wel een luxe. En dat kwam tot uitdrukking in de prijs. Deze entrepreneur uit Cincy rook zijn kans. Hij had een volmaakt systeem ontwikkeld voor het inramen van de ouderwetse glazen dia's. Hij vervaardigde grote hoeveelheden kartonnen raampjes, die leken op die van het andere bedrijf. Je kon een reeks glazen dia's brengen en die raamde hij dan in tegen een redelijke prijs. Bovendien garandeerde hij dat de klanten de dia's de dag na inlevering weer konden komen ophalen, zodat ze niet op de post hoefden te wachten, zoals de gebruikers van de andere film. Tot zijn grote vreugde deed hij zeer goede zaken. Hij kon de opdrachten niet aan. Daarom was ik nodig.

Meneer Bartel stelde vast dat mijn kleine, behendige vingers heel geschikt waren om dia's in te ramen. Hij zei dreigend dat ik er maar voor had te zorgen dat ik elke dag en op tijd kwam opdagen voor mijn werk, maar ik kon de volgende maandag beginnen en was 's zaterdagmiddags en 's zondags vrij.

Het was nu vrijdag. Ik ging snel terug naar het café-restaurant waar ik de advertentie had gevonden, in de hoop dat de krant toevallig nog op dezelfde plek lag waar ik hem had achtergelaten. Als ik maandag aan een baantje begon in Cincy, zou ik er een onderkomen nodig hebben en een manier moeten bedenken om de huur te betalen tot ik mijn eerste loon ontving.

De krant was uit elkaar gehaald en de katernen lagen verspreid door het etablissement, maar ik vond de advertenties voor woonruimte, las ze vluchtig door en kwam een paar veelbelovende pensions tegen, die naar eigen zeggen geschikt waren voor jonge, alleenstaande vrouwen – uitsluitend fatsoenlijke. Het was maar de vraag of ik nog aan die omschrijving beantwoordde: ik voelde me gebruikt en verschrompeld zo kort nadat ik een kind ter wereld had gebracht, en leeg vanbinnen nu ik mijn droom van liefde en een gezin kwijt was, maar ik maakte waarschijnlijk wel een gezonde indruk.

Ik liep het eerste huis meteen voorbij toen ik zag wat een rommeltje het daar was: vettig uitziende mannen stonden in het portiek te lummelen en te roken, en er hing een jonge vrouw uit het raam die slechts gekleed was in een onderjurk en iets riep naar weer een andere man op straat. Hoezo fatsoenlijk?

Maar het volgende huis lag in een rustige buurt. Het maakte de indruk pas geverfd te zijn en het stoepje was schoongeveegd. De vrouw die opendeed was vriendelijk en nog vrij jong, en er hingen twee peuters aan haar rokken. Ze nam me van top tot teen op, keek goed naar mijn schoenen en kleding, en kwam blijkbaar tot de conclusie dat ik ermee door kon. Ze stemde ermee in de kamer vast te houden tot drie uur de volgende dag. Als ik dan terugkwam met de huur voor twee weken, zou de kamer voor mij zijn. Haar kleine zolderkamer was prettig, zonnig en schoon. Ik kon tegen een extra vergoeding met het gezin mee-eten, of mijn maaltijden elders gebruiken, mits ik haar een dag van tevoren inlichtte.

Met bonkend hart rekende ik het bedrag uit: zeven dollar voor twee weken, negen als ik de maaltijden meerekende. Een enorm bedrag. Ik realiseerde me nu hoe hard Robert had gewerkt om in elk geval de huur voor onze kamer op te brengen, en dat terwijl het vrijwel meteen verspild geld bleek te zijn. Ik had nooit meer dan een paar dollar per keer gespaard, afkomstig uit verjaardags- of kerstenveloppen, en het beetje geld dat ik had vergaard had ik inmiddels uitgegeven aan koffie, thee en buskaartjes, terwijl ik op zoek was naar werk.

De enige oplossing die ik kon bedenken, was mijn vader benaderen. Doordat hij zich zo passief had opgesteld tegenover mijn moeders vastberadenheid en haar nooit had willen tegenspreken, wilde ik niets meer met hem te maken hebben, maar dit was hij me in elk geval verschuldigd, leek me. Een armzalig bedrag van tien dollar kon ik hem nog wel aftroggelen.

Ik ging snel terug naar Shalerville, in de hoop hem te pakken te krijgen voordat hij zijn praktijk verliet. Hij bleef vrijdagmiddag meestal daar om de administratie bij te werken en zijn medische tijdschriften te lezen, tenzij hij werd weggeroepen vanwege een noodgeval. Patiënten met niet-ernstige klachten kregen van zijn assistente de opdracht maandag weer te bellen.

Terwijl ik de bus uit vloog, stond ik versteld van het herstellend vermogen van mijn lichaam. Nauwelijks een paar weken daarvoor zouden mijn ingewanden hebben geprotesteerd als ik ze zo door elkaar had geschud door met mijn voeten op het trottoir neer te ploffen.

Ik zei niets, liep de doktersassistente voorbij voordat ze kans zag me tegen te houden, en gaf met mijn knokkels een harde roffel op de zware deur van mijn vaders spreekkamer voordat ik hem opendeed. Ik hield mijn adem in terwijl mijn vader me opnam. Zijn ogen liepen over van emotie. Een vreemde mengeling: droefheid, angst. 'Isabelle?'

Ben jij het echt, vroegen zijn ogen, *of is dit het spook van wie je vroeger was?* Ik wist het zelf ook niet.

'Hallo, vader.' Die formele aanspreekvorm veroorzaakte nog steeds branderigheid in mijn keel, sleepte als schuurpapier over mijn tong, beschuldigend als hij was. 'Ik heb tien dollar nodig. Vraag alstublieft niet waarom.'

Zijn blik bleef op mijn gezicht gericht terwijl hij in zijn zak naar zijn portefeuille grabbelde. Hij haalde er een dun stapeltje papiergeld uit en keek alleen maar even naar beneden om één biljet van vijf dollar en vijf biljetten van één dollar uit te zoeken. Voordat hij ze dubbelvouwde en over het bureau schoof, voegde hij er nog een vijfje aan toe.

'O, Isabelle.' Hij slaakte een zucht. 'Je hoeft niet te zeggen waarom, maar ik zal het me wel in stilte afvragen. Nou ja, je hebt zo langzamerhand wel het recht om geheimen te hebben.'

Zijn moedeloos neergetrokken mond raakte me. Ik biechtte op dat ik in de stad werk en woonruimte had gevonden. Ik herinnerde hem eraan dat ik nu volwassen was, achttien jaar, en zei te hopen dat ze me ditmaal met rust zouden laten, nu hij wist waar ik was en dat ik niets deed waardoor ik in botsing kon komen met mijn moeder, mijn broers of hun vreemde ethische normen.

'Ik zal je moeder vertellen wat je besloten hebt. Je kunt met een gerust hart weggaan,' zei hij. 'En, liefje... mijn excuses... voor alles.'

O, papa. Bijna riep ik die woorden uit. Bijna rende ik naar hem toe om mijn armen om zijn hals te slaan en me als een kind aan hem vast te klemmen. Maar ik was geen kind, en ik kon het niet.

Geld. Verontschuldigingen. Tegen mijn moeder optreden – eindelijk. Zelfs zijn zelfhaat.

Het zou nooit voldoende zijn. Ik maakte aanstalten om de kamer uit te gaan.

'Isabelle?'

Ik draaide me met tegenzin om.

'Weet je nog dat je me over die borden vroeg?'

Ik knikte behoedzaam. Hij wilde het kennelijk goedmaken door dit gesprek met me aan te gaan. En weer was het te laat. Maar ik wacht-te af.

'We zijn niet het enige dorp dat ze heeft, hoor.'

Dat wist ik. Ik had ze tijdens onze autotochtjes her en der gezien, even vaak in Ohio als in Kentucky. Gemengde huwelijken mochten daar dan wel legaal zijn, maar dat betekende niet dat er geen dorpen waren zoals Shalerville.

Papa vervolgde: 'Hier in Shalerville vond men het een beschaafde-re maatregel dan sommige andere waar je misschien wel over zult horen. Ver voor jouw geboorte zijn alle zwarten door de brave bur-gers van Shalerville het dorp uit gejaagd.' Het woord 'brave' sprak hij smalend uit.

Mijn mond viel open van verbazing. Hadden er zwarten in Shaler-ville gewoond? Ik had aangenomen dat ze er nooit waren geweest. Waarom zou wie dan ook hen verjaagd hebben?

'Er heerste in die tijd overal angst. In veel plaatsen wist men niet wat men aan moest met de bevrijde zwarte slaven. De inwoners be-schouwden hen als binnendringers, die hun land afpakten en een bedreiging vormden voor hun middelen van bestaan; vandaar dat ze elk voorwendsel dat ze maar konden bedenken aangrepen om hen te verjagen. Ze kwamen met valse beschuldigingen, maakten hele ge-meenschappen tot zondebok wegens de misdaad van één persoon. Maar niet in Shalerville. Hier ging het daar niet om, zei men. Toen Shalerville één geheel werd, meenden de bestuurders dat de schijn van exclusiviteit bewoners uit de betere klassen zou aantrekken. Dus gaven ze de zwarten één week om hun spullen te pakken en te ver-trekken. Het waren er niet veel, maar ze woonden er net zo lang als elk blank gezin.' Hij schudde zijn hoofd. Het was ondraaglijk ver-keerd. Maar uit de blik van mijn vader viel op te maken dat hij nog niet klaar was met zijn verhaal.

'Weet je, de familie van Cora is generaties lang bij de huisartsen van Shalerville in dienst geweest.'

Ik herinnerde me dat Cora weleens had verteld dat haar moeder voor het gezin vóór ons had gewerkt, in hetzelfde huis. Ik knikte en werd opeens misselijk.

'Dus heel lang geleden behoorden ze toe aan de arts die voorafging aan degenen vóór ons. Haar grootouders waren slaven, liefje. Nadat ze hun vrijheid hadden gekregen, kozen ze ervoor te blijven. Het waren goede, trouwe werkers, en de arts was een rechtvaardig werkgever en betaalde hen fatsoenlijk. Net als de artsen na hem. Cora en haar broers zijn geboren en getogen in het huisje dat vroeger achter op ons terrein stond – haar familie had het in eigendom gekregen. En dokter Partin was een beter mens dan de meeste anderen hier in de omgeving. Toen Cora's familie gedwongen werd te vertrekken, betaalde hij hen voor hun huis en hielp hij hen een nieuw huis in een veiliger buurt te vinden. Hij was het niet eens met het beleid – vooral niet met de borden – maar hij was in de minderheid. Er werd gezegd dat het bedoeld was ter verbetering van het dorp. Maar in werkelijkheid hunkerden die mannen gewoon naar een reden om iemand te beschadigen, net als alle anderen. God mag weten wat er met de familie van Cora zou zijn gebeurd als ze niet hadden gedaan wat die lui van hen eisten. En weet je, liefje, er is eigenlijk niet zoveel veranderd.'

Het verhaal van mijn vader bracht op subtiele en tegelijkertijd niet mis te verstane wijze een waarschuwing over. Ik moest me niet langer illusies maken. Ik kon nooit met Robert samenleven – als ik tenminste wilde dat zijn familie in veiligheid bleef. Het was meer dan een waarschuwing. Ik kreeg er keelpijn van. Een gezinswoning was verloren gegaan als gevolg van blinde bevooroordeeldheid en onwetendheid. Om aan die verwonding nog een belediging toe te voegen ook, was een familietraditie van dienstbaarheid en wederzijds respect, die vele generaties had bestaan, ten einde gekomen door toedoen van mijn moeder en van mij.

Zaterdag pakte ik mijn spullen in, waarvoor ik meer ruimte ter beschikking had dan de vorige keer dat ik was weggegaan. Ik gebruikte mijn kleine koffer, maar mijn moeder stond nog een paar grote tassen af, die ze door mevrouw Gray naar boven liet brengen. Ik had meer tijd om te treuzelen, maar was minder geneigd sentimenteel te doen. Ik nam slechts een paar aandenkens mee, die weinig ruimte innamen. De rest borg ik op in een gehavende doos zonder opschrift, die ik in een hoekje van de vliering verborg, in de veronderstelling dat hij daar over het hoofd zou worden gezien, tenzij ik besloot hem te komen ophalen.

Vader hield zich aan zijn woord, en ik ging zonder angst of ophef weg. Mijn broers waren zoals altijd nergens te bekennen. Ik doorstond een korte omhelzing van mijn vader, en deed mijn best om over zijn schouder te kijken en niet in zijn ogen. Het vaarwel van mijn moeder bestond uit een behoedzaam knikje. Ze wendde zich af en was nog voordat de hordeur tegen mijn hakken klapte alweer verdiept in haar handwerkje.

Maandag en dinsdag liep ik na afloop van mijn werk moeizaam tegen de verkeersstroom in naar het huis van de familie Clincke, me een weg banend door de menigte, die als één compacte massa vreugde naar Crosley Field liep voor de laatste twee wedstrijden in de World Series. Het was wel een toepasselijke metafoor voor het afgelopen jaar.

Maar algauw vond ik de regelmaat van mijn nieuwe leventje geruststellend, hoewel niet echt troostend. Werken en naar huis. Werken en naar huis. Mijn huisbazen waren aardig, maar niet opdringerig. Rosemary Clincke was blij dat ze aan mij een fatsoenlijke huurder had: ik ging vroeg weg en kwam vroeg thuis, nog voordat de zon tijdens die lange herfst er zelfs maar aan dacht onder te gaan. Mijn bereidheid om een handje te helpen viel bij haar in goede aarde. Ik roerde in de pan met het avondeten of dekte de tafel terwijl zij bezig was met een van de vele klusjes rondom de kinderen, die nadat ik er was komen wonen als konijnen in aantal leken te groeien. Ik was blij dat ze geen baby had – ik wist dat dat mijn verlies er alleen maar ondraaglijker op zou maken. Maar de bolling bij haar middel, die ik had aangezien voor overtollig vet dat ze aan haar laatste zwangerschap had overgehouden, werd steeds groter, dus ik zou er algauw weer aan herinnerd worden.

Ze leek blij te zijn met haar talrijker wordende kroost, en haar man gedroeg zich als een trotse vader. Als hij thuiskwam van zijn werk als opzichter bij een metselbedrijf gaf hij de oudste kinderen een schouderklopje als ze hun huiswerk af hadden of gooide hij de kleinsten in de lucht, die het dan uitschaterden van de pret. Maar toen we op een avond toekeken, zei Rosemary zacht: 'Als je een man vindt, wacht dan even met trouwen of een gezin stichten. Jullie hebben tijd met elkaar nodig voordat de kinderen komen. Dat is het enige waar ik spijt van heb, hoe lief ze ook zijn.' Ze zwaaide liefdevol naar de kinderen, maar uit de dofheid in haar ogen viel op te maken dat het haar af en toe te veel was. Ik knikte glimlachend, maar had niet het gevoel dat onze band innig genoeg was om haar deelgenoot te maken van mijn geheim, en ik wilde haar er niet mee lastigvallen.

Het werk ging me makkelijk af. De eerste dag liet meneer Bartel me zien hoe het moest: hoe je de kartonnen raampjes die hij had gemaakt zorgvuldig om de glazen vierkantjes moest aanbrengen en ze vervolgens moest vastlijmen, etiketteren, en inpakken in een doosje. De volgende middag had ik het al grotendeels onder de knie. Het was stil in de winkel, hoewel zo nu en dan het belletje boven de deur rinkelde wanneer klanten hun bestellingen kwamen afhalen. Ik verrichtte ook allerlei huishoudelijke of organisatorische werkzaamheden waarvoor meneer Bartel zelf geen tijd had. Na verloop van tijd mocht ik van hem klanten bedienen als hij het druk had. Maar meestal zat ik werktuiglijk andermans herinneringen te ordenen, op een hoge kruk aan een tafel waar niets anders op lag dan de gereedschappen en benodigdheden voor mijn werk. De geur van het karton en de lijm was merkwaardig troostend.

Ik controleerde de ingeraamde dia's snel op foutjes die door meneer Bartel hersteld moesten worden voordat ik ze inpakte, maar als ik toevallig een keer op hem voorlag, niet meer dan een klein stapeltje dia's hoefde in te ramen en ook geen andere klusjes meer had liggen, vertraagde ik mijn tempo. Soms hield ik er een paar dicht bij de lamp om ze aandachtiger te bestuderen. Meestal was het onderwerp een landschap of een groepje zittende of schouder aan schouder staande mensen, die poseerden ter herinnering aan een of andere gelegenheid. Ik bekeek peinzend de uitdrukking op hun gezicht, de mate van spanning in hun schouders, en de afstand die ze bewaarden tussen hun respectieve ribben en heupen. Ik probeerde eruit op te maken of ze werkelijk blij waren, of dat ook zij voorzichtig ademhaalden en net als ik geheimen bewaarden in hun hart, intiem en prikkelbaar, verdoofd en afstandelijk, in een en dezelfde ademtocht.

Zodra ik een glimp opving van iets al te vertrouwds, ging ik snel door naar de volgende dia en begroef ik mijn emoties in het routinewerk.

Op een ochtend in de late herfst had ik een bijzonder weerbarstige, scheef gesneden dia, die maar niet fatsoenlijk in het raampje wilde passen. Ik had eigenlijk de zachte katoenen handschoenen moeten dragen die ik van meneer Bartel had gekregen ter bescherming van de dia's en mijn vingers, maar omdat het zo lastig was om de dia's in de raampjes te wurmen, deed ik weleens een of beide handschoenen uit als ik met een dia worstelde om er meer vat op te krijgen. Die ochtend trok ik mijn rechterhandschoen uit. In een poging om de dia op één lijn te krijgen met het karton, schraapte ik er per ongeluk met een vingernagel overheen.

Ik vloekte binnensmonds en keek op om te zien of meneer Bartel mijn ontsteltenis had opgemerkt. Hij was bezig, dus ik trok haastig mijn handschoen aan en bracht de dia naar het licht om te zien hoe ernstig ik hem had beschadigd. Ik kromp ineen toen ik de lange, diagonale kras zag. Een goede opname was nu bedorven. Ik bestudeerde diverse eerdere dia's uit de reeks, en een paar latere. Zoals vaak het geval was, zat de bekraste dia tussen twee bijna identieke opnamen in. Fotografen waren geneigd een tafereel diverse keren te schieten om de beste compositie vast te leggen. Bij dit ongedwongen familieportret kwamen op alle vijf de dia's dezelfde figuurtjes voor, in min of meer dezelfde pose. Voordat ik er een kras op had gemaakt, was het me opgevallen dat alle gezichten zwart waren. Dia's van zwarte mensen waren ongebruikelijk, maar ook weer niet een heel grote verrassing.

Ik wierp nog een blik op meneer Bartel en stopte de geschonden dia in de zak van mijn jurk. Hij zou er nooit achter komen. De klant die de voltooide dia's kwam ophalen zou er ongetwijfeld geen erg in hebben dat er tussen vele gelijksoortige opnames één opname ontbrak, of dat er in totaal één dia minder werd teruggegeven.

Ik had mijn fout kunnen opbiechten. Maar ik werkte er nog maar net. Ik was bang dat meneer Bartel kwaad zou worden of misschien zelfs mijn loon zou inhouden als hij erachter zou komen dat ik geen gehoor had gegeven aan zijn opdracht om altijd handschoenen te dragen en een prima dia had geruïneerd. In het ergste geval zou hij me wellicht ontslaan. En dat terwijl ik nu wat rustiger kon ademhalen, in de wetenschap dat ik de kost en inwoning bij de familie Clincke kon opbrengen, en ook nog een beetje over zou hebben voor verdere levensbehoeften en af en toe wat eenvoudig vermaak. Daar kwam nog bij dat dit familieportret een merkwaardige aantrekkingskracht op me uitoefende en het bijna voorbestemd leek dat ik het had geschonden, zodat ik het mee naar huis kon nemen. Misschien wilde ik het langduriger bestuderen, me voorstellen dat dit mijn familie was. Het kón mijn familie zijn geweest.

Ik maakte snel die bestelling af en daarna de overige, en wierp nauwelijks een blik op de dia's die ik inraamde. Ik hield ze omhoog voor een snelle kwaliteitscontrole en pakte de diamagazijnen in, met één oog op meneer Bartel gericht, om me ervan te vergewissen of hij niet gewoon wachtte tot het einde van de werkdag voordat hij me een standje gaf. Ik slaakte een zucht van verlichting toen ik die avond vertrok en hij me zoals gewoonlijk halfslachtig gedag wuifde en zonder me zelfs maar aan te kijken 'Tot morgen' mompelde.

Nadat ik die avond mijn nachtgoed had aangetrokken, haalde ik de beschadigde dia uit mijn zak. Bij het licht van mijn bureaulamp bestudeerde ik het groepje, en ik vroeg me af welke gelegenheid om deze tastbare visuele herinnering had gevraagd. Ik stelde me voor dat het mijn eigen familie was.

Uiteindelijk vouwde ik het vierkante stukje karton en glas in een zakdoek en stopte die helemaal achter in de la van mijn toilettafel.

De volgende ochtend ging ik met lood in mijn schoenen naar mijn werk. Ik was opnieuw bang dat meneer Bartel hoe dan ook mijn vergrijp zou ontdekken, waarschijnlijk wanneer de klant de dia's kwam ophalen. Bij aankomst wierp ik een blik in de la bij de kassa, en mijn ogen zochten de naam die ik me herinnerde van de bestelling.

Achter me was meneer Bartel bezig met zijn ochtendlijke werkzaamheden. 'Zoek je iets speciaals?' vroeg hij.

Ik keek op om na te gaan hoe scherp hij me in de gaten hield. 'Ik dacht dat ik gisteren het bestelstrookje had vergeten terug te stoppen in een diamagazijn.'

'Volgens mij waren ze allemaal in orde.'

'O, nou ja, gelukkig dan maar.'

'Er zijn vanochtend al een stuk of wat afhalers geweest, nog voordat ik zelfs maar het bordje had omgedraaid.'

Dat was een pak van mijn hart. Meneer Bartel kwam vaak wat vroeger om vooruit te werken, en dan hielp hij ook vroege klanten. Ik was degene die de dia's had opgehaald misgelopen. Er was niets meer aan de hand.

Maar 's avonds, alleen op mijn kamer, haalde ik de beschadigde en zorgvuldig met mijn zakdoek omwikkelde dia vaak uit de la van mijn toilettafel, en viel ik met de dia op mijn borst gedrukt in slaap.

De dagen dat ik vrij had dwaalde ik door de nabijgelegen buurten van Cincy en slenterde ik over de markten waar slagers en groenteboeren hun waren aan de man brachten en huisvrouwen het beste van het beste uitzochten voordat ze hun muntgeld afgaven, dat nu ruimer voorhanden was gezien de herstellende economie en geruchten over oorlog in Europa.

Op een middag, toen de winterkou de stad stevig in zijn greep had, bleek ik met één been voor en één been over de onzichtbare grens tussen blank en zwart territorium te staan, op een marktplein waar het onderscheid wat minder uitgesproken was dan elders. Ik was niet de enige jonge blanke vrouw die er rondliep, en de jonge vrouw die me rakelings passeerde was ook niet de enige zwarte. Maar toen we met elkaar in botsing kwamen en opschrokken uit onze afzonderlijke gedachten, hapten we allebei naar adem.

Het was Nell.

Haar gezicht verstrakte, maar toen ik mijn ogen niet afwendde, toen ik haar met mijn hulpeloze en hoopvolle blik dwong me te blijven aankijken, werden haar ogen zachter en verscheen aan de rand ervan een glans die een kwetsbaarheid verried die ze waarschijnlijk verfoeide, maar niet kon voorkomen. Toch was haar stem koel en vast toen ze mijn voorzichtige groet beantwoordde. Ze knikte stug.

'Juffrouw Isabelle.'

'O, Nell, zo hoef je me niet te noemen. We staan nu op gelijke voet. Ik ben een werkende vrouw en woon in een huurkamer. Ik heb daar toch nooit om gegeven.'

'Goed dan,' zei ze. 'Isabelle.'

'Ik neem het je niet kwalijk als je me veracht. Ik heb je leven kapotgemaakt, en dat van je moeder. En van Robert.' Alleen al het uitspreken van zijn naam was pijnlijk. Ik miste hem zo vreselijk. De afloop van ons verhaal had me alle moed ontnomen.

Haar ogen sloten zich af. 'We redden het prima in ons eentje.' Omdat ik betwijfelde of ze meer zou zeggen en inzag dat het misschien wel mijn enige kans was om te horen hoe het hun allemaal was vergaan, ging ik haastig verder. Ik greep haar linkerhand vast, trok hem naar me toe en bestudeerde de zilveren band rondom haar ringvinger.

'Ben je getrouwd?' Ze knikte.

'Broeder James?' Ze knikte opnieuw.

'O, Nell, ik ben zo blij voor je. Dat was je droom. Wat zul je gelukkig zijn.'

Ze trok haar hand weg, maar een kleine trilling bij haar mondhoek verried haar. James en zij waren voor elkaar bestemd geweest, ook al hadden mijn daden hun plannen versneld.

'Jullie gaan zeker binnenkort een gezin stichten?'

Nell drukte een handpalm op haar buik, vlak onder haar ribben. Haar buik was nog niet boller dan de mijne en ze maakte een verbaasde indruk, alsof ik had geraden dat ze in verwachting was, hoewel ik alleen maar op goed geluk had gevist naar informatie. Ik drong niet aan op nadere details. 'Gefeliciteerd. Ik ben heel blij voor je, Nell. En... je moeder?' Ik voelde me niet langer gerechtigd om Cora achteloos bij haar voornaam te noemen.

'Met mama gaat het goed. Ze heeft een betrekking in een van de nieuwe huizen boven aan de heuvel hier in Cincy. Ze wordt uitstekend behandeld, maar het is een lange reis, dagelijks heen en terug.' Hoewel Nells stem iets beschuldigends had, was ik blij dat Cora niet geweerd was van het enige werk dat ze ooit had gekend.

Ik wist dat Nell die laatste naam niet ter sprake zou brengen, de naam waarvan ze ongetwijfeld wist dat ik die het moeilijkst vond om uit te spreken – de naam waar ik het meest benieuwd naar was, al was mijn genegenheid en belangstelling voor zijn familie nog zo groot. Na een pijnlijke stilte kon ook ik die naam niet met een gerust geweten ter sprake brengen. Ik herinnerde me het gesprek met zijn moeder voordat mijn zwangerschap zichtbaar werd. Ik herinnerde me de onuitgesproken waarschuwing van mijn vader. Ik herinnerde me mijn schuld jegens de familie van Nell.

'Nou,' zei ik, 'het was fijn om je te zien, Nell. Ik ben blij dat het goed gaat met jou en je moeder. En het spijt me. Het spijt me allemaal zeer.' Ik wendde me af voordat ze de tranen kon zien die in mijn ogen waren opgeweld en me dreigden te overmannen.

Maar ze verraste me. Ze pakte me bij mijn elleboog toen ik aanstalten maakte om weg te lopen, en ik draaide me langzaam naar haar toe. 'Robert gaat in militaire dienst zodra hij klaar is met zijn studie in Frankfort. Misschien al over een jaar. Ze hebben een versneld lesprogramma voor studenten die vrijwillig in het leger gaan.'

Elke zenuw in mijn handen, mijn ruggengraat en mijn gezicht verstijfde. Ik was dolblij dat hij weer was gaan studeren en zo snel klaar kon zijn, maar de rest? Dat was wel het laatste wat ik had verwacht. Het nieuws over de oorlog in Europa en de geruchten dat wij er binnenkort bij betrokken zouden raken, hadden ertoe geleid dat er landelijk militairen werden geronseld, en een recordaantal jonge mannen had inmiddels dienst genomen en stond paraat om zich in het strijdgewoel te storten. Maar voor een jonge zwarte man kon ik me geen leven in het leger voorstellen. Hoe zou dat zijn? Wat zou hij doen? Hoe zou hij behandeld worden? Als het oorlog werd, zou hij die dan overleven?

'Hij hoopt als legerarts te kunnen dienen, maar hij pakt alles aan wat hij krijgen kan – kieskeurig zijn is niet toegestaan.'

Ik wist eindelijk iets uit te brengen, een en al onwaarheid. 'Wat... geweldig. Hij zal wel blij zijn als hij in diensttijd met zijn praktijkopleiding kan beginnen.' Nells kin ging schuin omhoog en verried haar onzekerheid. 'Ik neem aan dat de vrouwen in de rij zullen staan om hem uit te zwaaien. Misschien is er zelfs wel een speciaal liefje dat op zijn terugkomst wacht.' Mijn woorden brandden in mijn keel. Ik kon het niet rechtstreeks vragen, maar ik moest het weten. Dacht hij nog aan me?

'Daar heb je misschien wel gelijk in,' zei ze, en ze zal ongetwijfeld gemerkt hebben dat ik een snik gaf, ook al probeerde ik dat zo onhoorbaar mogelijk te doen. Ze sloeg haar ogen neer, en nu was zij degene die zich omdraaide om te vertrekken. De situatie was voor ons allebei te pijnlijk geworden. Maar ik keek haar na. Ze bleef ten slotte bij een groentekraampje staan, en ik zag dat ze deed alsof ze een broccolistronk inspecteerde voordat ze er een munt voor inwisselde. Haar ontwijkende antwoord en lichaamstaal waren helder. Robert was verdergegaan – in meer dan één opzicht.

32

Dorrie, heden

Ik weigerde te geloven dat Robert haar zo snel vergeten was. Als hij was doorgegaan alsof het hem niet langer kon schelen, als hij iets was begonnen met een andere vrouw, dan was dat alleen maar om het verdriet over het verlies van mevrouw Isabelle te verlichten.

Het was nog niet eens lunchtijd toen we overstaken naar Cincinnati. We hadden vroeg kunnen inchecken in ons pension – mevrouw Isabelle had tenslotte voor de vorige nacht betaald – maar ze vroeg of ik haar naar een paar van de plekken wilde brengen waar ze het tijdens onze reis over had gehad. Ik aarzelde en vroeg me opnieuw af of het haar nu goed of kwaad zou doen. Maar ze zei dat ze wilde zien of er in al die tijd dat zij er niet was geweest veel veranderd was. Ze wees me zonder aarzeling de weg. De straten van het oude Cincy waren smal en overvol, en de huizen waren hoog, rank en dicht opeen gebouwd. Vaak zat er maar een paar centimeter tussen, als ze al niet een muur deelden.

We hielden voor één ervan stil. Mevrouw Isabelle nam het pand een tijdje peinzend op. De vorige keer dat ze het had gezien, zei ze, jaren nadat ze er samen met de familie Clincke had gewoond, bladderde de verf in slierten af van het houtwerk en lag er een stapel betonblokken bij wijze van stoepje, omdat de originele bakstenen door verwaarlozing waren vergaan. Rosemary Clincke was lang daarvoor, toen de buurt achteruit begon te gaan, al met haar gezin vertrokken naar een huisje in een buitenwijk. Het nieuwe huis zag eruit alsof het met een koekjesvorm uitgesneden en daarna gebakken was, zei mevrouw Isabelle, en onderscheidde zich alleen wat het sierpleisterwerk betrof van de huizen aan weerszijden ervan. Maar het was veilig en had een tuin voor de kinderen.

Veel van de huizen in de oude buurt van de familie Clincke waren opgedeeld geweest in appartementen of goedkope pensions, maar langzamerhand weer in liefdevolle handen gekomen en tot eengezinswoningen gerestaureerd. Hun oude huis was nu fleurig geverfd; het houtwerk zag er keurig uit en er hingen gevulde bloembakken onder de ramen, net als in de tijd dat mevrouw Isabelle er had gewoond. Ze wees me op een raam op de bovenste verdieping, waar een moderne brandladder naast hing. 'Bijna een jaar was dat mijn kamer.'

We reden door glooiende straten naar een buurt tussen de nieuwe buitenwijken en het oude gedeelte van Cincinnati, en stopten voor een huis van rode baksteen met een puntdak en een veranda tot halverwege de voorgevel. Metalen luifels beschaduwden als groen-wit gestreepte wimpers de twee ramen ernaast. Een smalle oprijlaan voerde naar een achter het huis staande garage voor één auto. De huizen in deze straat, die door de jaren heen goed onderhouden waren, zagen er grotendeels nog net zo uit als vijftig jaar geleden, hoewel ervoor en erachter nu reusachtige bomen oprezen. Mevrouw Isabelle noemde het huis van rode baksteen een Cape Cod.

'Ik dacht dat Cape Cod aan de oostkust lag,' zei ik, terwijl ik de motor stationair liet draaien vanwege de borden met VERBODEN TE PARKEREN aan weerszijden van de straat.

'Het is in de stijl van Cape Cod.'

'En in dit huis hebt u gewoond?'

'We rijden hier niet alleen rond om de architectuur te bezichtigen.'

Ditmaal was haar reactie tweeslachtig. Ze zag er sentimenteel, teder uit terwijl ze het huis bestudeerde. Maar er zat ook iets gefrustreerds en verbitterds bij, dat aan haar gezicht trok en rare dingen deed met haar wangen en lippen – en uiteindelijk ook met de mijne. Die onverwachte huilneigingen had ik de laatste paar dagen te vaak gehad. Ik kuchte. 'Dat was dus... na de familie Clincke? Hebt u hier met een ander gezin gewoond?'

'Ja. Een ander gezin,' zei ze. 'Een jaar of vijf, zes. Tot we naar Texas verhuisden.'

'We?'

Ze weidde er op dat moment niet over uit, maar vroeg of ik door wilde rijden, zodat we konden gaan lunchen. Ze wees me de weg naar een klein restaurant: de Skyline Chili Parlor. Bij de toonbank raadde ze me aan een 'Cincinnati in vier variaties' te bestellen: een groot bord chili met deegnoedels, bedekt met cheddarkaas en uien. Chili was blijkbaar niet alleen iets Texaans; het was ook iets Grieks. De chili was wel anders: ik proefde telkens vleugjes kaneel... of chocola. En het raarste was nog dat toen ik die smurrie had besteld, mevrouw Isabelle een Coney uitkoos: een kaal worstje op een broodje, half zo groot als een gewone hotdog. Ze gaf de voorkeur aan Dixie Chili, zei ze, maar dat lag aan de kant van de rivier die bij Kentucky hoorde. Bovendien zou ze die avond niet slapen als ze iets gekruids at. Ik werkte als een gehoorzaam kind mijn vier variaties naar binnen en zat kreunend in de auto terwijl mevrouw Isabelle de routebeschrijving naar ons pension opzocht.

Toen we de chique, rustige buurt in het centrum van Cincy in reden, zat mevrouw Isabelle er inmiddels verlept bij. De pensioneigenaar verontschuldigde zich ervoor dat hij de vorige nacht ook in rekening bracht, maar regels waren regels. Mevrouw Isabelle haalde minzaam haar schouders op. (Ze zou ook minzaam zijn geweest tegen meneer de nachtportier, als die als eerste minzaam was geweest.) De pensioneigenaar bood ons een gratis extra nacht aan, onder voorwaarde dat de kamer aan het eind van ons verblijf nog vrij was, maar die zouden we uiteraard niet nodig hebben.

Terwijl ik onze bagage verplaatste, spoorde ik mevrouw Isabelle aan het zich gemakkelijk te maken in een merkwaardig inhammetje in onze kamer, waar twee leunstoelen schuin tegenover elkaar stonden.

De kamer bevatte twee tweepersoonsbedden, bedekt met dikke witte donsdekbedden en kussens die bedrukt waren met blauwe tekeningen van ouderwetse dames met een lange rok aan en een paraplu in hun hand. De bedden zagen er hemels uit, vergeleken met de doorsneehotelbedden waarin we hadden geslapen. Ik snakte ernaar om in een ervan weg te zakken, maar het was nog lang geen bedtijd. We moesten van alles afhandelen en bezoeken afleggen. Maar mijn eerste taak was mevrouw Isabelle ertoe overhalen even te gaan rusten, ook al zou ik dat zelf niet doen. Hoe langer we in de stad waren geweest, hoe nerveuzer ze was geworden.

'Komt u hier eens zitten.' Ik wees naar een stoel met een lage rug die voor de antieke toilettafel stond. 'Ik heb dat haar van u al bijna een week niet aangeraakt. We moeten het wel even opknappen voordat we weer in het openbaar verschijnen.'

Ik kon haar haar niet wassen en watergolven, maar ik kon in elk geval wel haar krullen bijwerken met mijn krultang en borstel. Als ik eenmaal mijn vingers op haar hoofd had en haar schedel, slapen en nek masseerde, werden de spieren die zo strak gespannen waren dat ik ze kon zien misschien wat losser.

Ze kwam versuft naar me toe, zonder de moeite te nemen iets te zeggen, en zakte op de stoel neer. 'Ik ben moe, Dorrie.'

'Dat weet ik,' zei ik, en ik borstelde voorzichtig de klitten los die fragiele nestjes hadden gemaakt in haar zilveren haar, ook al had ik tijdens de reis elke avond die ouderwetse zijden sloop om haar hotelkussen gedaan. 'Wat hebt u met die dia gedaan, mevrouw Isabelle? Hebt u hem bewaard?'

'Ja, hoewel ik niet precies weet waarom. Ik had hem altijd in mijn oude zakdoek achter in de la van mijn toilettafel liggen, waar ik ook woonde. Hij gaf me troost, alsof ik een portret had dat ik kon bekijken wanneer ik Robert en de baby miste.' Ze deed haar ogen dicht en maakte het zich gemakkelijk in de beklede stoel terwijl ik bezig was. Ze sluimerde een tijdje. Ik zag het in de spiegel. Haar oogleden trilden toen haar ogen eronder heen en weer bewogen. Ik vroeg me alleen af wát ze droomde. Het was immers niet moeilijk meer te raden welke gezichten ze zou zien.

33

Isabelle, 1940-1941

Het nieuws van Nell had tot gevolg dat ik nog somberder werd, maar niet lang nadat ik haar had gezien werd ik door een vrouw die ik in een lunchrestaurant had ontmoet meegevraagd naar een openbare dansavond in het weekend. Dansen interesseerde me niet. Het enige wat me interesseerde was de dagen door zien te komen, mijn kamerhuur en kostgeld betalen, en de minuten aftellen tot ik mijn verdriet kon vergeten tijdens de paar uur dat ik in diepe slaap was.

Mijn nieuwe vriendin drong aan. 'Denk eens aan al die knappe mannen die er ongetwijfeld zullen zijn,' zei Charlotte – zonder te weten dat dit mijn tegenzin alleen maar groter maakte. Maar ze voegde er snel aan toe: 'Het zijn voornamelijk soldaten op weg naar Fort Dix.' Nu Amerika voor het eerst soldaten had geronseld, vertrokken er op stel en sprong hordes mannen. 'De bedoeling is om de stemming er bij hen in te houden voordat ze van huis weggaan,' zei Charlotte, 'of misschien hen in staat te stellen een meisje te ontmoeten met wie ze kunnen corresponderen. Het is alleen maar voor de lol – je wilt waarschijnlijk toch geen vastigheid.' Ze had gemerkt dat ik niet geïnteresseerd was in afspraakjes met mannen, ook al had ik nooit verteld waarom. Maar toen ze het over soldaten had, spitste ik mijn oren. Ik wist dat ik Robert nooit zou zien op dit soort dansavonden. Als ik Nell mocht geloven zat hij nog steeds veilig op de universiteit in Frankfort. Bovendien was hij zwart en zou hij niet eens tot zo'n avond worden toegelaten. Maar ik snakte ernaar om iets, wat dan ook, te weten te komen over het soort leven dat een zwarte man in het leger zou hebben.

Met de naïeve redenering dat Charlotte vergezellen naar de dansavonden misschien de manier was om aan dergelijke informatie te komen, stortte ik me in de uitzinnige optocht van jonge vrouwen die opgedirkt en wel de aandacht probeerden te trekken van de pas geschoren, kersverse soldaten.

Ik vond het vreemd genoeg ook een verademing om naar de orkestjes te luisteren en te dansen. Het kon de mannen niet schelen wie ik was of waar ik vandaan kwam. Ze vonden het alleen maar belangrijk dat ik iemand was die ze tegen zich aan konden houden en die misschien aan hen zou denken als ze naar het buitenland gingen. Sommigen gaven me papiertjes met daarop hun naam en militaire adres, poste restante. Ik beloofde te schrijven, net als alle anderen aan wie ze het vroegen.

Sommige dromerige vrouwen vonden hun zielsverwant – na één avond. Ze waren bereid om naar het altaar te schrijden met jongemannen die ze alleen maar in keurig nette toestand en op hun best hadden gezien. Ik vond hen maar dom.

Het kwam weleens voor dat een man te attent werd, me te vaak ten dans vroeg, erop aandrong dat ik hem mijn adres of foto gaf, liet doorschemeren dat hij blij zou zijn met pakjes levensmiddelen van thuis – of met iets meer dan alleen dansen, diezelfde avond nog. Dan beloofde ik lachend te schrijven (terwijl ik achter mijn rug mijn vingers kruiste), en hield ik vol dat ik geen zin had in een langeafstandsrelatie.

Op een avond werd ik een paar keer ten dans gevraagd door een magere man in een effen dun wollen pak, en later nogmaals, nadat hij bij de tafel met drank en hapjes had toegekeken hoe ik met anderen danste.

Ik nam aan dat het tijd was om hem af te poeieren. Maar hij verraste me. Hij bekende dat hij geen soldaat was. Hij was afgekeurd omdat hij een lichte hartruis had. 'Niet doorvertellen, maar ik ga helemaal niet weg.'

'Waarom ben je hier dan?' vroeg ik. 'De meeste mannen proberen zo veel mogelijk vrouwen achter elkaar te krijgen voordat ze naar Dix gaan.'

Hij haalde zijn schouders op. 'O, het zou je nog verbazen hoeveel van hen geen soldaat zijn. Dit is een prima plek om vrouwen te ontmoeten. Je mag pas vanaf je eenentwintigste in dienst. Denk je dat al die mannen zo oud zijn?'

Hij was een bedrieger. Net als ik. Ik haalde op mijn beurt mijn schouders op. Strikt genomen speelde hij vals. En ik ook. 'Je hebt gelijk. Dit is een vrij land. Niemand bepaalt toch of je hier wel of niet mag komen? Je hebt me gewoon een beetje overrompeld.'

Max – zo heette hij – overrompelde me de daaropvolgende paar weken wel vaker door steevast te verschijnen en me redelijk, maar niet overdreven vaak te vragen voor een rondje over de dansvloer. We voelden ons steeds meer op ons gemak bij elkaar. Ik keek ernaar uit hem te zien, niet met vlinders in mijn buik, zoals ik vroeger had gehad toen ik ernaar uitkeek Robert te zien, maar omdat ik in hem een vriend had gevonden. Iemand op wie ik kon vertrouwen. Iemand om mee te kletsen als Charlotte een horde danspartners had terwijl mijn balboekje grotendeels leeg was.

Hij vroeg telkens of hij me naar huis mocht brengen, en uiteindelijk stemde ik ermee in. Maar tijdens de korte wandeling naar het huis van de familie Clincke werd ik overmand door het gevoel dat ik verraad pleegde jegens Robert, hoewel ik niets anders had aangemoedigd dan vriendschap met Max. Of dat maakte ik mezelf in elk geval wijs.

Hij pakte mijn hand, en ik staarde naar onze samengeklemde vingers. Dit was nu al zo ver gegaan dat ik hem niet zomaar kon afpoeieren. Ik had zonder het te beseffen toegestaan dat hij me het hof maakte, omdat ik had genoten van onze ongedwongen vriendschap zonder verplichtingen. 'Het spijt me, Max. Ik ben momenteel niet in staat om een relatie aan te gaan. Zoals ik nu ben, wil je me echt niet; dat kan ik je verzekeren.' Ik keek hem hulpeloos aan, in de hoop dat uit mijn ogen bleek dat het me oprecht speet.

Hij liet zachtjes mijn hand los en schudde zijn hoofd. 'Het geeft niet. Ik heb geen haast. Je weet: ik ga toch nergens heen.'

En zo was hij opeens een vriend die me thuisbracht, maar ook iets nieuws had laten doorschemeren: hij had geduld en zou wachten tot ik er klaar voor was.

Hij begon me uit te nodigen voor filmmatinees in het weekend, voor wandelingen over de fonteinboulevard, kauwend op gebakjes van Busken's, voor ritjes in de kabelbaan naar de top van de Mount Adams Incline en terug, omdat het te koud was om de dierentuin te bezoeken. Maar nog steeds knaagde mijn geweten wanneer ik hem er in een donkere bioscoop op betrapte dat hij aandachtig mijn profiel bestudeerde. Ik wist dat hij verliefd op me was geworden. Maar ik was leeg. De aandacht van Max gaf me wel enige voldoening, maar niet meer dan tijdelijk.

'Het kan niet anders of iemand heeft jou heel veel pijn gedaan,' zei hij weleens toen we in de steeds kouder wordende avonden naar huis liepen. 'Ben je van plan om dat hart van je voorgoed op slot te houden?' Hij vroeg het vriendelijk, drong nooit aan en leek het niet erg te vinden dat ik mijn schouders ophaalde bij wijze van antwoord.

De dag waarop ik eigenlijk mijn eenjarig huwelijk had horen te vieren, woedde er een sneeuwstorm die ongekend hevig was voor januari en lag ik dik ingepakt in bed om warm te blijven – en ongezien verdrietig te kunnen zijn. De volgende dag baanden meneer Bartel en ik ons een weg door ijskoude sneeuwvlagen om klanten te bedienen, maar er kwam er niet één. Ik ging die avond weer rechtstreeks naar bed, nadat ik tegen mevrouw Clincke had gezegd dat ik me niet lekker voelde, en huilde mezelf in slaap. De volgende ochtend stond ik op om de kou het hoofd te bieden, alweer als verdoofd.

Zaterdagmiddag wilde Max vooraf niet zeggen waar we naartoe gingen. De sneeuw zou naar verwachting nog in geen dagen smelten, maar iedereen kwam zo langzamerhand weer tevoorschijn. Het leven moest doorgaan.

De januarizon scheen weliswaar fel, maar verwarmde ons totaal niet toen we haastig over straat liepen nadat Max me was komen halen. Hij trok me een van de nieuwe trolleybussen in die geleidelijk aan de oude dubbele kabelwagens vervingen, en bij een stadspark trok hij me er weer uit. Hij presenteerde me een sleehelling, waarop een krioelende menigte, zowel kinderen als volwassenen, met rode wangen enthousiast omhoogklom en naar beneden sleede.

Max wikkelde versleten lappen om mijn lichte laarzen om mijn voeten warmer en droger te houden, en trok me de heuvel op. We raasden naar beneden op een gehuurde slee. We maakten waarschijnlijk de indruk verliefd te zijn, te behoren tot de paar jonge stelletjes op de helling. Hoe kon de mensenmassa ook weten dat mijn hart even koud en roerloos was als de bevroren sneeuw waar we overheen gleden? Ik was alleen fysiek aanwezig, en probeerde mijn gezichtsuitdrukkingen aan te passen aan die van Max, terwijl mijn gedachten afdwaalden naar een andere dag in januari.

Ten slotte trok Max me mee naar een kraampje dat was opgezet door een stadsgenoot met ondernemerszin, en zette me op een bankje neer met een kop warme chocolademelk tussen mijn in handschoenen gestoken vingers.

Zwijgend keken we naar de pretmakers. Peuters die in de sneeuw vielen en zich zonder te klagen weer overeind hesen, ontlokten zelfs aan mijn koude lippen een glimlach. Max bestudeerde mijn glimlachjes, alsof hij aan de hand van de kromming van mijn lippen mijn stemming probeerde in te schatten.

Uiteindelijk nam hij mijn handen tussen de zijne en wreef ze stevig, zogenaamd om ze te verwarmen – het zeldzame lichamelijke contact dat hij spontaan kon aangaan zonder dat hij op gênante wijze door mij tot de orde werd geroepen.

Hij hield op met wrijven, maar bleef mijn vingers vasthouden. Ik bekeek onze opeenliggende handen. De handen van Robert konden de mijne totaal omhullen. De vingers van Max waren zelfs in de grovere mannenhandschoenen nauwelijks langer dan de mijne. De handen van Robert konden me ontzag inboezemen met hun kracht en me de rillingen geven wanneer ze me aanraakten. De handen van Max vervulden me slechts met een welwillend gevoel en maakten niets anders in me los dan dankbaarheid voor onze vriendschap. Maar ik vermoedde dat voor Max de tijd daar was. Vriendschap was niet voldoende meer. Toen ik aan zijn ogen, zijn lach en zelfs de stand van zijn schouders zag hoe mismoedig hij was geworden, wist ik dat het oneerlijk was om hem aan het lijntje te houden.

'Ik heb geduld gehad, Isabelle,' begon hij. Ik knikte ellendig. 'Ik ben een fatsoenlijk man. Ik zou uitstekend voor je zorgen.'

Ik kon alleen maar reageren met stilte. Ik wist wat er komen ging. Onze zogenaamde verkering duurde al eeuwen, naar de maatstaven van onze tijd: sommige mensen die we kenden waren van de ene op de andere dag getrouwd. De oorlogsdreiging bespoedigde alles, zelfs voor burgers. Maar ik was bang dat de aarzelende stapjes die ik terug in het leven had gezet ongedaan zouden worden gemaakt en ik weer zou wegzakken in de ellende waaruit ik minstens een halve meter omhoog was gekomen. Ik ademde de ijskoude lucht in, en de geur van de modderige sleeijzers. De koude adem bleef steken in mijn borst.

'Jij bent de vrouw op wie ik heb gewacht. Dat weet ik. Ik wil met je trouwen.'

Hij liet een van mijn handen los, stak zijn dik ingepakte vinger uit en drukte die op mijn lippen toen ik begon te protesteren. 'Niet vandaag,' zei hij. 'Als je er klaar voor bent. Ik ben niet gek – ik weet dat je mijn gevoelens niet deelt. Maar je geeft wel om me. We vormen een goed team. Ik verdien genoeg om een mooi huisje voor ons te kunnen kopen – misschien met een extra kamer, om ooit een gezin te kunnen stichten.'

Hij kon niet weten dat dat het ergste was wat hij had kunnen zeggen. Er welde een traan op in mijn ooghoek. Hij bevroor ter plekke en veroorzaakte een bijtend gevoel op mijn huid.

'Wil je erover nadenken, alsjeblieft, Isabelle?'

Ik wilde uitleggen dat een huwelijk tussen ons nooit iets anders dan een vergissing kon zijn, maar hij had gelijk. Zijn bedachtzame aanzoek verdiende het zorgvuldig door mij overwogen te worden.

We liepen zwijgend naar huis, alsof het weleens de laatste keer zou kunnen zijn.

Max was evenwichtig, betrouwbaar. Een goed mens. Onopvallend knap.

Ik mocht hem erg graag. Maar ik hield niet van hem. Ondanks zijn goede eigenschappen hield ik niet van hem.

Ik had met mijn hele wezen van Robert gehouden, en dat huwelijk was ten einde gekomen.

Uiteindelijk besefte ik dat ik niet openstond voor liefde of een huwelijk, omdat ik een sprankje hoop had gekoesterd dat Robert bij me terug zou komen. Op de een of andere manier, op de een of andere dag. Mijn ontmoeting met Nell had dat sprankje moeten uitdoven. Maar ik werd gekweld door de gedachte dat hij misschien wel verliefd was geworden op een andere vrouw. Als een hardgekookt ei dat rondom stukgetikt is op een aanrecht, zo was mijn hart gebarsten en gescheurd.

Toen ik op een dag vroeg in februari de werkplaats van meneer Bartel verliet, loeide de wind om mijn onbedekte oren. Ik had die ochtend vergeten mijn muts in mijn handtas te stoppen. Na een paar straten dook ik een café-restaurant in. Ik wist dat het me niet zou lukken thuis te komen als ik me niet volgoot met warme koffie. Ik werd al warm van alleen de geur, die me uitnodigend tegemoet stroomde toen ik moeizaam tegen de wind in de zware deur opentrok.

Wachtend bij de bar bekeek ik de mensen die aan de tafeltjes zaten. Eén stel deelde een krant. De jonge man las over de schouder van zijn vriendin mee. Af en toe duwde ze hem weg, alsof ze hem te opdringerig vond. Dan duwde hij goedhartig terug, maar gaf haar wel de ruimte. Uiteindelijk glipte hij om de tafel heen tot hij tegenover haar zat. Er schitterde een ring aan haar vinger, maar het vuur tussen hen leek te smeulen. Het leek hen tevreden en blij te stemmen om samen een leven te beginnen. Ze leken uitstekend met elkaar te kunnen opschieten. Ze deden me aan Max en mij denken.

Aan een ander tafeltje sloeg een jonge vrouw verongelijkt haar armen over elkaar, haar kribbige lippen klaar om een scherpe opmerking uit te spuwen. Haar in uniform gestoken metgezel had zich achter haar langs gebogen om met een man aan een tafeltje ernaast te babbelen. Ze was jaloers. Ze had geen zin om haar geliefde te delen. Maar toen hij zich even omdraaide en zijn hand over haar arm liet glijden, ontspande ze. Ze liet haar handen in haar schoot vallen en sloeg rustig haar vingers ineen. Ze bekeek hem nu met bewondering en onmiskenbare, vurige hartstocht. Ze deden me aan Robert en mij denken.

Er was op geen van beide stellen iets aan te merken. Ze waren gewoon wie ze waren.

Er waren vele lange maanden voorbijgegaan sinds ik datgene verloren had waar ik het meest om gaf: eerst Robert en toen ons kind. Ik had Nell duidelijk laten weten dat ik nu onafhankelijk was en zelfstandig beslissingen kon nemen. Als Robert van plan was geweest me op te sporen, zou hij dat inmiddels wel hebben gedaan.

De metafoor die door de stelletjes in het café-restaurant werd uitgebeeld, was duidelijk. Ik kon als verlamd eeuwig mijn verlies blijven betreuren, of ik kon stappen ondernemen om ook verder te gaan met mijn leven. Het antwoord leek gedicteerd door de tekenen om me heen.

34

Dorrie, heden

Mevrouw Isabelle was na haar dutje in de stoel in een ongebruikelijke stemming wakker geworden – 'zwaarmoedig', werd het in het kruiswoordpuzzelblad genoemd. We gingen naar een begrafenis, dus wie zou niet zwaarmoedig zijn? Maar het was meer dan dat. Ik had liever gehad dat ze het allemaal even had laten rusten, maar ze leek haar zinnen erop te hebben gezet haar verhaal af te maken, dus ik was doorgegaan met het opknappen van haar haar terwijl zij praatte.

Ik kon me nauwelijks voorstellen dat mevrouw Isabelle degene die ze voor altijd liefhad had opgegeven. Was er dan geen enkele andere manier geweest waarop ze Robert had kunnen vinden? Hoe had ze hem kunnen opgeven? Hén kunnen opgeven? Was Max werkelijk de beste oplossing geweest?

Maar ik wist hoe dit was geëindigd. Ik had bij haar thuis de foto's gezien. Het was een beetje als een droevige film: je hebt gehoord hoe die afloopt – misschien heb je de film al vijf keer gezien, zodat je wéét hoe die afloopt – maar je blijft hopen dat het einde anders zal zijn.

Toen ik klaar was met het haar van mevrouw Isabelle, verkleedde ik me. Ik had twee mooie outfits meegebracht: één voor de begrafenisdienst en een nette broek en zijden blouse die volgens mevrouw Isabelle goed genoeg waren voor het bezoek aan de rouwkamer. Toen ik me had aangekleed, was ik een tijdje in de weer met mijn haar, dat hier en daar begon te kroezen. Het was tijd om zelf eens naar de kapper te gaan, maar ik kon in Cincinnati uiteraard weinig ondernemen.

'Dorrie?' riep mevrouw Isabelle vanaf de andere kant van de kamer. 'Ik heb weinig losgelaten over deze begrafenis.'

Inderdaad. Dat hadden we al vastgesteld. Ik ging door met mijn bezigheden en probeerde grip te krijgen op de microscopisch kleine sluiting van mijn halsketting. Ik droeg over het algemeen weinig sieraden, maar dit was een bijzondere gelegenheid, ook al was het er niet een van mezelf. Ik wilde niet dat haar familie of vrienden dachten dat ik een of andere gezelschapsdame uit de lagere klasse was die ze had ingehuurd om haar naar deze begrafenis te brengen.

'Ik ben zenuwachtig. En hopelijk vat je dit niet verkeerd op, maar ik moet je vertellen...'

'Wat? U zenuwachtig? Dat meent u niet, jongedame.' Ik keek haar met samengeknepen ogen aan en probeerde het gesprek wat op te peppen. Ze maakte mij ook zenuwachtig.

'Ik meen het serieus, Dorrie. Je vindt me vast een akelig oud mens.'

'Ik zou u nooit een akelig oud mens vinden,' zei ik. 'Nou ja, misschien die ene keer, toen we elkaar leerden kennen.' Ik grinnikte. 'Maar dat hebben we rechtgezet.'

'Het kan zijn dat ik de enige blanke ben op die begrafenis.'

Aha. Eindelijk was het hoge woord eruit. Ik kan niet zeggen dat ik geschokt was. Ik had al zo'n vermoeden gehad dat ze met het ophalen van al die herinneringen ergens heen wilde. Sterker nog: ik had het idee dat ik wel wist wiens begrafenis we zouden bijwonen, en ik begreep volkomen dat het voor iedereen moeilijk zou worden – ook voor mij, nu ik het verhaal kende. Ik vond het vreselijk dat het zo was afgelopen voor haar en Robert.

Maar zenuwachtig omdat ze misschien de enige blanke zou zijn? Onwillekeurig proestte ik het uit. Maar ik had er meteen spijt van, want haar gezicht verschrompelde alsof ik haar met een scherpe naald had gestoken en alle lucht had laten weglopen. Ze had het inderdaad serieus gemeend.

'Het spijt me vreselijk. Ik lachte niet met opzet.' Ik liep snel naar haar toe en hurkte naast de stoel neer. Ik pakte haar hand en kneep er zachtjes in. 'Dank u wel dat u eerlijk tegen me bent, mevrouw Isabelle. Dat waardeer ik altijd zeer in u. Maar waar bent u nou bang voor? Ik bedoel, iedereen zal het alleen maar aardig van u vinden dat u naar die begrafenis bent gekomen.'

'Dat weet ik, Dorrie. Ik moest het gewoon even kwijt. Ik wil niet beschouwd worden als een arrogante blanke vrouw die op haar witte paard komt binnenrijden. Ik weet dat dit belachelijk klinkt.'

'Maar u bent uitgenodigd. Uw vrienden weten toch dat u komt?' Dit baarde me zorgen. Ik begreep wat ze bedoelde. Als ze onaangekondigd op die begrafenis verscheen, zouden sommigen zich weleens kunnen afvragen waarom ze er was. En had ze gelijk? Zouden ze misschien zelfs beledigd zijn?

'Ja,' zei ze. Ik ademde opgelucht uit.

'Mooi, dat zit dus wel goed. Maakt u zich maar geen zorgen.' Ik gaf haar een klopje op haar hand. Ik kwam overeind en kreunde toen mijn rugspieren halverwege een beetje in de knoop raakten. Dag in dag uit staande werken was niet alleen zwaar voor mijn voeten, maar ook de pest voor mijn rug. Zo'n massage die in de brochure op ons nachtkastje stond beschreven klonk erg aanlokkelijk. Maar wat haalde ik me in mijn hoofd? Me laten masseren was een van die dingen die ik me had voorgenomen te doen wanneer ik rijk en beroemd was. Of weer getrouwd, misschien.

Teague... Ik had minstens een uur lang niet aan hem gedacht. Sterker nog: ik had alleen maar bij vlagen aan hem gedacht, tussen de zorgen om de domheid van mijn kind en het droevige verhaal van mevrouw Isabelle door. Maar de wetenschap dat ze waarschijnlijk de enige ware had opgegeven spoorde me tot actie aan. 'Mevrouw Isabelle? Het komt allemaal wel goed. U zult het zien. Heb ik nog tijd om een telefoontje te plegen voordat we weggaan?'

Een ontluikend sprankje hoop veranderde haar gezicht. Misschien zag ze in het mijne iets wat haar optimistisch maakte over mijn eigen schijnbaar hopeloze situatie. Wie weet had ze een reden om me haar verhaal te vertellen, behalve om me uit te leggen hoe het met die begrafenis zat.

Ik wierp een blik buiten onze kamer. Een deur gaf toegang tot een lange, brede veranda vol gemakkelijke stoelen. Ik voelde me een beetje opgelaten toen ik controleerde of de deur van het slot was, alsof ik in andermans huis was en iets deed wat ik niet mocht, maar de pensioneigenaar had tegen ons gezegd dat we moesten doen alsof we thuis waren. Ik liep even heen en weer op de veranda voordat ik op de snelkiestoets drukte die ik een paar weken geleden had ingesteld voor Teague.

Voicemail.

Dat was prima. Meer dan prima, zelfs.

'Hoi, Teague. Met mij, Dorrie.' Ik zweeg even en voelde me nu al belachelijk. 'Ik wil alleen maar even zeggen dat ik het allemaal verkeerd heb aangepakt. Ik weet niet of we er nog uit kunnen komen, maar ik wil je laten weten dat ik je ontzettend waardeer. Ik was ervan uitgegaan dat je het ergste zou denken toen je erachter kwam dat mijn kind iets stoms had gedaan. Sterker nog: misschien word je op dit moment wel hysterisch, nu je de link legt... en ja, het klopt. Maar ik heb je niet eens een kans gegeven. En dat spijt me oprecht. Ik heb nu geen tijd voor het hele verhaal. Ik val hier zo'n beetje op mijn knieen – ook al sta ik eerlijk gezegd op een pensionveranda – en smeek je geduld te hebben. De komende paar dagen draaien om mevrouw Isabelle, om het afmaken van deze reis. En als ik thuiskom moet ik eerst mijn kind onder handen nemen en uitzoeken of het mogelijk is om zijn leven te redden, die rottigheid uit de weg te ruimen en verder te gaan. Maar er is nog iets... Ik vind je te gek. Echt waar. Dus, eh... wil je een beetje geduld met me hebben? Mag ik nog even aanzien hoe alles gaat lopen? Ik heb me dit allemaal nog maar net gerealiseerd, hoewel ik het ergens altijd al heb geweten, geloof ik. Teague, ik wil je niet kwijt, wat het ook is dat we...'

De voicemail van Teague onderbrak me met een tweede piep. Ik gaf een klap op de balustrade van de veranda. Ik had alle beschikbare tijd gebruikt. En dat gebeurde nooit, tenzij je iets belangrijks te vertellen had.

Maar ik had gezegd wat ik moest zeggen. Voor dat moment. De kern van de boodschap zou wel overkomen, en hopelijk... Nou ja, hopelijk zou hij me nog een kans geven.

In stilte bedankte ik mevrouw Isabelle. Al kon haar verhaal niet de afloop krijgen waarop ik had gehoopt, het had me in elk geval wel iets belangrijks bijgebracht.

Als de ware langskomt, moet je het niet verknallen.

35

Isabelle, 1941-1943

Ik gaf Max een uitweg. Ik vertelde hem dat hij niet mijn eerste zou zijn, dat ik geen maagd meer was. Het schrok hem niet af. Hij zei dat ik ook niet zijn eerste zou zijn, en dat hij het alleen maar eerlijk en redelijk vond dat we op gelijke voet begonnen.

Mijn beide huwelijken waren eenvoudige, rustige plechtigheden. Net als de eerste keer waren er de tweede keer maar vier mensen aanwezig. Nu waren het Max en ik, de trouwambtenaar en mijn vriendin Charlotte, die alle eer naar zich toe trok: zij had me meegevraagd naar de dansavonden waarop Max en ik elkaar hadden leren kennen. Max en zij stonden stralend op de foto's, alsof zij het gelukkige stel waren, terwijl mijn gezicht leek te zijn blijven steken in een halfhartig lachje.

Ik stelde mijn ouders niet op de hoogte, zoals ik dat ook bij mijn eerste huwelijk niet had gedaan. Ik had bewezen dat ik zonder hun goedkeuring kon leven. De ouders van Max woonden honderden kilometers verderop. Hij deelde hun het nieuws per telegram mee en voegde eraan toe dat hij er begrip voor zou hebben als ze het huwelijk niet konden bijwonen.

Opnieuw droeg ik eenvoudige kleding, maar de nette jurk die ik bij mijn eerste huwelijk had gedragen bleef in de kast, waar het bitterzoete stof van de herinnering erop neerdaalde, want ik kon me er niet toe zetten hem nog een keer te dragen – of weg te doen.

Het eerste huwelijk vond plaats in de bittere januarimaand. Het tweede aan het eind van de vrolijke lente.

Vorig jaar januari was mijn stemming lenteachtig geweest, en deze lente was hij januari-achtig.

Max had me een gladde gouden ring gegeven, hoewel ik alleen maar dacht aan het symbolische vingerhoedje dat door Sarah Day was geschonken. Ik vroeg me nog steeds af wat daarmee was gebeurd. Had Robert het meegenomen, of was het bij mijn haastige vertrek per ongeluk onder het bed gevallen en een kier in gerold, waar het nog steeds lag? Het kon ook zijn dat de huisbazin het nu gebruikte bij haar naai- en verstelwerk, zich niet bewust van de betekenis ervan.

Er werden geen waarschuwingen geuit voordat Max en ik de trouwgelofte aflegden. De ambtenaar wierp een blik op onze papieren en verklaarde dat we getrouwd waren. Hoewel hij inmiddels talloze paren in de echt had verbonden die elkaar maar enkele weken of zelfs maar enkele dagen kenden, was hij een van de weinigen die niet vroegen waarom Max zich niet inscheepte, en er ook niet om leken te geven.

Toen we het gemeentehuis uit kwamen, stroomde de menigte langs ons heen zonder ons een blik waardig te keuren. Er was niets bijzonders aan ons.

Max had een hypotheek genomen op een klein huis in een van de nieuwere gedeeltes van Cincy. Eén tochtje was voldoende geweest om mijn nog altijd schamele bezittingen er vóór onze huwelijksnacht naartoe te verhuizen.

En die – onze huwelijksnacht – was volstrekt anders.

Ik betrad het huis zonder ook maar een zweempje van de angst die ik had gevoeld op de avond dat Robert en ik de trap op waren gegaan naar onze bruidskamer. Ik was niet bang dat iemand ons zou opsporen of onze verbintenis ongeschikt of onwettig zou vinden. Ik was niet bang toen Max me voorzichtig nam in het bescheiden bed dat hij in onze piepkleine slaapkamer had geplaatst. Ik was niet bepaald een enthousiaste bruid. Ik berustte in de liefdesdaad, en na verloop van tijd vond ik het wezenloze, verdovende genot ervan zelfs prettig.

Ik zorgde ervoor dat ik niet zwanger werd en Max stemde ermee in om nog even te wachten met een gezin stichten. Met het oog op de onzekerheid over de oorlog en het prille herstel van de economie hield ik vol dat het niet verstandig was om onze vaste banen op te geven, of dat zelfs maar in overweging te nemen, tot we ons huis fatsoenlijk hadden ingericht en een spaarbuffer hadden gecreëerd.

Het zou eerlijker zijn geweest om ronduit te zeggen dat ik helemaal geen kinderen wilde. Ik had hem nooit iets over mijn verleden verteld, nooit een woord gezegd over Robert. Ik hoopte dat ik dat nooit zou hoeven doen. De gedachte aan een nieuwe zwangerschap joeg me angst aan, zelfs zonder dat iemand mijn kind uit mijn armen zou rukken voordat ik zelfs maar de kans had gehad haar te kleine, te stille lipjes vaarwel te zoenen. Ik was ook bang dat mijn baarmoeder voorgoed beschadigd was geraakt door de val. Misschien zou ik nooit een voldragen kind ter wereld kunnen brengen. Ik wilde het niet weten. Ik kon me niet voorstellen dat ik een andere pasgeborene tussen mijn lendenen tevoorschijn zou zien komen zonder dat ik me het gezichtje van mijn dochtertje voor de geest riep. Een gezichtje dat ik alleen in mijn verbeelding kende.

In december mengden de Verenigde Staten zich in de oorlog. Iedereen veranderde erdoor. Het bombardement op Pearl Harbor, al was het helemaal in Hawaï, stelde het geloof in de onoverwinnelijkheid van ons land op de proef. Ik ging na het horen van het nieuws in tranen naar bed. Max dacht dat ik huilde omdat de oorlog nu onvermijdelijk was; hij kon niet weten dat ik om Robert huilde. Ik vroeg me af of hij het er wel levend af zou brengen nu we daadwerkelijk aan de oorlog meededen, vlak voor zijn vertrek, als het klopte wat Nell me had meegedeeld. Max probeerde me te troosten toen hij naar bed kwam. Hij streelde mijn schouder en probeerde me naar zich toe te trekken, maar ik wendde me af. Ik had zoals altijd het gevoel dat ik Robert ontrouw was.

Aanvankelijk werkte ik nog voor meneer Bartel, hoewel maandelijks minder uren, omdat de zaken slechter gingen als gevolg van de onvermijdelijk grimmiger wordende oorlog. De baan van Max als accountant bij een fabrieksbevoorradingsbedrijf was zo vast als een huis; door de oorlog was de vraag naar de goederen die zijn bedrijf produceerde alleen maar toegenomen. Ik maakte elke ochtend een warm ontbijt voor hem klaar en pakte zijn lunchtrommel in. Hij gaf me een zoen op mijn wang, alsof we onze zilveren bruiloft al hadden bereikt, en zwaaide naar me bij de halte waar hij door een trolleybus zou worden opgepikt. We spaarden voor een auto, maar nu de benzine op de bon was, hadden we er geen haast mee.

In het weekend gingen we nog steeds naar de bioscoop of naar concerten van plaatselijke burgerorkesten, hoewel er vanwege de oorlog zoveel mannen vertrokken waren dat de muziek magertjes was.

Ik wist nu al hoe ons leven er in de verre toekomst uit zou zien: het zou zelfs na afloop van de oorlog doorgaan zoals het nu was, langzaam en gestaag, jaar na jaar, decennium na decennium.

Max gedijde bij voorspelbaarheid. Ik verschrompelde vanbinnen. Ik vervloekte ons saaie Utopia. Max had geen belangstelling voor conversatie die mijn geest levendig hield: er werd niet gepraat over actualiteiten, populaire romans of de klassieken, muziek of film. Ik probeerde hem erbij te betrekken, hem – zoals ik zelfingenomen dacht – tot mijn niveau te verheffen. Mijn pogingen leken hem te verbazen, maar niet al te zeer te frustreren. Hij hield grinnikend vol dat hij er echt geen behoefte aan had om verder te kijken dan de buitenkant.

Hij was een goede echtgenoot, afgezien van zijn onvermogen om mijn nieuwsgierigheid te prikkelen – nieuwsgierigheid naar wie of wat er onder zíjn buitenkant schuilging. Hoewel ik nog geen twee jaar met hem getrouwd was, had ik het gevoel dat ik hem door en door kende, en die kennis kon in één enkel koffiekopje gegoten worden. Omgekeerd kende hij mij nauwelijks, behalve dan dat hij besefte dat hij met een vrouw was getrouwd die kennelijk voor de lol bekvechtte. Hij stapte eroverheen, net als over de rest, geamuseerd en met een gevoel van trots.

Op een dergelijke dag, in 1943, slenterde Max het huis uit naar de bushalte. Ik reageerde mijn frustratie af op de onschuldige aardappelen en wortelen die ik schrapte voor ons avondeten en door verwoed de veranda te vegen, en deed mijn best om niet te ontploffen, in mijn verlangen om met iemand – wie dan ook! – een gesprek aan te gaan dat stimulerender was dan een praatje over het weer of de prijs van tien eieren. Ik richtte me op een weerspannige rozenstruik die we de vorige lente hadden geplant. Aangezien ons land inmiddels volop meedeed aan de oorlog, staken we bij het tuinieren onze energie voornamelijk in het telen van sla, bonen en wat we verder nog konden verbouwen, om de commerciële landbouwproducten te reserveren voor de troepen en de vervoerskosten te drukken. Toch waren we ons te buiten gegaan aan een rozenstruik, voor een kaal hoekje in de voortuin. We hadden echter niet verwacht dat het zo'n behoeftige plant zou zijn, die voortdurend aandacht nodig had. Was ik geen meeldauw aan het bestrijden, dan was het wel weer tijd om te bemesten. Was ik niet aan het bemesten, dan was ik wel weer aan het snoeien.

Ik vond het ontzettend veel werk voor een middelgrote plant die er niet veel voor had teruggegeven. Nadat we hem hadden geplant, waren er een paar knoppen opengegaan, maar verder was hij de hele zomer, herfst en winter slapend gebleven. Ik had gelezen dat snoeien in de lente de weelderige bloei zou bevorderen die ik zo graag wilde zien – misschien zou het me hoop geven op meer dan alleen de rozenstruik.

Zijn stem kwam van achter me. 'Je bent nooit een ster geweest in rozenstruiken snoeien.'

Ik liet de snoeischaar vallen die ik tussen mijn lompe tuinhandschoenen vasthield en sloeg mijn handen voor mijn buik. Ik zakte door mijn benen en viel op mijn knieën neer. Ik had niet verwacht zijn stem ooit nog te horen. Maar zelfs na bijna vier jaar had ik hem uit duizenden herkend.

Ik durfde me niet om te draaien. Ik vroeg me af of het geluid ontsproten was aan mijn fantasie, een illusie, voortgekomen uit de beelden waardoor ik nog steeds werd gekweld. Natuurlijk zou ik de stem van Robert horen wanneer ik een struik snoeide, dromend van de tijd dat we samen het prieel opknapten. Dat viel te verwachten.

Ik deed mijn ogen dicht, bleef roerloos zitten en droeg mijn geest op dit kunstje nog eens te doen.

Ik hoorde iemand zijn keel schrapen en draaide mijn hoofd net ver genoeg om een blik over mijn schouder te kunnen werpen.

Daar stond Robert te wachten, schitterend en wel, in militair uniform. Hij stak de schuine baret die hij tussen zijn handen hield iets naar voren en bewoog hem op en neer bij wijze van verlegen groet.

Ik werd overspoeld door emoties, sommige gericht op Robert, andere domweg op de situatie: opluchting, schrik, vreugde, woede, scepsis, hoop, bitterheid.

Liefde.

Nog steeds liefde.

'Hallo, Isabelle.' Rustig, zelfverzekerd. Terwijl hij vroeger een beetje jongensachtig was geweest, was hij nu een man. De gerijptheid die ik in zijn ogen zag, werd waarschijnlijk weerspiegeld in de mijne.

Maar in zijn begroeting schemerde ook behoedzaamheid door. Niet de bezorgde angst om ontdekt of aangevallen te worden. Hij leek zich niet te bekommeren om wat mijn buren ervan zouden vinden, maar op zijn hoede te zijn voor mijn reactie.

Ik dwong mezelf te gaan staan en duwde mezelf omhoog, in weerwil van het vreemde gevoel dat de zwaartekracht weleens zou kunnen winnen. Ik liep naar hem toe en bestudeerde hem alsof hij toch nog zou kunnen vervagen, een luchtspiegeling, die tevoorschijn was getoverd door mijn innerlijke worstelingen – of doordat ik te lang over de rozen gebogen had gestaan terwijl de zon op mijn achterhoofd brandde.

'Je bent echt,' zei ik, toen ik zo dichtbij was gekomen dat ik hem kon aanraken, hoewel ik dat niet deed.

'Natuurlijk ben ik echt,' antwoordde hij.

Ik wilde me op hem storten, hem dringend vragen waarom hij nooit had geprobeerd contact met me op te nemen, hem smeken me te redden uit mijn verkeerde huwelijk. Ik deed het niet. Ik stond daar maar en dronk hem in, zoals hij eruitzag in zijn uniform.

De gebeurtenissen waarvan hij getuige was geweest en de demonen waarmee hij in die vier jaar had geworsteld, stonden op zijn voorhoofd en kaken geëtst als uit fijne lijntjes en gespannen spieren opgetekende verhalen.

Hoewel het onmiskenbaar Roberts stem was, waren de ruwe kantjes er zodanig af geschuurd dat hij nu bijna beschaafd klonk. Ik vroeg me af waar hij naartoe was gereisd sinds hij in dienst was gegaan. Hij had al anders geklonken toen hij op de universiteit had gezeten – vóór ons huwelijk – maar dat werd nu nog overtroffen. Er klonk wijsheid door in zijn zware bariton, zelfs in de paar woorden die hij had gesproken.

'Waarom ben je hier? Waar ben je mee bezig? Hoe...' Waar moest ik beginnen?

'Dat weet ik eigenlijk niet precies,' zei hij. 'Maar volgens mij was het de voorzienigheid die me naar je toe heeft gebracht. Alweer.'

'De "voorzienigheid"?' Ik begreep het aanvankelijk niet, maar herinnerde me opeens de woorden die ik lang geleden tegen hem had gesproken, toen ik kinderlijk had gedweept met kismet en het lot. Wat was ik naïef geweest.

'Ik kwam je vader tegen in het centrum. Die heeft me over je... je huwelijk verteld. De naam van je man was heel makkelijk op te zoeken in het telefoonboek.'

Hij wist dat ik weer getrouwd was. En mijn vader wist het ook. Ik had niet gereageerd op zijn pogingen om via de familie Clincke contact met me te leggen, maar blijkbaar had hij me in de gaten gehouden. Toen zijn naam werd genoemd, kwam het ijs in mijn hart in beweging. 'Waar ben je geweest?'

'Waar ik de afgelopen tijd ben geweest?'

'Ik zou graag willen weten waar je bent geweest sinds ik je voor het laatst heb gezien. Het meest recente verleden is voorlopig voldoende.' Ik vond het vervelend dat mijn stem iets koels kreeg. Hij had immers niet anders kunnen handelen; mijn broers en moeder waren vastbesloten hem uit mijn leven te laten verdwijnen. Elke andere handelwijze zou gekkenwerk zijn geweest. Maar ik was verbitterd. Ik kon er niets aan doen. Had hij het zelfs maar geprobeerd?

'In legerkantines aan het werk, samen met soortgelijke kerels als ik, als ze tenminste niet bezig waren met voorradentransport.' Hij verfrommelde de rand van zijn baret in zijn vuist. 'Tot nu toe op de thuisbasis. Toen ik in dienst ging, werd me gezegd dat ik nooit tot een medische ploeg toegelaten zou worden, maar nu gaan er stemmen op om een groep zwarte medicijnstudenten op te leiden voor de operatiekamers in Europa. Ik heb me opgegeven.'

Deze mededeling perste de lucht uit mijn longen. Hoewel ik weer getrouwd was, had ik de sprookjesachtige fantasie gekoesterd dat hij me zou komen redden. Ik kon aanvankelijk geen woord meer uitbrengen. Toen de stilte tussen ons ondraaglijk werd, schraapte ik een korte vraag bij elkaar. 'Je gaat...' Ik stokte. De woorden 'naar het buitenland', die in veel patriottistische liedjes voorkwamen, maakten me kwaad. Hij had me opgespoord, maar alleen om te zeggen dat hij van plan was slachtoffer te worden van de vijand, terwijl hij veilig op vaderlandse bodem kon blijven, ook al was dat een verspilling van zijn talent en opleiding. Ik had zin om hem zo'n harde zet tegen zijn ribben te geven dat hij op de grond viel.

'Hier zijn artsen minder hard nodig. Ik wil mijn steentje bijdragen. Er wordt momenteel een troep zwarte soldaten opgeleid voor Europa. Die zullen artsen nodig hebben. Op het ogenblik is er vrijwel niemand die onze mannen wil aanraken wanneer ze gewond zijn. Ze keuren hun nauwelijks een blik waardig. De meesten worden achtergelaten om te sterven.'

Ik schaamde me toen hij het over 'onze mannen' had. Het was mijn volk dat dit deed. Huiverend dacht ik aan mannen als Robert, die enkel en alleen om hun huidskleur op het veld werden achtergelaten. Maar we hadden het hier dan ook over het land dat borden had neergezet zoals dat aan de rand van mijn geboorteplaats, waarop zwarten dreigend werd aangeraden zich uit de voeten te maken voor het donker werd. Het land waarin gewelddadige mannen het 'recht' in eigen hand namen en anderen dit door de vingers zagen.

Verstandelijk begreep ik dat Robert de behoefte voelde om te vertrekken, om voor zijn broeders te zorgen wanneer ze gewond waren. Natuurlijk begreep ik dat. Elke andere reactie zou ons beiden te schande hebben gemaakt.

Maar gevoelsmatig wilde ik niets liever dan Robert smeken mijn onzalige vergissing om met Max te trouwen recht te zetten, me in zijn armen te nemen en me de rest van ons leven lief te hebben, en kon ik het niet uitstaan dat hij van plan was om weer bij me weg te gaan.

'Was dan maar nooit gekomen,' zei ik fel. 'Had me nou maar nooit laten weten dat je zelfs maar in leven was. Eindelijk kan ik het verdragen zonder je te leven, en nu breekt mijn hart straks opnieuw.'

Ik rukte mijn handschoenen uit, smeet ze bij de voet van de rozenstruik neer en schopte mijn snoeischaar uit de weg. Ik vloog over het tuinpad en denderde het trapje op naar mijn voordeur, terwijl Robert me sprakeloos volgde.

'Isa!' riep hij ten slotte. 'Ik ben hier omdat ik je moest zien. Ik hou nog steeds van je. Ik hou elke dag van je, elke minuut.'

Ik was bij mijn hordeur gekomen en hield in bij zijn woorden, bij het horen van de koosnaam die alleen hij gebruikte.

Ik schudde mijn hoofd. Hij was hier niet voor mij. Hij ging weg zodra hij verschenen was.

Ook al hield hij nog steeds van me.

Ik drukte mijn vuisten tegen mijn ogen en probeerde de hete tranen te bedwingen die me dreigden te verraden.

'Nell heeft me verteld... heeft me laten geloven dat je iemand anders had gevonden.' Ik sprak de woorden zo zacht uit dat ik me afvroeg of hij ze wel had gehoord. Maar over mijn linkerschouder kwam zijn stem.

'Ben je Nell tegengekomen?' vroeg hij. 'En heeft zij je verteld... O, Isa, er is nooit iemand anders geweest dan jij. Nooit, vanaf de dag dat ik je bij de beek zag toen je schreeuwend met je vuisten op de grond bonkte.'

Nu werd het me opeens duidelijk dat Nell me alleen maar had laten geloven dat Robert verder was gegaan met zijn leven omdat dat in haar ogen het beste was voor ons allebei. Ze had altíjd alleen maar geprobeerd te doen wat voor ons allebei het beste was.

'Is dat waarom...' Zijn stem stierf weg, maar ik begreep de vraag die hij in de lucht had laten hangen.

Ik draaide me om en keek hem aan. 'Ja. Daarom woon ik in dit lieflijke toonbeeld van de hel. Ik heb naar je uitgezien. Op je gewacht. Maar je ging weg. Je gaf het op en ging weg. Dus toen ik Max leerde kennen en hij niet méér van me verlangde dan ik hem kon geven, ben ik met hem getrouwd.'

'Ik wilde je komen halen. Dat was de bedoeling. Ik wist niet of ik het je zou vertellen, maar... je hoort eigenlijk nog iets te weten.' Robert keek naar zijn schoenen, bijna alsof hij zich schaamde. 'Ik wilde je lang geleden al komen halen, Isa. Ik was het van plan. Ik dacht dat ik moedig genoeg was om de regels aan mijn laars te lappen. Ik bleef in de haven werken en legde geld opzij om in de zomer weer te kunnen gaan studeren – ik wist dat je vader mijn opleiding niet meer zou betalen – en hoopte dat ik een manier zou bedenken om ons weer bij elkaar te brengen. Ik heb me er suf over gepiekerd.

De zomer brak aan... meteen al zo warm en vochtig dat iedereen kortaangebonden werd. Ik had het gevoel dat als ik ook maar ver-keerd nieste de baas me zou ontslaan. Toen ik op een middag na mijn werk naar huis liep, werd ik zomaar door twee mannen besprongen. Ze grepen mijn armen beet en sleurden me naar een auto. Het waren Jack en Patrick. En het was de glimmende auto van je vader.'

Robert zweeg even en keek met een nietsziende blik uit over de straat, alsof hij terugdacht aan de gezichten van mijn broers – of mis-schien aan de middag dat we flirtend met water hadden gestoeid toen hij de auto van mijn vader waste. Ik dacht aan de timing van de aanval. Toen het zichtbaar begon te worden dat ik zwanger was, had-den Jack en Patrick er nooit blijk van gegeven dat te hebben opge-merkt. Niet op de dag dat ik beviel. Niet erna.

Maar ze hadden het wel degelijk opgemerkt.

'Ze duwden me de achterbank op. Er zat een man achter het stuur die ik niet kende, en terwijl hij reed, hielden zij mijn hoofd neerge-drukt, hoewel ik eerst tegenstribbelde. Toen de auto stopte, had ik geen idee waar we waren. Op een onverharde weg, of eigenlijk ge-woon een pad met voren, midden in een bos. Ze sleurden me de auto uit, maar toen ik probeerde weg te rennen, besprongen ze me met z'n drieën, en sloegen me zowat tot moes. Daarna sleepten ze me aan mijn enkels naar een open plek. Daar stonden er nog drie of vier te wachten.

Ik smeekte je broers me te zeggen waarom ze me daarnaartoe had-den gebracht. Ik zei dat ik alles had gedaan wat ze wilden. Jou met rust gelaten, Isa. Ik was niet langsgekomen om te vragen hoe het met je ging, had niet geprobeerd contact met je op te nemen, al wilde ik het nog zo graag. Al was ik het nog steeds van plan. Mama en Nell waren inmiddels bij jullie weg, Nell natuurlijk al geruime tijd, en mama toen een paar weken.

'Ze zeiden: "Hou je mond, nikker." Ze zeiden dat het tijd werd dat ze me een lesje leerden, omdat ik een blanke vrouw had onteerd.'

Ik leunde tegen de hordeur, omdat ik bang was dat mijn knieën het zouden begeven. Ze waren door Roberts woorden gaan trillen en krachteloos geworden. De flinterdunne hordeur was niet veel ster-ker, maar hij hield wel.

'Ik was de angst toen al voorbij. Ik had het idee dat ik maar het beste mijn mond kon houden, kon meewerken met wat ze van plan waren. Het was zes of zeven tegen één – wat moest ik anders? Ik hoopte vurig dat er geen touw of boom aan te pas zou komen.

Een touw was er wel. Ze bonden mijn handen en enkels bijeen: één grote knoop, terwijl ik op mijn zij lag. Een van hen wilde een prop in mijn mond stoppen, maar Jack zei: "Nee, ik wil die roetmop horen schreeuwen. Ik wil dat hij de longen uit zijn lijf schreeuwt." Toen wist ik dat het geen pretje zou zijn wat me boven het hoofd hing. Ik kon alleen maar bidden dat ik het er levend af zou brengen.'

Naarmate hij sneller ging praten, klonk Robert meer als de jongen die ik lang geleden had gekend.

'Een van de andere mannen was bezig een vuurtje op te stoken, waaraan ik tot dan toe geen aandacht had geschonken. Hij riep naar Jack dat het al lekker heet was. Het zweet brak me uit en ik vroeg me af wat ze van plan waren. Me levend verbranden? Ik had liever dat ze me ophingen dan dat ik een menselijk braadstuk werd. En ik ben niet te trots om te bekennen dat ik toen om genade smeekte. Ik huilde als een klein kind. *Ik dacht dat ik dood zou gaan.*'

De tranen stroomden over mijn wangen, maar ik verroerde geen vin en maakte geen enkel geluid. Hoewel Robert springlevend voor me stond, voelde ik de angst alsof het nu gebeurde, alsof het ook mij overkwam.

Hij blies adem uit door zijn neus. 'Ze hadden iets anders in gedachten. Jack zei: "Ga dat ding uit de auto halen." Patrick kwam terug met een lang, metalen stuk gereedschap, dat deed denken aan een kachelpook. Ik had geen idee wat ze van plan waren. Me ermee verkrachten, of blind maken of zoiets? Als ik eraan denk wat er gebeurd had kunnen zijn, heb ik eigenlijk nog geluk gehad. Jack pakte Patrick de staaf af en liep naar het vuur. Toen drong het tot me door dat het een brandijzer was.'

Ik hapte naar adem.

'Jack verwarmde het brandijzer, met een grote, dikke handschoen aan. Ik kon wel nagaan hoe heet het ding zou worden als hij het niet met zijn blote vuisten kon hanteren. Het gloeide oranje-wit op. Ik rilde. Mijn lichaam was opeens ijskoud, nu het me duidelijk was geworden wat komen ging. "Bang, jongen?" vroeg hij. Toen ik geen antwoord gaf, kwam hij naar me toe en schopte me in mijn nieren.

"Ja," wist ik eindelijk uit te brengen toen ik was uitgehoest.

"Ja, wat?" vroeg hij.

"Ja, m'neer."

"Dat is beter. Zo, jongen, hiermee heb je straks een geheugensteuntje – voor het geval je het ooit nog in je hoofd haalt weer naar een blanke vrouw te kijken, begrepen?"

Ik knikte. "Ja, m'neer."

"En iedere blanke vrouw die het waagt om naar een beest als jij te kijken, wordt ook gestraft." Ik tilde met een ruk mijn hoofd op, maar Jack staarde me net zo lang aan tot ik mijn ogen neersloeg. Ik geloof niet dat de anderen het wisten, behalve Patrick. Ze noemden je niet bij name, maar Jack bedoelde dat hij ook jou zou verwonden. Ik vond het een ondraaglijke gedachte dat ze je op wat voor manier dan ook iets zouden aandoen, jou zouden straffen om mij.

Jack zei: "Dit doet helemaal geen pijn... Je bent tenslotte een beest. Een groot, harig beest dat zijn harige je-weet-wel niet in zijn broek kan houden als er blanke vrouwen in de buurt zijn." Excuses voor mijn taalgebruik, maar dat zei hij, alleen niet zo beleefd.

De anderen lachten met hem mee. Maar ik lachte niet. En al helemaal niet toen hij het brandijzer krachtig op mijn zij drukte, op de dunne huid van mijn ribbenkast. Het laatste wat ik me kan herinneren voordat ik mijn bewustzijn verloor was het gesis en de stank van mijn eigen geroosterde vlees.'

Ik sloeg mijn hand voor mijn mond, bang dat ik zou overgeven. Ik deinsde achteruit en viel neer op een van de metalen stoelen op onze veranda – stoelen met een schelpvormige leuning en zitting, die Max een vrolijk geel verfje had gegeven. Het geel verhevigde mijn misselijkheid, en ik schermde met mijn hand mijn ogen af om de lege stoel niet te hoeven zien. Robert kwam naar me toe, knielde neer en vervolgde met zachte, rustige stem zijn verhaal.

'Het volgende dat ik me herinner, is dat ik wakker werd op de plek waar ze me in dat bos uit de auto hebben gegooid. Ze hadden me losgemaakt, maar ik had zo'n pijn in mijn zij dat ik nauwelijks overeind kon komen. Ik ging kruipend op het geluid van sijpelend water af tot ik een langzaam stromend beekje vond. Ik trok een reep stof van mijn broek, doordrenkte die met water en drukte die voorzichtig tegen mijn huid, hoewel ik dat nauwelijks verdroeg. Ik hoopte dat het koude water de pijn een beetje zou verzachten. Het was toen al bijna donker. Ik bleef de hele nacht bij dat beekje liggen en vroeg me af of ze me niet toch hadden omgebracht – gewoon een langzamere dood.

De volgende ochtend werd ik wakker van een stem die vroeg of alles met me in orde was. Ik was nog nooit zo blij geweest om iemand te zien. Het was een oude zwarte man, die zich turend over me heen boog. Ik liet hem de letter zien die op mijn zij gebrand was. "B" voor "beest". Hij bracht me in zijn kar naar mijn moeder. Ze hadden me ongeveer een kilometer van huis achtergelaten, vlak over de grens van Shalerville. Ik bleef slechts een paar dagen bij mijn moeder, tot ik sterk genoeg was om weer aan het werk te gaan. Nell bracht mijn baas op de hoogte. Ik mocht van geluk spreken dat hij me niet ontsloeg.

Waarom ze dat moment en die plaats kozen, na al die maanden... zal ik waarschijnlijk nooit weten. Maar ik ben erdoor veranderd. Ik verloor de moed. En die kreeg ik pas weer terug nadat ik in dienst was gegaan, nadat ik maandenlang was omgegaan met allerlei mannen die een te hoge dunk van zichzelf hadden. Toen geloofde ik er weer in, durfde ik het weer aan. Wilde ik de mogelijkheden onderzoeken om jou daar weg te krijgen – weg van hen. Om jou in veiligheid te brengen, ongeacht hun dreigementen. Maar toen ontdekte ik dat je al weg was. En dat ook jíj het had opgegeven, Isa.'

Ik hield mijn ogen afgewend en concentreerde me door mijn tranen heen op de putjes in het cement van de veranda. Hij had gelijk. Ik had wel gezegd dat ik had gewacht en naar hem had uitgezien, maar dat was grotendeels gelogen. Ik had het inderdaad opgegeven. Zonder me zelfs maar te verzetten, nadat ik ons kindje verloren had. Ik had niets gedaan, terwijl ik hem had kunnen opzoeken toen ik eenmaal weg was uit mijn ouderlijk huis. Ik had het opgegeven en Nell geloofd toen die had laten doorschemeren dat hij verder was gegaan met zijn leven.

Ik had geloofd wat de wereld tegen me had gezegd. Ik was *gecapituleerd*.

Robert nam mijn kin in het kommetje van zijn hand en dwong

me mijn ogen op te slaan. 'Maar ik ben er nu. Jij bent er nu. En ik heb het nog steeds in mijn bezit: het bewijs dat je met mij getrouwd bent, en niet met hem.' Robert gebaarde naar de deur en haalde toen een velletje papier uit zijn borstzak.

Ik herkende het document. Het blaadje was zo dun dat je de zon erdoorheen kon zien als je het tegen de hemel omhooghield. Ik zei: 'Mijn moeder heeft ons huwelijk ongeldig laten verklaren.'

Hij schudde zijn hoofd. 'Niet wat mij betreft. Ik heb gezworen dat ik je tot de dood zou liefhebben.'

'Het heeft geen zin.' Hoe ontzet ik ook was over het verhaal dat hij me net had verteld, hoe beroerd ik ook werd als ik dacht aan wat mijn broers de man van wie ik hield hadden aangedaan, hoe misselijk ik ook werd van hun bedreigingen, mijn stem klonk nog steeds nors. Zijn verklaringen waren zinloos, al kwamen ze recht uit zijn hart. Al wilde ik ze nog zo graag geloven. Ik was er een onuitstaanbaar hoopje ellende van geworden.

'We zouden dit papiertje kunnen meenemen, Isabelle. Het kunnen meenemen naar een plek waar men het zal respecteren en ons met rust zal laten.'

'Zo'n plek is er niet. En jij gaat weer weg.'

'Ik zal die plek vinden. Maar eerst zal ik je ergens heen brengen waar je op me kunt wachten tot ik je kom halen. Ik beloof dat ik je kom halen.'

Ik stond mezelf toe dat plan in overweging te nemen. Als ik wegging, zou Max me ongetwijfeld haten. En hoewel Robert onze huwelijksakte in zijn hand had, had mijn moeder ervoor gezorgd dat die alleen nog maar goed was voor de vuilnisbelt.

Toch had ook ik diezelfde geloften afgelegd. Bij zijn voorstel om een vluchtplaats voor ons te zoeken barstte mijn hart uit in een lied dat het al heel lang niet meer gezongen had. Robert was het enige wat ik wilde.

'Isa?' Toen hij overeind kwam en me weer bij de naam noemde die alleen hij gebruikte, werd het me te veel.

Ik kwam ook overeind en stortte me op hem. Zonder te kijken of we niet gezien werden door een van de buren of een vreemde die toevallig langsliep, wierp ik mijn hoofd tegen zijn borst en kwamen mijn tranen los – akelige snikken die opborrelden van onder uit mijn longen, waar ik ze te lang begraven had.

Toen mijn woede en frustratie over mijn keuzes tot bedaren waren gekomen, legde ik mijn wang op de zware stof van Roberts legeroverhemd. Mijn tranen hadden vochtige plekken achtergelaten op het gesteven oppervlak.

Robert hield me een tijdje tegen zich aan; daarna liet hij zijn hand omhoogglijden over mijn arm en tilde met zijn vinger mijn kin op tot ik naar hem keek, naar die eikenbruine ogen die ik had gedacht nooit meer te zullen zien. Naar zijn sterke kaak, zo gladgeschoren dat hij even zacht leek als de huid van zijn lippen.

Ik strekte me naar hem uit en onze monden botsten tegen elkaar, alsof we allebei hadden lopen dwalen in een middernachtelijke woestijn, zoekend naar een laatste redmiddel.

Ik trok hem achteruitlopend mee, rukte de hordeur open en stapte ons huis in – het huis van Max en mij.

Die gedachte hield me maar een fractie van een seconde tegen. Lang genoeg om mezelf op de mouw te spelden dat Max een onbelangrijke variabele in deze vreemde vergelijking was.

We zoenden – nee, verzwolgen elkaar, de hele woonkamer door, en via de gang naar de deuropening van de slaapkamer, waar ik aarzelend een blik wierp op het eenvoudige ledikant dat Max had neergezet voordat hij me in onze huwelijksnacht had meegenomen naar deze kamer. Ik zette me af tegen de deurlijst en voerde Robert mee naar de kleinere tweede slaapkamer, waar we een eenpersoonsbed hadden neergezet.

Mijn aarzeling bij de eerste deur was niet onopgemerkt gebleven. Robert ondervroeg me met zijn ogen en met één enkel woord: 'Isabelle?'

Ik bedekte zijn mond met mijn vingers en voerde hem mee naar het smalle bed, waar ik me liet neerzakken, met mijn hoofd op het kussen ging liggen en hem op me trok. Het schoot me te binnen dat de voordeur niet op slot was. Ik wilde dat ik eraan had gedacht de grendel dicht te schuiven. Maar Max zou nog in geen uren thuiskomen en had bovendien een sleutel – om nog maar te zwijgen van het feit dat een grendel hem niet kon weghouden van hoe je dit ook noemen wilde. Max bedriegen? Terwijl ik met hém Robert al had bedrogen?

Het kon me niet langer schelen.

Van een simpele, onschuldige huwelijksnacht was nu geen sprake. Robert was niet bang dat hij me misschien pijn zou doen. Ik verschool me niet huiverend in mijn nachtjapon onder een zware sprei, in gespannen afwachting van het onbekende. We waren geen half kinderlijk, half volwassen stel dat vadertje en moedertje speelde, onwetend van datgene wat ons zo kort daarna kapot zou maken.

Onze ogen waren open.

Mijn vingers haastten zich om het overhemd dat zijn huid van de mijne scheidde los te knopen en van zijn schouders te schuiven, die nu nog breder en sterker waren dan in de tijd dat diezelfde spieren zich hadden gespand om het overwoekerde prieel te snoeien. Ik drukte mijn neus op zijn huid en snoof alles op wat ik zo pijnlijk had gemist. Mijn handen trilden toen ze stuitten op zijn heupbeenderen en de lange, slanke pezen aan de achterkant van zijn dijen. Ik huiverde toen hij mijn blouse van mijn ribben trok en mijn bh losmaakte om mijn borsten vrij te maken voor zijn mond. Daarna trok hij hijsend en sjorrend mijn effen rok uit en liet die naast het bed vallen, als een papiertje dat terzijde werd gegooid om de inhoud van een lang verwacht pakje te onthullen.

Van teder geven en nemen was bij het vrijen geen sprake. Het was een en al gulzigheid en haast en naarstig toewerken naar iets wat we niet snel genoeg konden bereiken. We ademden gelijk op. Klommen. Slaakten een kreet toen we het hoogtepunt bereikten. Kwelling, uitroep, verbroken harmonie.

Na afloop lagen we half ontkleed en verstrengeld te hijgen in het zweet en vocht van onze hereniging, om onze longen weer in evenwicht te brengen en het gebonk in onze borst tot bedaren te laten komen.

Robert wurmde zich in de te kleine ruimte naast de muur en sloeg één arm boven zijn hoofd en de andere over mijn borst, zodat mijn naaktheid bedekt werd door een scherp contrasterende streep huid. Ik streek met mijn vinger langs het venijnige litteken op zijn zij en zijn ribben, paars en gerimpeld, onmiskenbaar in de vorm van de letter 'B', en bedacht wat hij om mij had moeten doormaken. Maar hij tilde zijn hand op en veegde mijn vingers weg, alsof het litteken onbelangrijk was. Hij liet op zijn beurt zijn vingertoppen over mijn buik glijden, en ik verstijfde toen ze bleven dralen in de ondiepe huiddalen die een tikje lichter waren dan de hoogvlakten eromheen: mijn eigen littekens, die mijn geheim zouden kunnen prijsgeven. Maar hij keek afwezig voor zich uit, en ik begreep dat hij niets onder zijn vingertoppen voelde en niets om zich heen zag. Hij lag waarschijnlijk de situatie te overdenken, net als ik, starend naar de stofdeeltjes die ronddwarrelden in de zonnestralen die door het raam priemden.

We hadden opnieuw een beslissing genomen met onze daden.

Hoe kon ik hierna doorgaan met die schijnvertoning die mijn huwelijk was? Alle keren dat Max en ik met ingetogen genot gemeenschap hadden gehad, verbleekten vergeleken met de passie die Robert en ik voor elkaar voelden. Max zou mijn vergissing moeten accepteren, moeten erkennen dat ik had geschipperd door mijn liefde voor Robert te begraven omdat dat zogenaamd het beste was. Ik had hem gewaarschuwd dat ik niet geschikt voor hem was.

Robert en ik streken onze kleren glad, pakten de weggeworpen kledingstukken van de grond, en knoopten en ritsten onszelf zwijgend terug in het alledaagse leven.

Toen hij vroeg of hij mocht terugkomen – als hij eenmaal dat plekje had gevonden waar ik op hem kon wachten – was mijn antwoord duidelijk. Ik bleef hem in de schaduw van de voorveranda nakijken terwijl hij de straat uit liep, net als ik die ochtend bij mijn man had gedaan.

36

Dorrie, heden

Ik had wat meer gemoedsrust gekregen na dat bericht te hebben ingesproken voor Teague, en het beeld van mevrouw Isabelle en haar hereniging met Robert monterde me op, maar maakte me ook gespannen. We gingen op weg, ik in mijn nette broek en blouse en mevrouw Isabelle in een lief jurkje waarin het magnifieke figuur dat ze nog steeds had, al was ze bijna negentig, goed uitkwam. Ik was de vorige dag verliefd geworden op dat woord: negentien horizontaal, negen letters: 'schitterend mooi'. *Magnifiek.*

We waren niet ver van het uitvaartcentrum – dat was in Covington, meteen aan de overkant van de rivier – en we waren vroeg. Mevrouw Isabelle wilde graag een omweg maken. Ze vroeg of ik aan weerszijden van de rivier wilde uitkijken naar een bloemist of een dure supermarkt die weleens een aardige bloemenafdeling zou kunnen hebben.

'Je stuurt toch meestal een bloemstuk naar het uitvaartcentrum?' vroeg ik. 'Je komt toch niet zelf met bloemen aanzetten?' Ik wist niet of het wel gepast was.

'Dorrie, geef me nou maar mijn zin. Ik heb bloemen nodig.'

We hadden mazzel. Voordat je tien keer Cincinnati kon spellen, bespeurde ik vlak nadat we de dubbeldeksbrug naar Covington waren overgestoken een bloemist in een oud gebouw aan Main Street. En weer mazzel: de winkel ging pas over een kwartier dicht.

'Gaat u naar binnen?' vroeg ik.

'Nee. Haal maar een mooie bos voor me. Iets eenvoudigs, chics. Zonder tierelantijnen. Een stuk of twaalf.'

'Rozen?' Dat was een makkie.

'Ja. Rode rozen, als ze die hebben.'

'In een vaas?'

'Nee, gewoon ingepakt.'

Nu maakte ik me echt zorgen. Wat moesten ze in een uitvaartcentrum met een ingepakte bos bloemen? Misschien rekende mevrouw Isabelle erop dat daar vazen waren, of misschien wilde ze dat iemand de bloemen mee naar huis nam en niet daar achterliet. Ze was wel zuinig, maar ook weer niet te gierig om een dure vaas te kopen.

Toch volgde ik haar aanwijzingen op en zodra ik terug was in de auto legde ik de bos bloemen voorzichtig op de achterbank neer om te voorkomen dat hij geplet werd als we gingen rijden. De winkelbediende had me verzekerd dat ze aan het eind van de dag geleverd waren. Ik had ze gekregen terwijl ze op z'n mooist waren, nog niet bepoteld door andere klanten. Ze waren schitterend, en hun heerlijke geur vulde de auto.

We voegden in en reden door het hart van Covington. Aan weerszijden van de straten stonden stokoude gebouwen, sommige keurig opgeknapt, met geopende winkels, andere leeg en vervallen, met dichtgetimmerde ramen. We kwamen gaandeweg in woonwijken terecht: vermoeide, oude huizen die pal aan de straat stonden, afgewisseld met winkels van kleine zelfstandigen – cafeetjes en supermarktjes – en lege terreinen waar alles was platgegooid. Het was oud en deprimerend, en net toen ik me afvroeg wie ervoor koos om hier te wonen, zag ik een groot historisch pand of een school en bedacht ik hoe mooi het hier geweest moest zijn, en nog steeds kon zijn, op elk moment in de geschiedenis. Het deed me denken aan delen van Dallas en Fort Worth. Geleidelijk aan veranderde de huidskleur van de mensen die op straat liepen, hoewel de omgeving hetzelfde bleef. Mevrouw Isabelle vertelde dat we in Eastside waren, de van oudsher zwart-Amerikaanse wijk van Covington. Bij een stoplicht kwamen we op gelijke hoogte te staan met een oud huis waarin nu het uitvaartcentrum was gevestigd.

'Daar is het,' wees mevrouw Isabelle. 'Maar we gaan eerst ergens anders langs. We zijn nog steeds vroeg.'

Ik vroeg niet waarom. Ik reed gewoon door. Algauw reden we op een smeedijzeren hek af dat toegang gaf tot de begraafplaats Linden Grove. Mevrouw Isabelle tuurde naar een velletje papier dat ze uit haar handtas had gehaald en gaf het vervolgens aan mij. Het was een plattegrond van de begraafplaats. 'Kun je dit vinden?' vroeg ze, en ze wees op een met potlood omcirkeld, genummerd graf. Ik bestudeerde de plattegrond en nam vervolgens het hek en andere oriëntatiepunten in me op om nauwkeurig de positie van het graf te bepalen. Mevrouw Isabelle omklemde het hengsel van haar handtas. Haar stemming, die de hele dag op en neer was gegaan, was opnieuw veranderd. De sfeer in haar Buick was nu plechtig, vol ingehouden verdriet.

Met stijgende verwarring reed ik door het smalle laantje naar het deel van het terrein waarin zich het graf bevond dat zij zocht. Ik vroeg me af of ze van tevoren wilde zien waar de begrafenis zou plaatsvinden. Misschien was er door het rouwcentrum al een overkapping boven het pas gegraven graf geplaatst.

Er was geen overkapping. Ik parkeerde zo dichtbij mogelijk, en stond erop dat mevrouw Isabelle me een arm gaf toen we naar een grote grafsteen liepen waarin een achternaam was gebeiteld. De steen werd omringd door kleinere stenen, sommige nieuwer dan andere. Ze hield haar rozen vast in de kromming van haar vrije arm – ik had aangeboden ze te dragen, maar dat had ze niet gewild, alsof ze haar aan haar andere zijde steun gaven.

Ik bleef stokstijf staan en voelde me opeens licht in het hoofd. Mevrouw Isabelle liet me los en ging in haar eentje verder. Ze bleef staan en boog voorzichtig voorover, terwijl ze zich vasthield aan de bovenkant van de granieten gedenksteen, om haar rozen zorgvuldig aan de voet van een van de kleinere grafstenen te leggen. Ze kwam weer overeind en stapte naar achteren om er samen met mij naar te kijken. Ze knikte, boog haar hoofd en bleef een tijdje met haar ogen dicht staan, langzaam in- en uitademend, alsof ze haar best deed om zich goed te houden.

Het in de steen gebeitelde opschrift, mossig en met verweerde randen, luidde: ROBERT J. PREWITT, GELIEFDE ZOON EN BROER.

37

Isabelle, 1943

Ik streek met mijn handen over mijn buik om de lichte zwelling onder mijn navel te peilen. Daarna streek ik over mijn borsten, en ik kromp ineen, want ze waren zo gevoelig dat ze op de lichtste aanraking al reageerden. Zo hadden ze één keer eerder aangevoeld. Ik rekende het opnieuw uit. Een vrouw hoorde van vreugde en verwondering vervuld te zijn wanneer ze besefte dat ze zwanger was.

De vorige keer had ik die gevoelens wel gehad. Ditmaal was ik van ontzetting vervuld.

Die eerste keer was mijn vreugde omgeslagen in verdriet, omdat ik Robert niet deelgenoot kon maken van het nieuws, en ook in woede op mijn familie, omdat ze me bij de vader van mijn ongeboren kind hadden weggerukt en uiteindelijk, in vele opzichten, bij mijn kind zelf.

Ditmaal zou niemand het kind snel uit mijn armen komen grissen – niet meteen, in elk geval. Ik wist niet zeker wie de vader was. Ik wilde graag geloven dat het Robert was, want ik had de liefde met hem bedreven zonder zelfs maar te denken aan bescherming tegen zwangerschap. Ik had Max in de tussenliggende weken op afstand gehouden door telkens een smoes te verzinnen wanneer hij in bed naar me toe schoof en met zijn blote voeten de mijne aanraakte: ons ongepassioneerde, stille teken. Maar vóór Robert was er wel die ene nacht geweest: ik was kwaad geweest, maar Max voorzichtig optimistisch toen zijn condoom was afgegleden, zodat zijn zaad in mij was gestroomd.

Ik was verstandig genoeg om dit dilemma te hebben kunnen voorkomen. Ik vroeg me af of mijn onderbewuste me zover had gebracht. En al wilde ik het liefst niet zwanger zijn, ik wist dat het mijn dood zou worden om nog een baby te verliezen. Ik zou doen wat nodig was om dit kind sterk en gezond ter wereld te brengen.

Maar het was meer dan een dilemma. Het was een keerpunt. Robert had enkele dagen daarvoor bericht gestuurd: een eenvoudige, aan mij geadresseerde envelop met een vals retouradres, alsof ik een brief van een vriendin had ontvangen. Hij kwam me halen. Hij had een plek gevonden waar ik kon wonen zonder lastiggevallen te worden, tot hij terugkwam van het front. Ik werd heen en weer geslingerd tussen opgetogenheid en angst toen ik las wat hij van plan was.

Ik had me het hoofd gebroken over hoe ik het Max zou vertellen. Hoe zou hij reageren als ik zei dat ik wegging? Zou hij kwaad zijn, uitleg eisen en me de huid vol schelden omdat ik hem had misleid, omdat ik me door hem had laten onderhouden terwijl ik plannen smeedde om hem in de steek te laten?

Het aantal uren dat ik in de winkel van meneer Bartel werkte was geslonken tot een minimum, terwijl Max op zijn voor de oorlog onmisbare werk overuren maakte om de hypotheek en nuttige artikelen te kunnen betalen en eten op tafel te kunnen zetten.

Of zou hij stil worden, zodat alleen uit zijn verwarring zou blijken hoe gekwetst hij was, en me sprakeloos opnemen terwijl ik alles achterliet wat hij zo liefdevol had opgebouwd, in de wetenschap dat ik hem nooit mijn hart had gegeven?

Ik hoopte bijna dat het eerste het geval zou zijn, maar Max kennende was het waarschijnlijk het tweede. Ik zou me er alleen maar nog akeliger door voelen. Hij was beslist een lieve man. Ik had nog nooit een onvertogen woord van hem gehoord. Hij had geduld gehad met mijn aarzelende investering in ons leven als echtpaar, maar ik betwijfelde of hij ooit had vermoed dat ik hem zo makkelijk zou verlaten voor een ander.

Maar nu moest ik rekening houden met nóg een tandje in het gammele rad van ons huwelijk: een baby. Een baby die door Max met open armen ontvangen en gekoesterd zou worden, en die hij vol trots op zijn schouders zou dragen om hem over een menigte heen te laten kijken. Hij zou zijn zoon – ik voelde meteen dat dit kind een jongen zou zijn – leren fietsen en een honkbal leren werpen. Hij zou volledig opgaan in zijn vaderschap.

Als het kind van hem was.

Maar stel dat het niet zo was, wat dan? Stel dat ik bleef, en dat het kind bij de geboorte aanvankelijk op alle andere pasgeborenen leek, bleek en bedekt met melkachtig huidsmeer en daarna rood van het krijsen terwijl zijn longen zich met zuurstof vulden, maar uiteindelijk de warmere tint van een ander ras zou aannemen – wat dan?

Max zou geen andere keus hebben dan me op straat te zetten, waar ik zelf in het onderhoud van mij en mijn kind moest voorzien als ik Robert niet zou kunnen vinden, en waar me als alleenstaande moeder met een kind van gemengd ras onnoemelijke verschrikkingen te wachten stonden. Huiverend besefte ik dat ik misschien wel mijn toevlucht zou moeten nemen tot prostitutie en mijn lichaam zou moeten verkopen om mijn kind in leven te houden, want wie zou me in die situatie aannemen?

Anderzijds: stel dat ik wegging met Robert en het kind van Max bleek te zijn, wat dan? Mijn kind zou blootstaan aan de spot en voortdurende fysieke bedreigingen van iedereen die niet verder kon kijken dan de huidskleur van zijn vader. Hij zou opgroeien in de marge van beide gemeenschappen: de blanke, die hem zou straffen voor de zonden van zijn moeder, en de andere, die hem misschien zou wantrouwen, ook al had hij vanaf de dag van zijn geboorte onder hen geleefd.

Ik dacht na over beide mogelijkheden en kwam tot de slotsom dat er maar één oplossing was: die welke het beste was voor mijn kind.

Toen Robert me kwam halen, werden zijn ogen woest van verdriet. Terwijl ik het uitlegde, deed hij een stap naar achteren, alsof hij zijn woede niet in bedwang zou kunnen houden als hij te dichtbij stond. Hij kon niet weten dat ik kapot was van deze beslissing; mijn aan flarden gereten hart was niet zichtbaar.

'Hangt onze toekomst af van de huidskleur van dit kind?' vroeg hij. 'Ik zou van hem houden, Isabelle. Dat weet je. Ook al zou hij niet mijn eigen vlees en bloed zijn, ik zou voor hem zorgen. Alles wat bij jou hoort, hoort bij mij.'

Maar ik kon het Max of het kind niet aandoen. Het was een verkeerde beslissing van me geweest om met Max te trouwen, om niet al het mogelijke te proberen om met Robert herenigd te worden, maar ik kon Max zijn zoon niet afnemen.

'Stel dat hij erachter komt dat ik bevallen ben van zijn kind?' vroeg ik. 'Dacht je dat hij dan niet achter het kind aan zou gaan? Dat hij ons een kind zou laten grootbrengen dat van hem is?'

Ik wist dat Max zou reageren als je hem tot het uiterste dreef. Al was hij nog zo meegaand, als hij erachter kwam dat zijn kind weggenomen was, zou hij zich daar niet bij neerleggen. Hij zou zijn zoon niet afstaan.

Voordat Robert vertrok deed hij een belofte. 'Ik kom terug, Isabelle. Op een dag kijk je op en kom ik weer aanlopen over dat trottoir, om me ervan te vergewissen of je niet in je eentje onze zoon grootbrengt.'

Hij deed weer een stap naar voren. Ik wist dat hij me in zijn armen wilde nemen, maar dat zou ik niet kunnen verdragen. Als hij me zelfs maar aanraakte, zou ik zwak worden. Ik zou instorten en elk beetje gezond verstand dat ik de afgelopen paar weken zo zorgvuldig bijeen had geschraapt laten varen. Ik zou met hem meegaan, zonder ook maar één blik achterom te werpen. Ik stak mijn hand op. Een waarschuwing en een smeekbede. 'Niet doen.'

De blik waarmee hij hierop reageerde, sneed me door de ziel. Ik had nooit gedacht dat het zo moeilijk zou zijn om hem weer weg te sturen. Alle andere keren waren we van elkaar gescheiden door familie of omstandigheden. Ik had me vastgeklampt aan een halfsmeulende sintel van een droom dat we op een dag weer bij elkaar zouden zijn.

Ditmaal wist ik dat die sintel zou uitdoven als hij zich omdraaide om weg te gaan.

Hij draaide zich inderdaad om, maar voordat hij wegliep zei hij opnieuw: 'Ik kom je halen, Isa. Dat beloof ik.'

38

Dorrie, heden

'Maar hij is niet teruggekomen, hè, mevrouw Isabelle? Hij heeft zich niet aan zijn belofte gehouden.'

De tweede regel, onder ROBERT J. PREWITT, GELIEFDE ZOON EN BROER, zei genoeg – de regel waarin stond wanneer hij geboren en gestorven was: 1921-1944.

Mevrouw Isabelle haalde een envelop uit haar handtas. Het papier was zo dun geworden van het vele aanraken dat ik bang was dat het zou scheuren als ik het uit haar uitgestoken hand zou pakken. Maar ze drong aan. 'Toe. Ik wil dat je het leest. Ik wil je laten zien wie hij was, aan de hand van iets wat hij zelf heeft geschreven. Niet door middel van een verhaal dat ik heb verteld.'

Mevrouw Isabelle ging op een stenen bank naast de graven van de familie Prewitt zitten. Ik vouwde de flinterdunne velletjes open die in de envelop zaten, en omdat ik te rusteloos was om te gaan zitten, bestudeerde ik heen en weer lopend de vervaagde inkt, het zorgvuldige handschrift:

Isa, mijn liefste voor altijd,

Dit betekent dat ik mijn belofte verbreek. Dit betekent dat ik jou of ons kindje – als de baby die je verwacht van mij is – niet kom halen. Als je deze brief in handen hebt, hoop ik vurig dat de baby van Max is.

De gedachte dat mijn kind zou opgroeien in een wereld die alleen maar zijn huidskleur ziet naast die van zijn moeder, en hem nog slechter behandelt dan zwarte jongens al behandeld worden zonder dat hij een vader heeft om hem te beschermen, is ondraaglijk.

Ik heb nooit iets anders gewild dan bij jou en ons kind zijn en de rest van ons leven aan jouw zijde doorbrengen. Maar nu weet je dat het niet zo heeft mogen zijn. Je moet maar voldoening putten uit de wetenschap dat ik elke dag op je neerkijk en Onze-Lieve-Heer vraag je te beschermen en ervoor te zorgen dat je gelukkig blijft. Isa... er is niemand zoals jij.

Ik heb Nell, die nog steeds als een zus van je houdt, gevraagd je deze brief te brengen als me in het buitenland iets overkomt. Nell heeft ook beloofd dat zij en mama hun armen en deuren zullen openen en jou en ieder kind met open armen zullen ontvangen, wat er ook gebeurt. Ze houden net zoveel van je als ik – tenminste, als dat kan. Ga naar hen toe als het nodig is.

Nu, Isa van me, moet ik je voor het allerlaatst vaarwel zeggen.

Vergeet nooit, maar dan ook nooit, dat ik je heb liefgehad. Altijd alleen jou.

Robert

Ik dacht dat ik zou stikken. Slikken lukte me bijna niet. Waarom was ik de dwaze hoop blijven koesteren dat het toch goed was afgelopen met mevrouw Isabelle en Robert, zelfs nu nog, met zijn gebeitelde sterfdatum pal voor mijn neus? Het was alsof ik aan de brief begonnen was met de gedachte dat die grafsteen een grap was, dat Robert elk moment uit het niets kon opduiken en hij en mevrouw Isabelle naar elkaar toe zouden strompelen en elkaar zouden omhelzen als een stel uit een film met een gelukkig einde.

Ik plofte sprakeloos naast mevrouw Isabelle neer, en zij nam het woord.

'Robert had het wel beloofd, maar we hadden er stilzwijgend rekening mee gehouden dat hij weleens niet zou kunnen terugkeren. Dat hij zodra hij zijn opleiding had afgerond zou afreizen naar Europa, als de oorlog dan nog niet afgelopen was. Voordat hij wegging gaf hij Nell de brief, die ze moest posten als het nodig was. Het was zelfs voor artsen gevaarlijk in de oorlog. Hoewel het hun taak was anderen te genezen, en niet hen te doden, bleven ze niet gevrijwaard van onverwachte of onbedoelde aanvallen die buiten het slagveld plaatsvonden. De Amerikanen hadden op veroverd terrein een hospitaal opgezet. Toen een van de artsen niet zag dat er een topje van een niet-ontplofte mijn boven de grond uitstak, had Robert zich tussen de mijn en zijn collega in geworpen. Mijn Robert is gestorven terwijl hij een leven redde, maar hij is als een held naar huis teruggekeerd.'

Robert was in de oorlog gesneuveld. Niet als een tweederangsle-gerhulpje dat kookte en keukens schoonmaakte of voorraden het land door reed, maar bezig met wat hij had willen doen sinds de vader van mevrouw Isabelle hem als jongen daarop was gaan voorbereiden. Hij had levens willen redden.

Maar dit was zo definitief. Zo ondraaglijk verdrietig. En dan vond ík dat ik problemen had? Oké, misschien was mijn kind zo dom geweest dat ik niet naar huis durfde te gaan uit angst dat ik hem zou wurgen. Misschien was ik als de dood om van een man te houden omdat ik ervan uitging dat hij een loser zou blijken te zijn, net als alle andere mannen die ik ooit had vertrouwd. Misschien was er op mijn levensweg een aantal flinke hobbels geweest. Misschien stond ik op het punt om oma te worden terwijl ik er nog niet aan moest denken. Of misschien ook niet. Ook dat zou me aan het huilen maken.

Maar alle mensen van wie ik hield waren gewoon thuis, waar ze zaten te wachten tot ik terugkwam en hen hielp de boel op te lappen of verder te gaan met hun leven. Stevie mocht dan beweren dat de vader van Bailey hem iets zou aandoen als hij erachter kwam dat zijn dochter zwanger was, maar wat Stevie onder 'iets aandoen' verstond, was niets vergeleken met wat Robert door de broers van mevrouw Isabelle was aangedaan. Dat akelige, gerimpelde litteken op Roberts zij dat ze had omschreven... Mijn god!

Ik kon me niet voorstellen dat ik bestand zou zijn tegen het verlies dat mevrouw Isabelle keer op keer te boven was gekomen.

Ik vouwde de brief voorzichtig op en ze liet hem weer in het met een rits afsluitbare zijvakje van haar tas glijden, dat me nooit eerder was opgevallen. Geen wonder dat ze bang was dat iemand haar tas zou stelen. En ik had nog wel gedacht dat het misschien met mij te maken had.

'Het kind was dus toch van Max? U en Max... hebben het samen volgehouden, neem ik aan?'

'Dane was onmiskenbaar het kind van Max. Dat wist ik zodra hij geboren was. Je hebt de foto's van mijn zoon gezien.'

Ik knikte.

'Na het vertrek van Robert nam Max aan dat ik depressief was omdat ik niet klaar was voor een kind. Daar had hij gelijk in, maar ik was er vooral van overtuigd dat ik dood zou gaan zonder Robert. We hadden elkaar weer gevonden, alleen maar om te moeten meemaken dat het ongelukkiger eindigde dan ooit. Ik kon niet eten of slapen. Het grootste deel van mijn zwangerschap kwam ik nauwelijks in beweging. Ik bleef binnen, lusteloos in bed of met mijn hoofd boven de wc-pot omdat ik bijna alles wat ik at uitbraakte, negen maanden lang. Het is een wonder dat ik nog voldoende aankwam om Dane in leven te houden. Maar hij kwam er strijdbaar uit, sterk en boos, en eiste dat ik van hem hield. Hij vocht om de aandacht van zijn moeder, en ik moest er wel aan toegeven, en voedde hem en verschoonde zijn luiers om te voorkomen dat mijn trommelvliezen scheurden van zijn gekrijs.

De buren hadden er geen idee van gehad dat ik zwanger was geweest, tot ze me met Dane in de kinderwagen over het trottoir zagen lopen naar de drogist of de bibliotheek of waar ik dan ook heen moest. Toen was ik voortaan de gekke buurvrouw. Ik ben daar nooit met iemand goed bevriend geraakt.'

'Was u blij dat Dane blank was? Dat hij totaal niet op Robert leek?' Ik moest het wel vragen.

'Het was voor iedereen het makkelijkst. Ik heb nooit aan Max hoeven opbiechten dat ik hem bedrogen had. Dane heeft nooit hoeven doormaken wat een kind van Robert in die tijd wel zou hebben doorgemaakt. De mensen zijn wel enigszins veranderd, maar ik vermoed dat het zelfs nu nog af en toe problemen zou opleveren, vooral als beide ouders blank zijn.'

Ik knikte.

'Maar echt, Dorrie, ik was er kapot van. Weer had ik geen stukje van Robert ter herinnering aan hem. De brief kwam een week voor de geboorte van Dane. Nadat ik hem had gelezen, kwam ik tot de conclusie dat ik geen kracht had voor de bevalling. Het liet me eigenlijk onverschillig of we het allebei zouden overleven. Maar Max – wat was hij toch een lieve man – sleepte me erdoorheen, zonder te vragen waarom ik vanbinnen zo gevoelloos en dood was. Hij liep met me de gang van dat huis op en neer, bette mijn voorhoofd met koele lappen, liet de arts komen toen het zover was. Hij nam Dane meteen na de geboorte in zijn armen en hield onmiddellijk van hem, zoals ik van tevoren had geweten, en legde hem aan mijn borst om me te dwingen ook van hem te houden. Ik werd die eerste weken heen en weer geslingerd tussen kwaadheid en angst. Ik was kwaad omdat ik Robert nooit meer zou zien en geen kind had ter herinnering aan hem, en ik was bang dat ik een slechte moeder zou zijn, dat ik niet naar behoren voor Dane zou kunnen of willen zorgen. Toen Max inzag hoe het voor me was, heeft hij me nooit meer gevraagd het nogmaals door te maken. Eén keer was genoeg, voor ons allebei.'

Ze stak haar hand weer in haar handtas en haalde er iets uit wat zo klein was dat ik het pas herkende toen ze het rechtop op mijn handpalm neerzette. 'Ik had natuurlijk wel een aandenken aan Robert. Dat heb ik nog steeds.'

Het was het vingerhoedje dat ik op haar toilettafel had zien liggen toen ik haar haar deed. Het provisorische symbool dat ze op hun trouwdag van de domineesvrouw hadden gekregen.

'De dag nadat Robert was weggegaan, vond Max het in onze brievenbus. Ik weet niet wanneer Robert het erin had gestopt. Misschien wel diezelfde dag. Ik had Robert toen niet nagekeken. Dat kon ik niet, anders was ik hem achternagerend en had ik hem de hele straat door gesmeekt niet weg te gaan en me voorgoed mee te nemen.'

Ik draaide het vingerhoedje rond op mijn duim. Hun hele verhaal lag besloten in die drie woorden.

Geloof. Hoop. Liefde.

Maar wie lag er dan te wachten in het rouwcentrum? Ik was er van Texas tot Cincinnati voortdurend van uitgegaan dat het Robert was, maar die had al die tijd in dit oude graf gelegen. Iemand anders wachtte op de afscheidsgroet van mevrouw Isabelle.

Nell? Terwijl mevrouw Isabelle naar de auto terugschuifelde, stelde ik me voor hoe ze afscheid zou nemen van de vrouw die een zus voor haar was geweest en die bijna alles voor haar had overgehad, zelfs als ze daarvoor haar eigen angst opzij had moeten zetten.

'En hoe zit het dan met die gedenkplaat bij de medische faculteit?' vroeg ik aan mevrouw Isabelle toen we weer in de Buick zaten. 'Ik dacht dat dat betekende dat Robert zijn opleiding had afgemaakt.'

'Robert had vlak voordat hij voor het laatst uitgezonden werd een semester van de basisopleiding tot arts op Murray afgerond. Zijn opleiding en werk in het leger zouden hebben meegeteld voor zijn studie, zodat hij kort na de oorlog zou zijn afgestudeerd. Hij was niet de enige uit zijn studiejaar die in het buitenland sneuvelde.'

Ik had aangenomen dat ze allemaal afgestudeerd waren. Nu begreep ik dat iedereen die in 1946 de studie zou hebben afgerond was opgenomen in de lijst. Ik vroeg me af hoeveel anderen het er niet levend hadden afgebracht in dat laatste jaar van de oorlog, toen zwarte mannen eindelijk werden toegelaten tot het slagveld.

We waren stil tijdens het korte ritje terug naar het rouwcentrum. Toen ik de motor uitzette, slaakte mevrouw Isabelle zo'n beetje de diepste zucht die ik ooit had gehoord. Ik liep om de auto heen naar haar portier en tuurde naar binnen. Ze zag eruit alsof ze de kracht niet had om zichzelf overeind te hijsen en uit te stappen.

'Gaat het nog wel?'

'Het is me toch ook gelukt zo ver te komen?'

'Nou en of, mevrouw Isabelle. Nou en of.'

Verder dan ik toen we van huis gingen ooit had verwacht.

Binnen bestudeerde ze de standaarden die voor elke afzonderlijke rouwkamer stonden, met daarop de naam en geboorte- en sterfdatum van de overledene. Toen ze bleef staan, herkende ik de voornaam niet. Het was een vrouwennaam, maar niet een die was voorgekomen in het verhaal van mevrouw Isabelle. Ze had het nooit over ene Pearl gehad.

De achternaam daarentegen kende ik inmiddels maar al te goed.

Wie was Pearl Prewitt?

Mevrouw Isabelle had me onderweg naar het rouwcentrum één laatste detail verteld. Zij, Max en Dane waren vlak na het einde van de oorlog naar Texas verhuisd. Hoe kon ze dan iemand kennen die nog maar vier of vijf jaar oud was geweest toen zij verhuisden? Waarom zou dat belangrijk zijn?

Ik betwijfelde opeens of het me wel zou lukken om achter haar aan de stille ruimte in te lopen waar een met bloemen overladen doodkist wachtte, halfopen, zodat degene die daar lag de afscheidsgroet in ontvangst kon nemen van iedereen die van haar had gehouden. Maar ik ging toch. Mevrouw Isabelle zou nu meer dan ooit iemand nodig hebben die haar tot steun was.

*

39

Isabelle, heden

Ik dronk haar foto's in. Ze stonden tegen standaarden geleund. Portretten van Pearl als baby, peuter, jonge vrouw, en op middelbare leeftijd. Ten slotte een kiekje waarop ze bij een raam stond. De roerloze gestalte in de kist leek op die foto. Misschien had de begrafenisondernemer die bestudeerd toen hij haar klaarmaakte voor de begrafenis.

Ze was oud. Ik was uiteraard ouder, maar haar tweeënzeventig verjaardagen hadden me stuk voor stuk achtervolgd. Voor een bejaarde vrouw had ik een gladde huid, en die van haar was maar een tikje gladder. Ze was plotseling en onverwacht gestorven, niet getekend door jarenlange ziekte. Op de meest recente foto waren haar ogen helder, alert. Ze stond kaasrecht, zonder de aarzeling die ik maar al te vaak bij vrouwen van een zekere leeftijd zag. Toch bespeurde ik in haar kalme blik ook decennia van verdriet.

Een vleugje kleur liet er geen misverstand over bestaan dat ze Roberts dochter was. Dat zweempje van hem kwam ook naar voren in haar lengte – als ik het op basis van de foto's zo inschatte was ze minstens acht tot tien centimeter langer dan ik – en in haar krachtige uitstraling.

Maar wat me acuut de adem benam, alsof er een scalpel tussen mijn ribben gestoken was dat mijn longen en hart eruit schraapte, was het volgende: Pearl leek op mij.

40

Dorrie, heden

Mevrouw Isabelle staarde naar haar dochter. De dochter die haar lang geleden afgenomen was. De dochter die ze nooit had mogen vasthouden.

Toen ik besefte wie er in de kist lag, was ik bang dat ik van mijn stokje zou gaan. Ik greep me vast aan de rug van een van die royaal gestoffeerde stoelen zoals die in rouwkamers staan opgesteld voor bezoekers. We waren een halfuur voor de officiële aanvangstijd binnengekomen. De kamer was stil en leeg, afgezien van mevrouw Isabelle en mij, maar we kregen opeens gezelschap van een bejaarde vrouw, die een rollator over het tapijt voortduwde. Ik wist dat dit Nell was, levend en wel, niet alleen vanwege haar gelijkenis met Pearl, maar ook vanwege de manier waarop ze toekeek hoe mevrouw Isabelle haar verloren dochter bestudeerde.

Mevrouw Isabelle had me meegenomen omdat ze wist dat ik van haar hield zoals ik van een moeder zou houden, en omdat ze wist dat ik sterk zou zijn wanneer zij daar niet toe in staat was.

En dat was nu.

Ik was na haar de kamer binnengegaan, maar ik haalde diep adem en liep naar haar toe. Toen ze haar hand uitstak, gaf ik haar een arm en legde mijn hand op de hare.

Ik probeerde te bedenken wat ze dacht en voelde. Het ging mijn voorstellingsvermogen te boven. Hoe had haar dochter, deze Pearl Prewitt, in leven kunnen blijven terwijl ze te vroeg uit het lichaam van mevrouw Isabelle was gekomen, te klein en te blauw om het te kunnen redden – althans, volgens de moeder van mevrouw Isabelle? Waar was Pearl geweest, al die jaren dat mevrouw Isabelle haar verdriet verborgen had gehouden? Of toen mevrouw Isabelle trouwde, uit praktische overwegingen in plaats van uit hartstocht? En al die tijd dat ze had gezorgd voor een zoon van wie ze hield terwijl ze treurde om een dochter die ze niet eens had gezien?

Wie had dit op zijn geweten?

Ik draaide me om en keek naar Nell. Ik had zin om op haar af te stiefelen en een verklaring te eisen voor het egoïsme van wie het ook was die Pearl verborgen had gehouden – pal voor ieders ogen, als het klopte wat mijn intuïtie me ingaf. Een verklaring voor het feit dat mevrouw Isabelle al die decennia van moederschap waren ontzegd en ze haar kindje niet had mogen zien opgroeien tot een mooie vrouw. Voor hetzelfde geld waren er nog kleinkinderen, achterkleinkinderen ook.

Dit was tot nu toe nog wel het wreedste van het hele verhaal.

Maar toen mevrouw Isabelle Nell zag, liep ze zo snel haar vermoeide, tengere beentjes haar maar dragen konden naar haar toe. Ze omhelsden elkaar. Ze kwamen over als zussen, die, hoe verschillend ze ook waren, eensgezind opgingen in iets wat zo groot en veelomvattend was dat ik het niet kon bevatten.

Beiden kregen tranen in de ogen en lieten die de vrije loop. De woorden die mevrouw Isabelle fluisterde sneden me door de ziel. 'O, Nell. Wat is ze mooi. Ik heb haar mijn hele leven gemist.'

Nell gaf mevrouw Isabelle een fotoalbum dat bij de kist had gelegen. Mevrouw Isabelle sloeg langzaam de bladzijden om en bekeek aandachtig elk portret of spontaan kiekje van Pearl. Bij een ervan greep ze naar haar borst en gebaarde dat ik moest komen kijken. Het was een familieportret, net als op de dia die ze gestolen en verborgen had. Ze liep met haar vinger de gezichten af en noemde de namen op: Nell en Cora, broeder James en Alfred, en natuurlijk de kleine Pearl, op schoot bij de vrouwen die als een moeder voor haar hadden gezorgd, en die zo dicht bij elkaar stonden dat je niet goed kon zien wie haar nu eigenlijk vasthield. Alleen Robert ontbrak. Had hij geweten hoe het zat met Pearl? Wist hij dat ze zijn kind was?

Ik moest mijn blik afwenden.

Mevrouw Isabelle hield zich de rest van de avond afzijdig en zat in een stoel die haar nog kleiner deed lijken stil te luisteren en te kijken naar degenen die haar dochter en de familie kwamen condoleren. Ik had een bank naast haar stoel uitgekozen. Sommige mensen vroegen of de plaats naast mij vrij was en staken hun hand uit om zich voor te stellen als vrienden of familieleden van de overledene. Ik noemde alleen mijn voornaam en zei niets over mijn relatie tot de overledene, zodat ze na verloop van tijd vanzelf wegliepen of zich omdraaiden om met iemand anders te praten.

Mevrouw Isabelle zat vooral naar het gezicht van haar dochter te staren, dat ze vanaf haar stoel goed kon zien. Ze kende van de bezoekers alleen Nell maar – Cora was uiteraard allang overleden. Het groepje aanwezigen wierp nieuwsgierige blikken op de bejaarde blanke vrouw in de hoek, die zo verbluffend op Pearl leek. Maar Nell stelde haar niet voor; ze liet mevrouw Isabelle in alle rust rouwen en voorkwam pijnlijke uitleg.

Alleen tegen het einde bracht Nell iemand naar haar toe. Ze stelde hem voor als Pearls zoon. Pearl was laat getrouwd, maar na verloop van tijd gescheiden, en had toen haar meisjesnaam weer aangenomen. Haar zoon was achter in de dertig, vader, getrouwd. Hij had een meisje van hooguit vier of vijf aan zijn jas hangen, dat af en toe vanachter zijn rug tevoorschijn kwam om mevrouw Isabelle te bestuderen met ogen als een regendag – sprekend die van haar en Pearl – totdat mevrouw Isabelle naar haar lachte. Het kind huppelde tevoorschijn en wurmde zich naast haar in de stoel. Ze pakte de hand van mevrouw Isabelle en streelde de rug ervan, en haar onderarm. 'Wat is uw huid zacht,' zei ze, en ik zag mevrouw Isabelle huiveren. 'Bent u mijn overgrootmoeder? Dat zegt mama. U bent mooi. Mijn oma is ook mooi. Ze is dood.'

Haar vader schuifelde ongemakkelijk heen en weer en liet zijn dochter voor hem communiceren, terwijl de schoondochter van Pearl met glanzende, blij-droevige ogen toekeek. Het kleine meisje fluisterde iets tegen mevrouw Isabelle nadat haar vader naar een ander gedeelte van de kamer was gelopen om een praatje te maken met familie en vrienden. Uiteindelijk viel ze in de stoel in slaap, terwijl ze nog steeds de huid en af en toe de wang van mevrouw Isabelle streelde. Toen haar ouders wilden vertrekken, maakte haar vader haar voorzichtig los uit de kromming van mevrouw Isabelles armen. Mevrouw Isabelle drukte haar onderarm tegen haar heup, tegen de verdwijnende warmte die het sluimerende meisje had achtergelaten.

We vertrokken zodra de bezoektijd afgelopen was en kwamen vroeg terug in het pension. Mevrouw Isabelle was te moe om zelfs maar te overwegen iets te eten van het blad met hapjes dat de pensioneigenaar had achtergelaten. Ze nam wat slokjes warm water en vroeg of ik haar wilde helpen haar nachtjapon aan te trekken. Ze kon nauwelijks haar armen optillen toen ik haar mooie gebloemde jurk losknoopte en openritste. Het was de eerste keer dat ik haar grotendeels ontkleed zag. Ze was zo klein en zag er zo broos uit dat ik bang was dat haar botten zouden breken als ik niet rustig en voorzichtig te werk ging terwijl ik haar hielp haar armen in haar nachtjapon te steken en die naar beneden trok om haar weer te bedekken.

'Dank je, Dorrie,' zei ze. 'Je zult nooit weten... Alleen was dit me niet gelukt.'

Ik reageerde met een zacht kneepje in haar schouders. 'Dat weet ik, mevrouw Isabelle. Dat weet ik.'

Ze scheen onmiddellijk in slaap te vallen, maar ik vermoed dat ze alleen haar ogen rust gaf in dat grote, donzige bed, en zich ondertussen een voorstelling maakte van het leven dat ze was misgelopen, of hooguit wat sluimerde tot het tijd was om uit bed te komen en naar de kerk te gaan voor de begrafenis van Pearl.

De kerkdienst was plechtig, stil, hoewel er enige beroering ontstond onder de aanwezigen toen de dominee bij het voorlezen van Pearls necrologie Cora Prewitt noemde als pleegmoeder en Isabelle McAllister Thomas als moeder. We verplaatsten ons van de kerk naar het kerkhof, waar Pearls kist naast het graf van Robert in de grond zou worden neergelaten. Mevrouw Isabelle had de hele ochtend een elegante kalmte uitgestraald, tot aan het moment dat de predikant zijn laatste woorden uitsprak boven het graf van Pearl. Toen trilde haar arm tegen de mijne, en toen ik me naar haar toe draaide, zag ik haar gezicht verschrompelen.

Ik had bij het bezoek aan de rouwkamer en tijdens alle dagen die we samen hadden doorgebracht hooguit tranen in haar ogen zien glanzen, maar nu stond ze stil te snikken. Het deed pijn om haar hevig te zien schokken van verdriet. Ik nam haar in mijn armen, alsof ik de moeder was en zij mijn kind.

Na afloop reden we naar het huis van Nell. Ze was weduwe; broeder James was jaren geleden overleden. Ze woonde nog steeds in dezelfde kleine gemeenschap in South Newport waar ze samen met Robert was opgegroeid, in een zeer diep, smal huis, dat broeder James en zij nadat ze getrouwd waren hadden gekocht. Volgens mevrouw Isabelle was de wijk nauwelijks veranderd, maar het kerkje met het prieel, waar Robert en zij elkaar hadden getroffen, was er allang niet meer. Het was gesloopt om plaats te maken voor een bedrijfsgebouw.

Er kwamen allerlei mensen langs die afgedekte warme gerechten, koude vleesschotels, koekjes en taarten meebrachten. Nu kwamen sommigen wél op mevrouw Isabelle af, daartoe aangemoedigd door Nell, aanvankelijk voorzichtig, maar later zelfverzekerder, toen ze lachend over het leven van Pearl en haar enorme ruimhartigheid sprak. Ondanks haar onduidelijke afkomst, ondanks een moeilijk huwelijk, had ze niet alleen een zoon vrijwel in haar eentje opgevoed, maar zich ook over vele anderen ontfermd. Ze was onderwijzeres geweest, eerst op een lagere school in Covington waar rassenscheiding werd toegepast, later op een geïntegreerde school, in de turbulente tijd van de burgerrechtenbeweging. Afgezien van de mooie kleindochter van Pearl waren de paar aanwezige jonge mensen voornamelijk kinderen of kleinkinderen van studenten, die ze had begeleid in een wereld die hun in vele opzichten een volwaardige status zou blijven ontzeggen, ook al was de burgerrechtenbeweging voor de meesten niet meer dan een herinnering.

Ik stond er versteld van dat mevrouw Isabelle zo welwillend reageerde op de woorden van die vreemden. Als het mij was overkomen, had ik waarschijnlijk allang trappelend op de vloer liggen krijsen om mijn verloren dochter en elke minuut die ik had gemist.

Eindelijk liep het huis leeg. Nell deed de deur dicht achter de laatste bezoekers, die haar vlak voor hun vertrek hadden omhelsd en in hun armen hadden gewiegd, overmand door hun eigen verdriet. Ook zij was een surrogaatmoeder voor Pearl geweest, hoewel Pearl haar haar hele leven 'zus' had genoemd.

Nell kwam naar de keukentafel, waar ik mevrouw Isabelle met een bord eten had neergezet. Mevrouw Isabelle knabbelde alleen maar wat. Ze had geen honger, en hoewel ze nooit meer dan muizenhapjes at, was ik bang dat ze te zwak zou worden. Ze leek pal voor mijn ogen weg te kwijnen. Ik moedigde haar aan cafeïnevrije koffie te drinken, in de hoop dat ze door de melk wat zou aansterken.

Nell schonk zichzelf koffie in en schoof haar stoel naar ons toe. We zaten met z'n drietjes even zwijgend bij elkaar. De geur van sterke koffie en de opluchting dat de begrafenis voorbij was hing om ons heen, vermengd met het verdriet waaronder we gebukt waren gegaan sinds we de vorige dag het rouwcentrum in waren gelopen.

Algauw kwam Pearls schoondochter Felicia terug, nadat ze haar man en dochtertje thuis had afgezet. Ze bleef zwijgend op een afstandje zitten, terwijl Nell uitlegde wat er allemaal was gebeurd. Tijdens het opstellen van een lijst met mensen die gebeld moesten worden, was Felicia in Pearls adresboek gestuit op een naam en telefoonnummer waar Pearl cryptische aantekeningen bij had neergekrabbeld. Felicia had Nell gevraagd of Isabelle Thomas iemand was die in kennis moest worden gesteld van de dood van haar schoonmoeder.

Nell had Felicia met tegenzin het verhaal van Isabelle en Robert verteld, en uiteindelijk dat van de geboorte van Pearl. Zoals veel van haar generatiegenoten had Nell het beter gevonden er het zwijgen toe te doen en het verleden het verleden te laten, waar het geen kwaad meer kon. Maar Felicia drong aan en Nell stemde ermee in dat Felicia het telefoontje pleegde. Ze had mevrouw Isabelle door de telefoon heel weinig verteld. Ik hoorde nu dat dit bijna twee weken geleden was gebeurd. De begrafenis van Pearl was uitgesteld tot mevrouw Isabelle erbij kon zijn, om haar de kans te geven bij te komen van de schok en daarna de reis te maken. Ik vond het nog steeds een ondraaglijke gedachte dat die lieve mevrouw Isabelle toen ze dat telefoontje had gekregen en mij nog niet had gevraagd haar naar Cincinnati te brengen helemaal alleen haar verdriet had moeten verwerken. Hoe had ze dat voor elkaar gekregen? En hoe had ze onderweg zo beheerst kunnen blijven, zich zo flink weten te houden dat ze zelfs af en toe had kunnen lachen?

Goeie genade. Ze was sterker dan ik had gedacht, ook al had ze mij nodig.

'Toen Sallie Ames, de vroedvrouw, je van Pearl had helpen bevallen,' zei Nell, 'wist ze dat de baby waarschijnlijk te klein was om te kunnen overleven. Je moeder liet haar beloven dat ze de baby mee zou nemen en naar het weeshuis voor zwarte kinderen in Cincinnati zou brengen. Shalerville was natuurlijk geen geschikte plek voor een piepklein zwart baby'tje, ook al zou ze het overleven. Sallie had zo met je te doen, Isabelle. Ze vond het vreselijk om je het kindje af te nemen, je niet de kans te geven het te zien of vast te houden, al was het maar heel even.

Maar ze kwam erachter waar het kindje thuishoorde. Niet in een weeshuis, waar ze, na zo vroeg geboren te zijn, ongetwijfeld zou overlijden. Sallie klopte laat op die avond bij ons aan. Het was smoorheet, hartje zomer, en dat heeft Pearl die eerste uren waarschijnlijk in leven gehouden, dat én haar eigen koppige willetje. Sallie kwam toen niet alleen.' Nell zweeg, en mevrouw Isabelle boog zich naar voren, erop gebrand te weten te komen door wie Sallie werd vergezeld. Nell maakte de indruk niet verder te durven vertellen. Ook ik wachtte met ingehouden adem af.

'Het was je vader, liefje. Je vader... was Sallie gevolgd en hield in de gaten of ze in het donker wel veilig Shalerville uit kwam. Daarna riep hij haar, en samen haastten ze zich met de baby naar ons huis. Sallie had natuurlijk wel vaker bij vroeggeborenen geholpen, maar dokter McAllister wist uit zijn vaktijdschriften dat het de gewoonte was geworden om vroeg geboren baby's in een couveuse te leggen. Je kon zelfs naar een jaarmarkt gaan om de baby's achter glas in de couveuse te zien liggen. Van het entreegeld werd hun medische zorg betaald. Hij gaf mama de opdracht het kindje voortdurend warm te houden, dicht tegen een mensenlichaam aan, en haar druppel voor druppel een speciale, eigenhandig door hem bereide flesvoeding te geven. We verzorgden haar om de beurt: mama, papa en ik. Je vader kwam regelmatig langs om te zien hoe Pearl het maakte, om extra flesvoeding voor haar te brengen, haar te wegen en te controleren of er geen tekenen waren dat het misging. Het was die eerste weken een dubbeltje op zijn kant, maar dat meisje hield vol, vocht met heel haar petieterige lijfje om in leven te blijven. En dat gebeurde dan ook.'

Terwijl Nell dit vertelde, had mevrouw Isabelle een krijtwit gezicht gekregen. Ik pakte haar arm vast, omdat ik bang was dat ze zou flauwvallen en van haar stoel zou kukelen. Ze sprak traag, met slepende woorden en gapende, vragende leemtes ertussen. 'Mijn vader? Ik kan het nauwelijks bevatten, Nell. Ik ben helemaal in de war.'

Nell knikte. 'Ja, dat heeft hij gedaan. Hij hield van je, Isabelle, en hij bekommerde zich om het lot van die baby – zijn eigen kleinkind – ook al kon hij er niet op de een of andere manier voor zorgen dat jij haar kreeg. Hij was een goed mens, dokter McAllister. Maar hij had één grote tekortkoming: hij durfde zich niet tegen je moeder te verzetten.'

Ik vroeg me af wie er eigenlijk níét bang was geweest voor de moeder van mevrouw Isabelle. Ik kon totaal geen sympathie opbrengen voor die vrouw. Maar ik had nu wel een tikje meer respect gekregen voor haar vader, ook al had hij zijn goede daden niet in de openbaarheid willen verrichten. Waar zijn eigen dochter ze had kunnen zien.

'Waarom heeft hij het me niet verteld?' vroeg mevrouw Isabelle. 'Waarom heeft hij voor me verzwegen dat ze in leven was gebleven? Al vond hij het nog zo lastig om zich tegen mijn moeder te verzetten, hij had het me moeten vertellen.'

Nell was heel stil geworden. 'Dat ze in leven was gebleven?' vroeg ze. 'Wie heeft je verteld dat ze gestorven was?'

Mevrouw Isabelle nam een ogenblik de tijd om haar herinneringen op een rijtje te zetten. 'Het staat me nog helder voor de geest. Moeder zei: "Het was te vroeg... Het is maar beter zo."'

'O, liefje,' zei Nell. Ze stond op, met trage bewegingen, en liep om de tafel heen tot ze de arm van mevrouw Isabelle kon strelen. 'Wij dachten dat je haar niet wilde.' Haar bijna radeloze ogen zochten die van mevrouw Isabelle.

Ik had net mijn kopje naar mijn lippen gebracht en zette het nu met zo'n klap neer dat er koffie over de rand klotste. Ik dwong mezelf een servet te pakken om te voorkomen dat het zich uitspreidende plasje over de rand van de tafel liep, hoewel ik mijn arm nauwelijks kon bewegen. Mevrouw Isabelle wiegde heen en weer op haar stoel en haar ogen brandden gaten in haar schoot. Het was duidelijk dat het haar moeite kostte om haar zelfbeheersing te bewaren. Nell bleef dicht bij haar en ik zag nu dat ze daarvóór iets had achtergehouden. Al haar gereserveerdheid was meteen weg, en in plaats daarvan was er alleen nog verdriet.

Felicia trok de stoel van Nell naast die van mevrouw Isabelle en duwde Nell bij haar schouders neer tot ze zat. Met onvaste stem ging Nell verder.

'Voordat Sallie jullie huis uit ging, gaf je moeder haar een verzegeld briefje, met de woorden dat ze dat samen met de baby moest afgeven. Sallie had het briefje in de deken gestopt die ze om Pearl heen had gewikkeld, en we vonden het later pas. Er stond in: "Ik wil dit kind niet. Probeer alstublieft geen contact met me op te nemen."'

Ze hadden allemaal geloofd dat ze Pearl niet wilde. Ik dacht aan die keer dat Nell zo koel en onverschillig had gedaan toen mevrouw Isabelle haar was tegengekomen op de markt. Mevrouw Isabelle had dat alleen toegeschreven aan het feit dat ze moeilijkheden had veroorzaakt. Maar er was zoveel meer aan de hand geweest.

'Ik wilde haar wél. Ik wilde haar dolgraag.' De stem van mevrouw Isabelle trilde. 'En mijn vader wist wel beter. Waarom heeft hij het me niet verteld?'

'Hij heeft dat briefje nooit gezien, maar ook al was dat wel zo geweest, dan zou hij waarschijnlijk bang zijn geweest dat je zou proberen achter haar aan te gaan, en onder ons gezegd, Isabelle, als je dat zou hebben gedaan, zou je moeder het ons allemaal waarschijnlijk nog moeilijker hebben gemaakt. We waren onze baan al kwijt, hoewel we inmiddels wel konden rondkomen: papa had opslag gekregen, en ik was pasgetrouwd en zelf een gezin aan het stichten. Maar volgens mij was je vader niet alleen bang voor je moeder. Hij zat vooral in angst om Robert. Dat je broers hem ongestraft zo hadden toegetakeld was al erg genoeg, maar hij vermoedde waarschijnlijk dat ze Robert zouden hebben gedood als ze op de een of andere manier de wet hadden kunnen omzeilen. Het was in die tijd niet zo moeilijk. Zwarte jongens en mannen werden wel voor minder omgebracht. Als je ook maar op de verkeerde manier naar een blank meisje of een blanke vrouw kéék werd dat al als een vergrijp beschouwd. Een kind verwekken bij een blanke vrouw zou al helemaal niet worden getolereerd. De mensen zouden in de rij staan om hem te lynchen. We konden nauwelijks geloven dat je haar niet wilde. Mama en ik waren er kapot van. Maar, liefje, we zagen uiteindelijk wel in dat het op den duur voor iedereen het beste was.'

'Heeft ze van mij geweten toen ze opgroeide? Mijn naam stond in haar adresboek...'

Pearl. Mevrouw Isabelle wilde weten wat haar dochtertje van haar moeder wist.

'Zolang mama nog leefde hebben we er nooit openlijk over gesproken. We hadden het idee dat het zinloos was. Bovendien deden we dat gewoon niet in die tijd; een dergelijke situatie kwam vaker voor dan je zou denken. Het verhaal deed de ronde dat Sallie James in een andere gemeenschap had geholpen bij een vroegtijdige bevalling, en dat ze toen de moeder in het kraambed stierf het kindje naar ons had gebracht omdat mama werkloos was en beter voor haar kon zorgen dan wie ook uit de omgeving. Je vader heeft ons lange tijd geld gestuurd, om ervoor te zorgen dat mama Pearl alles kon geven wat ze nodig had – voldoende eten op tafel, kleding enzovoort – zelfs toen mama weer aan het werk was gegaan en ik Pearl overdag onder mijn hoede nam. Tot aan zijn dood bleven er envelopjes onder de deur door komen, gevuld met contant geld, zonder afzender of wat, maar we wisten wie ze had achtergelaten en we wisten ook voor wie ze bedoeld waren. Vlak voor hij stierf kregen we een enorme smak geld, genoeg om Pearl te laten studeren. Vandaar dat mama in staat was om dat meisje op te voeden alsof ons huis Pearls eigen huis was, en mama haar moeder.'

'Ik weet hoe goed ze dat kon,' zei mevrouw Isabelle. 'Cora was een betere moeder voor me dan mijn eigen moeder. Ik ben haar dankbaar. Maar ik wou dat ik had geweten wat er met mijn baby was gebeurd. Ik heb al die jaren gedacht dat ze dood was. En Robert? Wist hij ervan?'

'Dat is moeilijk te zeggen, maar ik vermoed van wel. Robert is niet meer thuis komen wonen nadat jullie samen waren weggelopen, en heeft alleen die keer dat hij... gewond was een paar dagen bij ons doorgebracht. Hij werkte in Cincy tot hij die herfst weer ging studeren. Toen hij in dienst was gegaan en tijdens zijn verlof een keer op bezoek kwam, vertelde hij mama dat hij je gevonden had en dat hij van plan was je mee te nemen en bij haar te laten wachten tot de oorlog voorbij was. Ik denk dat ze toen zou hebben onthuld hoe het werkelijk zat met Pearl – die was een jaar of twee, drie en leek sprekend op jullie beiden – ware het niet dat mama wist dat hij weg moest om zijn land te dienen. Ze zal wel hebben gedacht dat ze hem niet de halve waarheid kon vertellen – dat Pearl zijn kind was – zonder over de brug te moeten komen met de rest: dat jij afstand van haar had gedaan – tenminste, dat dachten we. Hij zou er kapot van zijn geweest. Maar je kwam natuurlijk niet. We hadden niet anders verwacht, wát hij ook had gezegd.'

Als mevrouw Isabelle wel met Robert was meegegaan, zou ze in het huis terecht zijn gekomen waar haar dochtertje woonde bij iedereen die van haar hield – behalve haar bloedeigen moeder. Nells argument dat het aanvankelijk heel gevaarlijk zou zijn geweest begreep ik wel, maar zou dat toen nog iets hebben uitgemaakt?

Wie had dat ooit gedacht? Het was zo'n puinhoop en zo ver in het verleden dat het nu niet meer te herstellen viel. Maar in het binnenste van mevrouw Isabelle hadden de emoties waarschijnlijk het kookpunt bereikt. Ik maakte me zorgen om haar hart, zowel letterlijk als figuurlijk. Ze had haar handen op haar sleutelbeenderen gelegd en ademde voorzichtig in en uit. Hoewel haar ogen dof waren van verdriet, stond haar pijn er duidelijk in te lezen.

'Maar na de dood van mama,' vervolgde Nell, 'heb ik Pearl toen ze eenmaal volwassen was wel over jou en Robert verteld. Ze zei dat ze altijd al had vermoed dat mama haar niet het hele verhaal had verteld, maar dat ze het niet had durven uitzoeken. Omdat haar ogen en huid zo licht waren, vermoedde ze dat een van haar ouders blank was, en ze leek zo op ons dat ze zich lang had afgevraagd of Robert haar vader was geweest. Ze bestudeerde vaak zijn foto's en vergeleek dan zijn gelaatstrekken met de hare.

Ik heb haar nooit verteld dat je haar niet wilde. Dat vond ik te wreed, hoewel ik er altijd over heb ingezeten of ik daar wel goed aan had gedaan. Maar nu ben ik er blij om. Ik heb het toen aan haar overgelaten hoe ze ermee om wilde gaan, Isabelle. Het was haar keus. Pearl zei dat ze had uitgevist dat je in Texas woonde. Ze vertelde me dat ze je een paar keer had gebeld – zover was gegaan om je nummer te draaien en te wachten tot er werd opgenomen. Maar toen jij opnam, had ze niet de moed gehad om iets te zeggen. Ik denk dat ze bang was dat je haar zou afwijzen, want wat kon je verwachten van een blanke vrouw die er opeens achter kwam dat haar zwarte dochter nog leefde? Ze zat ook in over de gevolgen voor je gezin. Je man. Eventuele andere kinderen die je met hem had gekregen. Ze was heel tevreden met haar leven, met haar zoon, met de dingen die ze deed en de manier waarop ze haar leerlingen kon begeleiden. Ik denk dat ze voornamelijk benieuwd naar je was, en uiteindelijk besloot geen onrust te veroorzaken.'

'Dat weet ik nog,' zei mevrouw Isabelle, haar ogen gericht op iets wat Nell, Felicia en ik niet konden zien. 'Ongeveer een jaar lang overkwam het me regelmatig dat als de telefoon ging en ik opnam het stil was aan de andere kant van de lijn, hoewel ik wist dat er iemand was. Maar ik had nooit gedacht dat zij het was. Ik haalde me van alles in mijn hoofd. Dat Robert toch niet dood was. Dat hij het was die me belde, om te zeggen dat hij me kwam halen.'

'In zekere zin wás hij het ook,' zei Nell, en de uitdrukking op het gezicht van mevrouw Isabelle benam me de adem.

'Ik wou dat ze iets had gezegd. O, had ze maar iets gezegd. Ik zou er alles voor over hebben gehad om mijn dochter te leren kennen.' Nell trok de handen van mevrouw Isabelle naar zich toe en ze huilden samen, woordeloos.

We bleven nog een poosje bij elkaar zitten. Mevrouw Isabelle en Nell mijmerden over het verleden en hoe ze dat hadden kunnen veranderen. Ik wachtte, en hoopte dat mevrouw Isabelle in staat zou zijn om die laatste, zoveelste klap te boven te komen. Felicia kwam overeind en begon de keuken op te ruimen. Ze veegde het aanrecht schoon en toen we geen van allen nog koffie wilden, waste ze de kopjes af en stapelde ze op.

Toen we aanstalten maakten om te vertrekken, omhelsden mevrouw Isabelle en Nell elkaar langdurig. Ik denk dat ze wel wist dat Nell altijd het beste met haar had voorgehad en haar, Robert en Pearl altijd had willen beschermen tegen het gevaar van de waarheid. Het was toen een andere tijd. Wat zal Nell het er al die jaren moeilijk mee hebben gehad.

Bij de deur nam mevrouw Isabelle de hand van Felicia tussen de hare, keek haar doordringend aan en bedankte haar voor het feit dat ze alles aan het licht had gebracht. Ze liet haar beloven foto's te sturen van het lieve meisje dat haar hart al gestolen had, en misschien zelfs bij haar in Texas op bezoek te komen, al vroeg ik me af of dat ooit zou gebeuren. Zou het niet erg moeilijk zijn om zo'n relatie ineens op te starten, op dit late tijdstip, zonder verleden waarop je kon voortbouwen? De zoon van Pearl was weliswaar vriendelijk en beleefd tegen mevrouw Isabelle geweest, maar had de indruk gewekt niet goed te weten hoe hij zich moest gedragen of wat hij ervan moest denken. Hun korte gesprekjes waren vormelijk geweest, en er waren talloze onuitgesproken en onbeantwoorde vragen in de lucht blijven hangen. Toch denk ik dat mevrouw Isabelle blij was te weten dat in die man, dat mooie meisje en eventuele andere nakomelingen de liefde tussen haar en Robert eindelijk voortleefde. Ondanks alles was dit echt voorbestemd.

Toen ik de auto startte, stelde ik mevrouw Isabelle de vraag die me vanaf het moment dat we bij de rouwkamer waren aangekomen al had dwarsgezeten. 'Waarom hebt u me niet verteld dat het om uw dochter ging, mevrouw Isabelle? Waarom hebt u me dat niet verteld voordat we vertrokken?'

'Ik kon er aanvankelijk gewoon niet over praten, Dorrie. Ik kon alleen maar mijn verhaal vertellen, of alles wat ik tot dan toe wist. Maar opeens gebeurde er thuis van alles – jouw problemen met Stevie, je zorgen over Teague – en ik was bang dat als ik je over Pearl zou vertellen, je niet terug naar huis zou willen gaan, zelfs niet als dat echt noodzakelijk was. Je zou je verplicht hebben gevoeld bij mij te blijven en de reis af te maken.'

'O, mevrouw Isabelle,' zei ik hoofdschuddend. 'Soms moet u het gewoon vragen als u iets wilt. Maar dank u wel.'

We reden bij het huis van Nell weg. Mevrouw Isabelle staarde de duisternis in, terwijl de avond viel.

41

Dorrie, heden

We reden de volgende dag via een andere route Cincinnati uit dan we erin waren gekomen. In plaats van dat we de hoofdbrug overstaken terug naar Kentucky, reed ik op aanwijzing van mevrouw Isabelle terug naar Newport, naar de wijk waar Nell woonde, alleen gingen we nu op de hoofdweg de andere richting uit, tot we bij een bord kwamen.

WELKOM IN SHALERVILLE.

'Daar stond het.' Ze wees met trillende vinger naar de kant van de weg. Tegenwoordig hield alleen een reusachtige eik het welkomstbord gezelschap. Ik stelde het me voor: het bord dat ooit – eigenlijk niet eens zo heel lang geleden – mij zou hebben verboden na zonsondergang de dorpsgrens over te steken. Volgens mevrouw Isabelle waren de borden waarschijnlijk eind jaren zestig weggehaald. Toch had Nell ons verteld dat er zelfs tot op de dag van vandaag vrijwel geen zwarte mensen in die omgeving woonden, afgezien van een kleine groep in Newport en in een naburig plaatsje waar een universiteit was.

Thuis in Texas zou ik zelfs wanneer er geen bord langs de kant van de weg stond niet veilig door sommige plaatsen heen kunnen rijden, vooral niet 's avonds. God verhoede dat ik daar een lekke band of iets dergelijks kreeg en ergens naartoe moest lopen. Er waren in de buurt van mijn geboorteplaats in Oost-Texas heel wat van dat soort kleine gemeenschappen geweest. Voor hetzelfde geld waren er ook zulk soort plaatsjes dicht bij de grote stad waar mevrouw Isabelle en ik nu woonden. Die zonsondergangsplaatsjes waren overal gesticht: ten noorden of zuiden van de Mason-Dixon-lijn, ten oosten of westen van de Great Divide. Misschien was het nu niet zo opvallend als toen, misschien was het niet politiek correct meer om iemand alleen vanwege zijn huidskleur te weren uit je dorp, maar daar lieten sommigen zich niet door tegenhouden.

We reden door de hoofdstraat van haar geboorteplaats, en daarna wees mevrouw Isabelle me de weg naar weer een begraafplaats – de grootste, heuvelachtigste begraafplaats die ik ooit had gezien. Elke beschikbare plek, hoe steil ook, was bezaaid met grafstenen, en in alle richtingen liepen smalle laantjes omhoog, omlaag of om de heuvels heen. Op een van de heuvels verhief zich een elegant oud stenen gebouw. Een tweede, dat wat lager stond, diende als opslagplaats voor maaiers en terreinonderhoudsgereedschap. Werklieden, die met allerlei klussen bezig waren, schonken geen aandacht aan ons, terwijl de auto de smalle straatjes op kroop van dit stadje dat bevolkt werd door de doden.

Ditmaal wist mevrouw Isabelle de weg. Ze liet me eerst stoppen in een uithoek van het terrein. We bleven in de auto zitten, maar ze wees naar een kleine grafsteen die zo donker was van het vocht en van ouderdom dat ik door mijn raampje niet kon zien wat erop stond.

'Daar ligt tante Bertie,' zei ze. 'Toen ik klein was, ben ik moeder weleens hiernaartoe gevolgd. Ze wist niet dat ik maar een paar passen achter haar was terwijl ze over dit laantje liep om het graf van haar zus te gaan verzorgen. Anders zou ik niet hebben geweten waar tante Bertie begraven lag.'

Ze keek een poosje aandachtig naar het graf en toen ze weer het woord nam brak haar stem af en toe. 'Ik verschool me achter een boom en keek toe. Mijn moeder ging huilend op dat graf liggen, Dorrie. Het was de enige keer dat ik haar ooit heb zien huilen.'

Toen we even later in de berm van een ander laantje stopten, wees ze naar een familiegrafsteen. MCALLISTER.

'Help je me even, Dorrie?'

Ik hielp haar de auto uit, wat elke keer moeizamer leek te gaan. Ze had een wandelstok meegenomen voor de reis, maar ze had hem tot dan toe niet willen gebruiken en volgehouden dat ik hem in de kofferbak moest laten liggen. Ditmaal vroeg ze erom. We liepen zo dicht mogelijk naar de grafsteen toe, maar moesten toch op enige afstand blijven staan. In platte stenen waren de namen van haar moeder, haar vader en Jack en zijn vrouw gebeiteld. De stenen lagen scheef op hun afbrokkelende betonnen sokkel; die van haar moeder stond zelfs schuin in het gras. Mevrouw Isabelle klakte met haar tong. 'Moeder heeft ons vroeger altijd beter gevonden dan alle anderen in het dorp, en kijk nou eens: hun graven worden niet eens onderhouden.' Maar haar ogen waren opnieuw omfloerst, en vol emotie. De woorden die ze even later fluisterde kon ik met moeite verstaan. 'Dank u, papa. Dank u dat u hebt geholpen mijn dochtertje in leven te houden.'

Ook ik kreeg een brok in mijn keel van ontroering.

We reden de hele dag door, tot in de avond, en stopten alleen om te tanken, naar de wc te gaan en snoep te kopen – het enige wat mevrouw Isabelle bereid was te eten. Onderweg bladerde ze lusteloos door haar kruiswoordpuzzelbladen toen ik haar vroeg me een paar omschrijvingen voor te lezen. Ik beweerde dat ik slaperig was en ze me wakker moest houden.

In de buurt van Memphis vertelde ze wat er na de geboorte van Dane was gebeurd. Het bedrijf waar Max werkte breidde uit, en hij kreeg promotie en salarisverhoging aangeboden, mits ze naar Texas verhuisden. Mevrouw Isabelle zei dat ze er totaal geen moeite mee had gehad om de plek te verlaten waar alles ondraaglijke herinneringen leek te bevatten.

In Texas leidden ze een kalm leventje. Max en zij hadden het moeilijk met elkaar, maar ze hielden hun huwelijk in stand, ook al had Max er kort na de verhuizing geen geheim van gemaakt dat hij een paar keer met een vrouw uit was geweest, die hij op een feestje van de zaak had leren kennen. Mevrouw Isabelle had niet gereageerd. Ze vond dat ze het recht niet had – voelde zich nog steeds schuldig omdat ze hem jaren geleden had bedrogen. De verhouding ging als een nachtkaars uit toen Max besefte dat er niets zou veranderen. Het was alleen maar een poging geweest om haar aandacht te trekken. Hij maakte het uit en richtte zijn kalme, zorgzame aandacht weer op Isabelle en hun huishouden. Hun leventje kreeg langzamerhand zijn regelmaat en kende weinig hobbels, afgezien van de korte periode dat Dane in Vietnam diende. Hij keerde behouden, maar wel cynisch terug.

'En hoe zit het dan met die grootse dingen die u Robert had beloofd te gaan doen, mevrouw Isabelle? Hebt u alles waarvan u lang geleden droomde ook echt gedaan?'

'O, Dorrie, eigenlijk niet. Het is bescheiden gebleven. Ik heb geprobeerd een goede vrouw en moeder te zijn.'

We praatten over de buurt waar ze had gewoond, aan de oostelijke rand van Fort Worth. Hoewel het een welvarende buurt was geweest toen ze er kwamen wonen, raakte Poly Heights later, toen de raciale samenstelling begon te veranderen, in verval. Isabelle en Max bleven er wonen, ook al was de uitstroom van blanken in volle gang. Ik begreep dat ze een gerespecteerd lid van haar gemeenschap was, ook al zei ze het niet. Ze deed vrijwilligerswerk bij haar in de buurt, gaf bijles aan schoolkinderen, hielp zowel kinderen als volwassenen bij de aanvraag van een bibliotheekkaart, en moedigde haar buren aan te gaan stemmen. Ze sloot zich aan bij burgergroeperingen die er bij de schoolleiding op aandrongen meer moeite te doen om de rassenscheiding op te heffen. De scholen pasten op grond van de indeling in kiesdistricten merendeels nog rassenscheiding toe, al waren de inschrijvingsregels wel veranderd.

Op haar eigen bescheiden manier had mevrouw Isabelle dus wel degelijk behoorlijk grootse daden verricht, terwijl de meeste vrouwen in haar positie daar niet over zouden hebben gepiekerd. Ik kende de buurt waar zij en haar man hadden gewoond – tot ze uiteindelijk, nadat Max met pensioen was gegaan, waren verhuisd naar het kleinere, makkelijker te onderhouden huis in de buitenwijk waar ik tegenwoordig haar haar deed. Poly was het soort buurt waar blanken in die tijd de benen hadden genomen bij de eerste tekenen van diversiteit. Het was een van de weinige oudere buurten in Fort Worth die grotendeels ongemoeid waren gelaten door jonge professionals nu het weer hip was om in de stad te wonen.

Max stierf op zijn tachtigste vredig in zijn slaap. Dane verhuisde als volwassene naar Hawaï. Daar woonde en werkte hij, tot hij enkele weken nadat bij hem kanker was geconstateerd overleed. Hij liet een vrouw en een stel kleinkinderen achter, die mevrouw Isabelle al zelden zag toen hij nog leefde, laat staan nadat hij gestorven was en zijn vrouw hertrouwd. Ze stuurden haar een kaart voor haar verjaardag of als ze op vakantie waren, maar ze was al jaren niet door de kinderen bezocht en had al maanden geen telefoontje van hen gehad. Ze had het gevoel dat het misschien aan haar lag. 'Het valt tegenwoordig niet mee om langeafstandsrelaties te onderhouden, Dorrie,' zei ze. 'Vooral niet als ze van begin af aan al niet zo hecht zijn geweest.' Ze wist niet of ze Dane als kind ooit wel had toegestaan naar behoren op haar te bouwen. Had ze hem op een afstandje gehouden? Was haar vermogen om lief te hebben volledig aangetast doordat ze zoveel verloren had?

'Het is óók moeilijk om relaties te onderhouden als je erbovenop zit,' zei ik, denkend aan mijn angst om mannen te vertrouwen en de ellende met mijn kind die me thuis te wachten stond. Het leek allemaal opeens zo onbeduidend. Maar het waren míjn problemen.

'Toch heb ik geboft, Dorrie,' zei ze de volgende dag zomaar opeens. We hadden uiteindelijk overnacht in het zoveelste doorsneemotel. Toen we die ochtend in de auto waren gestapt, waren we te moe geweest om een gesprek te voeren. 'Er hebben twee lieve mannen van me gehouden.'

Ik dacht erover na en moest haar gelijk geven. 'Ik hoop dat ik ooit ook zo bof,' zei ik, 'maar ik hoop ook dat ik niet zoveel narigheid hoef door te maken om dat te bereiken. Eén lieve man is zat.'

'Knoop dit in je oren, Dorrie: sommige mannen zijn gewoon geen knip voor de neus waard. Daarnaast heb je lieve mannen. Die volstaan. Maar dan heb je ook nog lieve mannen van wie je houdt. Als je er zo een vindt, moet je zorgen dat je die nooit meer loslaat.'

Ze had gelijk. Ik had zo'n gevoel dat Teague tot de laatste categorie behoorde. Ik vroeg me af of hij mijn bericht had beluisterd en of hij het geduld kon opbrengen om te wachten tot ik die ellendige situatie met Stevie Junior had gladgestreken, en dan ook nog het geduld kon opbrengen om met mij om te gaan. Ik had namelijk nog een gevoel: ik had het gevoel dat ik van hem kon houden als ik mijn hart openstelde.

We reden aan het eind van die middag doodmoe de oprijlaan van haar huis op. Voordat ik mijn portier wilde opendoen, legde mevrouw Isabelle haar hand op de dichtstbijzijnde hand van mij. 'Toen ik hoorde dat Robert gestorven was, dacht ik dat mijn leven voorbij was. Ik ben uiteindelijk op mijn manier van Max gaan houden, en Dane was een lieve jongen en ik een goede moeder, en natuurlijk hield ik van hem. Maar ik heb altijd het gevoel gehad alsof er iets ontbrak, alsof het verlies van mijn dochtertje en van Robert twee gaten in mijn hart had achtergelaten.

Maar toen leerde ik jou kennen, en jij liet me niet in de steek, zelfs niet wanneer ik chagrijnig was en me als een dwaas oud mens gedroeg. God heeft me een geschenk gegeven. Hij heeft me een stukje van het gezin dat ik verloren heb gebracht. Via jou, Dorrie.' Ze legde me het zwijgen op toen ik begon te protesteren – niet omdat ik me niet vereerd voelde, maar omdat ik weigerde te geloven dat het kleine beetje dat ik had gedaan de lege plekken in haar hart ook maar had beroerd. 'Wijs me nu niet af. Dorrie, ik ben je als mijn dochter gaan beschouwen.'

De tranen borrelden op en stroomden uit mijn ogen. Ik zat als een dwaas te snotteren, of ik wilde of niet.

'Toe, hou op. Je brengt me in verlegenheid. Ik hou van je alsof je mijn eigen kind bent, Dorrie. Het is zo eenvoudig als wat, en niets om je over op te winden. Ik heb tenslotte geen smak geld die ik je kan nalaten. Je hebt waarschijnlijk meer last dan profijt van me.' Ik lachte met verstikte keel en ze gaf me een klopje op mijn hand.

Ik haalde haar koffer uit de kofferbak en verplaatste die van mij naar mijn eigen auto. Ik liep met haar mee het huis in en controleerde alle deuren en ramen. Alles zat goed dicht. Ik legde de kruiswoordpuzzelbladen op haar keukentafel, maar ze schoof ze naar me terug en zei dat ik ze maar moest bewaren, bij wijze van aandenken aan onze reis. Ze snoof nadat ze dat had gezegd. Maar ik zou ze inderdaad bewaren, en als ik erdoorheen bladerde, zou ik me elk detail van haar verhaal herinneren, ook al waren er nog zoveel hokjes leeg gebleven.

Het voelde anders toen ik die avond bij haar wegging, alsof ze van een opvliegende oude dame die wat extra hulp nodig had onderweg was veranderd in een broos mensje dat ik niet alleen durfde te laten. Ik dwong mijn voeten naar de voordeur te lopen.

'Nog één ding, Dorrie.'

Ik draaide me om. Ze steunde op een van de stoelen, die eruitzag alsof hij al minstens dertig jaar in haar deftige woonkamer had gestaan. 'Ik ontsla je.'

Mijn mond viel open. Wat kregen we nou? Ik deed al ruim tien jaar haar haar – ik piekerde er niet over om daar nu mee op te houden, wát ze ook zei.

'Als ik je als een dochter beschouw, hoef ik je toch niet te betalen om elke maandagochtend langs te komen en mijn haar op te knappen? Dat hoor je dan gratis te doen.' Ze grinnikte, en ik ook, hoewel mijn hart een sprongetje maakte, onrustig geworden van al die verrassinkjes van haar.

Ze haalde haar sleutelbos uit haar kolossale, geheimzinnige handtas. 'Er zit een extra sleutel aan. Haal hem er maar af en neem hem mee. Laat jezelf gerust binnen als je langskomt. Mocht je tijd hebben om mijn haar te doen als je op bezoek bent, dan is dat meegenomen.'

Ik haalde mijn schouders op, maar we wisten allebei dat ik van plan was elke maandagochtend te verschijnen om haar haar te doen, net als altijd. Bovendien zou ik nooit meer een cent van haar aannemen. 'Oké, mevrouw Isabelle,' zei ik. 'Ik spreek u morgen weer.'

Het was even wat ongemakkelijk. Moest ik haar omhelzen? Zoenen? Nu ik haar eredochter was, leek dat wel gepast, maar we waren geen van beiden erg aanrakerig.

Maar misschien zou ik haar ooit wel een keer onverwachts een snelle knuffel en zoen op haar wang geven. Ik bedoel, ik had haar tenslotte in haar ondergoed gezien. Dan had je toch geen geheimen meer voor elkaar?

42

Dorrie, heden

Stevie Junior wachtte me thuis op, gelaten en deemoedig, alsof ik van plan was hem bij zijn kladden te grijpen en ter plekke uiteen te scheuren. Een paar dagen geleden zou ik dat waarschijnlijk hebben gedaan ook. Maar ik had me nu gerealiseerd wat het belangrijkste was, en dat was onder meer: mijn zoon niet wegduwen wanneer hij me het hardst nodig had.

'Hoi, liefje. Heb je nog nieuws?' riep ik terwijl ik het huis in kwam, slepend met mijn koffer, die ik op mijn bed liet neerploffen. Uitpakken was van later zorg. Stevie lag languit op onze oude, sjofele bank. Die wilde ik al jaren vervangen door iets waardoor ons huis er wat chiquer uit zou zien. Vandaag zag het er vertrouwd en gezellig uit. Het zag eruit als thuis.

Stevie ging moeizaam overeind zitten, ineengedoken, zijn handen samengebald tot één buitensporig grote vuist onder zijn kin. Hij leek verbaasd te zijn over mijn nonchalante begroeting: zijn schouders waren stijf en gespannen, alsof mijn humeur te mooi was om waar te zijn.

Ik plofte in de leunstoel neer die schuin tegenover de bank stond en al net zo vertrouwd en uitnodigend was. Mijn to-dolijst had inmiddels een heel andere invulling dan een week geleden. 'Heeft Bailey al met haar ouders gepraat?'

'Eh... nee. Ik denk ook niet dat ze dat zal doen, mam.'

Mijn hart leek een paar tellen stil te staan, en klopte toen dof verder in mijn borst, alsof het met tegenzin doorploeterde. Het was dus te laat om wat dan ook te bespreken. Te laat om Stevie ervan te verzekeren dat ik hem zou steunen ongeacht de keuzes die hij maakte, zolang hij maar bereid was om de hersens te gebruiken die Onze-Lieve-Heer hem had geschonken. Ik slaakte een zucht.

'Ze heeft een miskraam gehad.'

Ik hief met een ruk mijn hoofd en keek mijn zoon met grote ogen aan. Zijn ogen glansden. Toen drong het tot me door hoe serieus hij die hele toestand had opgevat. Hoewel het allemaal niet gepland was geweest, werd hij nu geconfronteerd met een verlies dat hij nooit had verwacht op zijn zeventiende al te moeten verwerken.

Ik hees mezelf overeind, plofte naast hem neer en sloeg mijn arm om schouders die weliswaar ontzettend breed leken, maar dezelfde schouders waren die ik zolang hij van mij was geweest altijd al had vastgehouden.

'Echt waar, liefje?' Ik was onwillekeurig een tikje opgelucht. Het was niet meer dan menselijk, denk ik, dat de moeder van een kind die iets stoms had gedaan er opgelucht over was dat de consequenties niet te wrang zouden zijn. Maar het deed ook meer pijn dan ik had verwacht. Dit was tenslotte mijn kleinkind geweest. Ook al was ik er nog niet klaar voor om oma te zijn, een stukje van mijn nalatenschap was naar de andere wereld gegaan zonder dat ik de kans had gehad van het kereltje of meisje te houden.

'Gisteren begon ze opeens te bloeden, alsof ze erg ongesteld was of zo. We zijn naar de Spoedeisende Hulp gegaan. Daar werd ons verteld dat ze een miskraam had gehad. Het was nog zo vroeg dat ze verder niets hoeft te doen. Het is gewoon voorbij. Maar mam?' Hij keek op, het verdriet naakt in zijn ogen. 'Het doet pijn. Ik wist niet dat het zo'n pijn zou doen.'

'O, knul, ik weet het. Het spijt me zo vreselijk.' Ik drukte hem tegen me aan toen zijn schouders schokten en hij in zijn tranen stikte omdat hij zo zijn best deed zich als een man te gedragen. 'Het mag best, Stevie. Van huilen word je meer man. Echt waar.'

Een laatste golf snikken rommelde door zijn lichaam als een wegstervend onweer. Toen hij tot bedaren was gekomen en zijn gezicht met een tissue had afgeveegd, nam ik het woord.

'Ik zal er geen doekjes om winden. Ik ben teleurgesteld, Stevie. Teleurgesteld dat je niet meteen naar mij toe bent gekomen en me hebt verteld wat er aan de hand was en wat je dacht nodig te hebben. Misschien had ik je kunnen helpen logische beslissingen te nemen, zodat je niet had hoeven ingaan tegen alles wat ik je geleerd heb: inbreken in mijn zaak om het geld te stelen, en je eigenlijk door Baileys angst tot de verkeerde keuzes laten dwingen.'

'Ik weet het, mam. Ik heb zo'n...'

'Wacht even. Ik ben nog niet uitgepraat. Ik weet ook dat je in sommige opzichten nog een kind bent. Je zult nog wel meer domme dingen doen voordat je echt volwassen bent. Maar onthou nu maar dat als je mij betrekt bij beslissingen waar je onzeker over bent, ik je misschien kan helpen. Het blijven natuurlijk jouw beslissingen, en misschien zijn we het niet altijd eens. Sterker nog: ik weet zeker dat we het af en toe pertinent met elkaar oneens zullen zijn. Maar je hoeft het niet allemaal alleen te doen, knul.'

We besteedden nog ongeveer een uur aan het oplossen van andere zaken, die weliswaar minder ernstig waren, maar even belangrijk voor zijn toekomst: hoe we met de schooldecaan zouden kunnen regelen dat Stevie weer op koers kwam te liggen, hoe hij van plan was me de schade die hij de winkeldeur en mijn archiefkast had toegebracht te vergoeden.

Ik knuffelde Bebe, die bij haar vriendinnetje was geweest, bij thuiskomst lang en stevig, en toen ik zover was om iemand anders te zien, had ik het gevoel dat alles tenminste weer een beetje normaal was. Dat we het wel zouden redden.

Ik vroeg Teague of we konden afspreken in mijn zaak. Hij ging er meteen op in en klonk gretig – alsof hij niet alleen alles wilde bespreken, maar me misschien zelfs had gemist. Een man die me miste nadat ik er de afgelopen week zo'n potje van had gemaakt, was misschien wel een man die je nooit meer moest loslaten.

Hij sprong zijn auto uit toen ik aankwam; hij stond al geparkeerd en wachtte op mijn komst. Hij liep snel op me af en trok me naar zich toe om me een knuffel geven die o zo heerlijk aanvoelde. Daarna duwde hij mijn kin omhoog en drukte een zoen op mijn lippen.

Het was een welkom-thuiszoen. Een zoen die meer zei dan alle andere zoenen die ik ooit had gehad. Een zoen die zei: 'Ik vind je leuk. Ik ben een geduldig man. Ik ben bereid op je te wachten tot je alles hebt opgelost.'

Ik lachte. Of ik wilde of niet.

'Kom, we gaan even praten.' Hij trok me naar de deur van de zaak. Ik zette me schrap voordat ik het slot en de deurlijst bekeek die door mijn zoon naar de vernieling waren geholpen.

Een van de eerste dingen die ik deed was opbiechten dat ik rookte – probeerde te stoppen, maar rookte – voor het geval ik erin was geslaagd hem voor de gek te houden. Hij zei lachend dat hij zich al had afgevraagd wanneer ik ermee voor de draad zou komen. Hij was er niet enthousiast over, maar hij had zelf ook jarenlang gerookt. Hij begreep hoe moeilijk het was om te stoppen, maar hij was bereid me te helpen als ik bereid was moeite te doen. Ik had tijdens de reis met mevrouw Isabelle nauwelijks tijd gehad om het te missen, maar het eerste wat ik had gedaan toen ik weer in mijn eigen auto zat was een sigaret opsteken. Natuurlijk had ik dat gedaan. Oude gewoontes zijn moeilijk af te leren.

Toen ik hem even later had herinnerd aan alle zaken en mensen in mijn leven waarvoor ik verantwoordelijk was – mijn kinderen, mijn moeder, en zelfs mevrouw Isabelle – dreunde hij zijn eigen waslijst op. Hij herinnerde me eraan dat hij drie kinderen had die volledig van hem afhankelijk waren omdat hun moeder er het grootste deel van de tijd niet was, en die al heel snel de puberleeftijd zouden bereiken, met alle specifieke problemen van dien. Hij herinnerde me eraan dat hij een baan had die veel tijd en energie opslokte en hem zo nu en dan een hoop sores bezorgde. Net als ik dat had. Daarna vertelde hij over zijn overige verplichtingen, waar ik niet eens van had geweten.

'Zijn we een fraai span of niet, Dorrie? Ik zou zeggen dat we aardig aan elkaar gewaagd zijn. Sterker nog: het zou me verbazen als je met me in zee wilde. Ik ben nogal een lastpak.'

Ik gaf hem lachend een klapje op zijn arm.

'Ben je bereid me te vertrouwen?' vroeg hij, nadat hij me weer bij zich had genomen, op mijn kappersstoel was gaan zitten en me bij hem op schoot had getrokken. Vroeger zou ik daar misschien steke-lig van zijn geworden, het idee hebben gehad dat hij me als een klein meisje behandelde in plaats van als iemand die prima voor zichzelf kon zorgen. Maar ik begreep nu het een en ander van liefde. Ik be-greep dat hij me een aanbod deed dat ik niet voorbij kon laten gaan: een lieve man. Een man van wie ik eigenlijk al hield, ook al hadden we nog heel wat tijd nodig om elkaar goed te leren kennen en een heel verleden op te bouwen voordat we zeker konden zijn van onze zaak.

Het leek me dus wel een goed idee om het advies van mevrouw Isabelle op te volgen en te zien hoe dit alles voor mij en mijn gezin zou uitpakken. Ik beantwoordde zijn vraag als volgt: ditmaal zoende ik hem eerst.

43

Dorrie, heden

Maandagochtend deed ik het haar van mevrouw Isabelle, zoals altijd, zoals ik had beloofd, ook al had ik het niet hardop gezegd toen ik bij haar vertrokken was. Ze wist het.

Het was nu natuurlijk anders. Intiemer dan vroeger. De shampoo en spoeling die ik in haar haar masseerde, lieten het glanzen. Terwijl ik wachtte tot de krullen en golven stevig waren geworden, bestudeerde ik haar gezicht en verbaasde ik me over haar huid, die zo zacht en rimpelloos was, al had ze nog zoveel verdriet gehad en nog zoveel verloren.

Mijn gedachten dwaalden af. Misschien zou ik ook wel zo boffen. Misschien had ik de meeste van mijn demonen op jongere leeftijd al onder ogen gezien en zouden de paar die er nog over waren me niet zo snel oud maken. Misschien zou ik de rest van mijn leven aangenaam doorbrengen met mensen van wie ik hield – ook al liep het allemaal niet altijd zoals ik had gepland. Misschien was de tijd die mevrouw Isabelle en ik op reis hadden doorgebracht een les geweest in hoe ik een gelukkiger mens moest worden.

'Volgens mij komt het allemaal wel goed, mevrouw Isabelle. Mijn zoon... Ik heb een goed gevoel over hem. Ik denk dat het hele gedoe hem heeft wakker geschud, hem zo'n schrik heeft bezorgd dat hij wat verstandiger is geworden. Ik geloof eigenlijk wel dat hij zich voortaan zal houden aan de waarden die ik hem heb bijgebracht en ze zal toepassen om iets te bereiken in het leven. Ik geloof het echt.

Als ik nu Bebe nog door de dramatische jaren heen kan slepen, ben ik klaar.'

Ik grinnikte toen ik me probeerde voor te stellen dat mijn lieve Bebe me ooit echt verdriet zou doen. Hoewel ik het me nu nauwelijks kon voorstellen, zou ze me op een gegeven moment waarschijnlijk toch op de proef stellen. Ik hoopte maar dat het om simpele dingen zou gaan: te veel make-up of een te korte short. Maar ik nam aan dat ook zij wel een paar barstjes in mijn hart zou veroorzaken voordat het allemaal achter de rug was.

'En Teague. O, mevrouw Isabelle. Soms heb ik het gevoel dat hij te mooi is om waar te zijn. Ik wacht nog steeds tot hij over de schreef gaat, zodat ik kan zeggen: "Zie je wel, ik zei het toch? Een lieve man bestaat niet."'

Maar hij was er de dag dat we thuiskwamen van onze reis, en ook de volgende dag – zondag, toen ik gezelschap van een echte volwassene nodig had bij het afhandelen van een van de moeilijkste dingen die ik ooit had gedaan. Iets wat ik niet had verwacht zo snel al te moeten doen, maar wat me uiteindelijk ook volstrekt niet verraste.

De lippen van mevrouw Isabelle waren geplooid tot een teder glimlachje. Ze stelden me gerust en gaven me steun, zeiden me nog één keer dat het allemaal wel goed zou komen.

Haar haar was nu droog en ik kamde de krullen voorzichtig uit tot lichte golven, die haar voorkeur hadden, en haar gezicht omkransten als een zilverblauwe halo. Ze was niet volmaakt geweest – dat wist ik nu zeker – maar een betere beschermengel dan zij zou ik nooit meer krijgen. Ik kreeg een waas van tranen voor mijn ogen toen ik bedacht hoeveel ze voor me was gaan betekenen. Ik hoopte maar dat ik ook voor haar een zegen was geweest.

Ik gebruikte haar favoriete stylingspray om alles keurig glad te houden, zoals ze dat graag had, en deed een stap achteruit om het resultaat te beoordelen. Een knap stukje werk, al zei ik het zelf. Ze zag er netjes uit. Ze zag er mooi uit, zoals altijd. 'Wat vindt u, mevrouw Isabelle? Moet ik het u ditmaal eigenlijk niet in rekening brengen? Ik heb vandaag mijn beste werk afgeleverd, hoor. Ja, ik vind echt dat ik mezelf heb overtroffen. Alleen maar omdat...' Ik schoot vol toen ik de laatste woorden probeerde uit te spreken.

Alleen maar omdat ik van haar hield.

Ik herinnerde me de gedachten die ik zaterdag had gehad, toen ik had staan dubben of ik me zou omdraaien voor een omhelzing of een zoen. Ditmaal aarzelde ik niet. Ik stapte weer naar haar toe. Ik bukte me om haar broze schouders vast te pakken en trok haar zo dicht mogelijk naar me toe om haar te omhelzen. Het leek haar totaal niet te verbazen. Dat niet, en ook de zoenen niet die ik voorzichtig eerst op haar voorhoofd en daarna op allebei haar tere wangen drukte, die licht geparfumeerd waren door de producten die ik had gebruikt bij het stylen van haar haar, al had ik nog zo mijn best gedaan om haar gezicht ertegen te beschermen.

Ik streek met mijn vinger over haar lippen en legde toen mijn handen op de hare, die ter hoogte van haar middel zorgvuldig om haar kleine zilveren vingerhoed gevouwen waren. Ik verbaasde me weer over onze verschillen, over het contrast tussen onze huidskleur, als dat tussen rijke aarde en zongebleekt zand.

Zo verschillend. En toch zo gelijk.

Ik hoorde iets bewegen in de deuropening. Ik keek op. Daar stond meneer Fisher te wachten, geduldig, maar met vragende ogen.

'Ze is klaar. Even mooi als altijd. Dat hebben we met z'n tweeën goed gedaan,' zei ik.

De begrafenisondernemer knikte en gaf me een klopje op mijn arm. Ik deed een stap achteruit.

Ze was nu bij Robert. En Pearl. En waarschijnlijk ook bij Max en Dane en alle anderen die van haar hadden gehouden, maar haar vooruit waren gegaan.

Ik denk dat mevrouw Isabelle inderdaad klaar was. Ditmaal droeg ze een feestjurk.

Dankbetuiging

Ik ben zoveel mensen dank verschuldigd dat ik bijna niet weet waar ik beginnen moet. De volgorde is altijd verkeerd, hoe ik het ook aanpak.

Ik ben gezegend met fantastische literair agenten. Elisabeth Weed, je bent altijd mijn eerste keus geweest, en ik kan nog steeds niet geloven dat ik het geluk heb gehad met je te mogen samenwerken. Jenny Meyer, die zich bezighoudt met de buitenlandse rechten, is ronduit een wonder. We zouden allemaal verloren zijn zonder hun assistenten, Stephanie Sun en Shane King, die ervoor zorgen dat alle belangrijke documenten ondertekend, opgeborgen en verzonden worden. Ik geloof dat filmagent Jody Hotchkiss net zo'n filmgek is als ik, en dat is een goede zaak. Dank jullie wel dat jullie verliefd zijn geworden op *Kom naar huis*.

Redacteuren Hilary Rubin Teeman van St. Martin's Press en Jenny Geras van Pan Macmillan zijn zeer wijs en precies barmhartig genoeg. Dankzij jullie geweldige samenwerking is *Kom naar huis* diepzinniger, breder, langer en waarachtiger geworden. Jullie enthousiasme en die van het hele team van St. Martin's en Pan Macmillan is fantastisch.

Aan mijn buitenlandse uitgevers en redacteuren: het stemt me vreugdevol, nederig en dankbaar dat ik wereldwijd zoveel lezers heb.

Kim Bullock, Pamela Hammonds, Elizabeth Lynd, Joan Mora en Susan Poulos, wat moet ik zonder jullie? Jullie zijn meer geworden dan mijn groepje critici en medeblogsters op 'What Women Write'. Jullie zijn mijn vriendinnen, mijn vertrouwelingen en mijn schrijf-kompas. *Kom naar huis* zou zonder jullie een ander boek geworden zijn.

Anderen zijn behulpzaam geweest doordat ze de eerste versies hebben gelezen, zinvol commentaar hebben gegeven en me in een vroeg stadium al hebben gesteund: Carleen Brice, Diane Chamber-lain, Gail Clark, Margaret Dilloway, Helen Dowdell, Heather Hood, Sarah Jio, Beverly McCaslin, Garry Oliver, Jerrie Oliver, Judy Oliver, Tom Oliver en Emilie Pickop. Dank jullie wel.

Dank aan iedereen bij Book Pregnant, een uiterst waardevolle groep debuutauteurs, omdat ze me hebben geholpen onderscheid te maken tussen datgene waarover ik me het hoofd moest breken en datgene wat ik achterwege kon laten. Ik vind het een eer om met jul-lie de vreugden en beproevingen van het 'boeken baren' te delen.

Ik sta nog steeds versteld van de ruimhartigheid van die talloze andere schrijvers die ik tijdens mijn schrijftocht ben tegengekomen, onder wie iedereen bij Backspace, The Seven Sisters, Barbara Samuel-O'Neal, Margie Lawson en deelneemsters aan het retraiteweekend in Mount Hood, met name Therese Walsh, die me niet alleen aan die groep voorstelde, maar ook aan mijn literair agent.

Ik ben speciale dank verschuldigd aan een groep niet-schrijvende vrienden en vriendinnen, die me onderweg hebben gesteund en aan-gemoedigd. Mogen we ooit de eeuwig rustige haven vinden waarnaar we verlangen, maar in de tussentijd zullen we, zoals songwriter David Wilcox voorstelt, *let the wave say who we are.* Over David Wilcox gespro-ken: dank je wel voor de wijsheid van Rule Number One.

Zonder familie – eigen, aangetrouwde of bij wijze van erenaam – zou dit allemaal niet mogelijk zijn geweest. Mijn ouders, broers, zussen en schoonouders hebben er nooit aan getwijfeld dat ik op een dag zou doen waarvan ik hou; zo gaan we in deze familie met elkaar om. Gail en Jay Clark hebben langer dan wie van mijn niet-verwan-ten ook van me gehouden en me gesteund. Zonder jullie had ik het echt niet gered. Mijn kinderen hebben me ieder vanaf het ogenblik dat ze in mijn leven kwamen geleerd wat ware liefde inhoudt. He-ather, Ryan, Emilie en Kristen, jullie hart vergezelt me waar ik ook ga. En mijn man Todd, mijn beste vriend en echte redder in de nood, heeft me met zijn kalme, onwankelbare steun in staat gesteld mijn passies te herontdekken en me erop te richten. Hoe kan ik je er ooit voor bedanken dat je jaren geleden enthousiast dit onstuimige, kant-en-klare gezin op je hebt genomen?

Fannie Elizabeth Hayes, bedankt dat je me hebt geholpen Dorrie tevoorschijn te toveren, doordat je me ruim tien jaar lang deelgenoot hebt gemaakt van je moed, je mededogen en je meligheid. Mogen al je unieke en mooiste dromen uitkomen.

Dank aan mijn oma, Velma Gertrude Brown Oliver, ook al draagt u uw feestjurk al en kunt u me misschien niet boven het gezang uit horen, voor de glimp van een verhaal dat mijn hart veroverde en niet meer wilde loslaten. En dank je wel, papa, dat je me het hebt verteld.

Ten slotte een woord aan mijn lezers. Bedankt voor het lezen van *Kom naar huis*. Mogelijke fouten wat betreft historische feiten of achtergronden zijn alleen mij aan te rekenen. Ik hoop dat u deze roman zult nemen voor wat hij is: een verhaal dat ik heb verzonnen over allerlei waars. Als u langs de wegen woont die Dorrie en Isabelle bereizen, weet u beter dan ik welke vorderingen er zijn gemaakt en welke er nog gemaakt moeten worden. Het is aan u om verandering te bewerkstelligen.